दिलीप मंडल

पत्रकार, लेखक और मास कम्युनिकेशन के शिक्षक दिलीप मंडल लगभग ढाई दशक के अपने पेशेवर सफर में *जनसत्ता, अमर उजाला, इंडिया टुडे, आज तक, स्टार न्यूज़, इकॉनोमिक टाइम्स, सीएनबीसी आवाज़* और *द प्रिंट* समेत कई पत्र-पत्रिकाओं और न्यूज़ चैनलों से जुड़े रहे। *इंडिया टुडे* के प्रबंध सम्पादक भी रहे। भारतीय जनसंचार संस्थान, दिल्ली और माखनलाल चतुर्वेदी पत्रकारिता विश्वविद्यालय, भोपाल में अध्यापन का कार्य भी किया। माखनलाल चतुर्वेदी विश्वविद्यालय में एडजंक्ट प्रोफेसर थे। *दिलीप मंडल की पाठशाला* इनका चर्चित वीडियो कॉलम है। हार्वर्ड यूनिवर्सिटी के इंडिया कॉन्फ्रेंस, 2020 में व्याख्यान दे चुके हैं। उत्कृष्ट पत्रकारिता और मीडिया लेखन के लिए भारत सरकार के सूचना और प्रसारण मंत्रालय तथा प्रेस कौंसिल से सम्मानित किए जा चुके हैं।

ई-मेल : dilipcmandal@gmail.com

मीडिया का अंडरवर्ल्ड

पेड न्यूज, कॉरपोरेट और लोकतंत्र

दिलीप मंडल

राधाकृष्ण पेपरबैक्स

राधाकृष्ण पेपरबैक्स में
पहला संस्करण : 2011
तीसरा संस्करण : 2018
This book is printed on **Print on Demand** Technology : 2025

राधाकृष्ण पेपरबैक्स : उत्कृष्ट साहित्य के जनसुलभ संस्करण

राधाकृष्ण प्रकाशन प्राइवेट लिमिटेड
जी-17, जगतपुरी, दिल्ली-110 051
द्वारा प्रकाशित

शाखाएँ : अशोक राजपथ, साइंस कॉलेज के सामने, पटना-800 006
पहली मंजिल, दरबारी बिल्डिंग, महात्मा गांधी मार्ग, प्रयागराज-211 001
1, अनमोल सोराबजी संतुक लेन, धोबी तलाव, मरीन लाइंस, मुम्बई-400 002
वेबसाइट : www.radhakrishnaprakashan.com
ई-मेल : info@radhakrishnaprakashan.com

मूल्य : ₹399

MEDIA KA UNDERWORLD
Paid News, Corporate Aur Loktantra
by Dilip Mandal

ISBN : 978-81-8361-421-4

मीडिया को आम आदमी के हाथ का हथियार बनाने वाले
बाबा साहब भीमराव आंबेडकर और सुरेंद्र प्रताप सिंह
की पत्रकारीय परंपरा को समर्पित

भूमिका

2009 के लोकसभा और कुछ राज्यों के विधानसभा चुनाव में जब मीडिया और विज्ञापन उद्योग के प्रतिनिधि रेट कार्ड लेकर उम्मीदवारों और पार्टियों के पास पहुंचे और समाचारों को बेचने का प्रस्ताव रखा, तो देश में हलचल-सी मच गई। पत्रकारों और संपादकों के संगठनों, मीडिया विनियामक (रेगुलेटर), चुनाव आयोग, सूचना और प्रसारण मंत्रालय, देश की संसद समेत कई मंचों पर इसे लेकर शोर मचा। चुनाव के दौरान मीडिया के इस तरह बाजार में बिकने के लिए खड़े हो जाने और खबरों को लेकर हांक लगाने को विचार और अभिव्यक्ति की स्वतंत्रता और लोकतंत्र के लिए खतरा बताया गया और मांग उठने लगी कि इस पर अंकुश लगाया जाए। विज्ञापन और खबर के बीच का अंतर खत्म हो जाने को लेकर गहरी चिंताएं जताई गईं। प्रेस परिषद की समिति ने इस बारे में जांच करके अपनी रिपोर्ट भी दे दी है और उपचार भी बता दिया है कि यह बीमारी कैसे दूर होगी।

यहां सवाल उठता है कि क्या भारतीय मीडिया ने इस चुनाव के दौरान कुछ ऐसा कर डाला, जो अप्रत्याशित या फिर उसकी संरचना और स्वभाव के विपरीत था? कहीं ऐसा तो नहीं कि मीडिया को अपनी कारोबारी संरचना और व्यावसायिक स्वार्थों तथा लक्ष्यों की वजह से देर-सबेर यही करना था? मीडिया बाजार के रास्ते पर लंबे समय से चल रहा था, कुछ पर्दादारी थी और प्रश्न सिर्फ यह था कि यह सब खुलकर कब होने लगेगा। वर्ष 2009 का महत्त्व कहीं सिर्फ इसलिए तो नहीं है कि मीडिया और राजनीति के अंतःपुर में जो लंबे समय से चल रहा था, उसे अब छुपाए रखना नामुमकिन हो गया और कुछ सार्वजनिक किस्म के रहस्यों से पर्दा उठ गया? ऐसे प्रश्न ही इस पुस्तक को लिखने का कारण बने।

पाठक और दर्शक बेशक न जानें, लेकिन सरकार, राजनीतिक दल, एनजीओ और कॉरपोरेट सेक्टर से लेकर स्पोर्ट्स और एंटरटेनमेंट इंडस्ट्री तक सब जानते हैं कि मीडिया को मैनेज करने की जरूरत पड़ती है और मीडिया को मैनेज किया सकता है। किसी खास मौके पर पूरे मीडिया को नहीं भी तो इसके एक हिस्से को तो मैनेज किया ही जा सकता है। पब्लिक रिलेशन यानी जनसंपर्क की आधुनिक विधा और

शास्त्र के होने का यही मूल आधार है। तमाम सरकारी निगमों और निजी कंपनियों में पब्लिक रिलेशन और कॉरपोरेट कम्युनिकेशंस विभागों का होना और मीडिया प्रबंधन और छवि निर्माण के कारोबार में लगी सैकड़ों कंपनियां अपने आप में इस बात का प्रमाण हैं कि मीडिया में क्या छपेगा और क्या नहीं छपेगा, यह सिर्फ समाचार के महत्त्व यानी न्यूज वैल्यू से तय नहीं होता। संपादकीय सामग्री का निर्धारण सिर्फ संपादकीय विभाग में बैठे लोग और पत्रकार नहीं करते। विज्ञापन विभाग और संपादकीय विभाग के बीच 'चीन की दीवार' का होना अब सिर्फ मीडिया नीति शास्त्र की किताबों में ही संभव है।

मीडिया का प्रबंधन और नियंत्रण करने के लिए कायदे-कानून से लेकर प्रलोभन, विज्ञापन, भय, दंड सबका इस्तेमाल होता रहा है। सरकारें डी.ए.वी.पी. (विज्ञापन और दृश्य प्रचार निदेशालय), पब्लिक रिलेशन (जनसंपर्क) डिपार्टमेंट से लेकर पत्र सूचना कार्यालय (प्रेस इंफॉर्मेशन ब्यूरो) तक के जरिए सूचनाओं के प्रवाह को आधिकारिक रूप से अपने पक्ष में रखने की कोशिश करती हैं। मीडिया को सर्विस टैक्स, सीएसटी, वैट आदि टैक्सों से छूट मिली हुई है और ऐसी छूट के जरिए भी मीडिया को नियंत्रित किया जाता है। ये छूट अखबारों और पत्रिकाओं की बिक्री पर ही नहीं बल्कि विज्ञापनों से होने वाली आमदनी के लिए भी मिलती है। ये छूट मिलती रहे, इसमें मीडिया इंडस्ट्री का हित है।

निजी कंपनियों के पास मीडिया प्रबंधन के अपने औजार हैं। कंपनियों के पास अपने कॉरपोरेट कम्युनिकेशन डिपार्टमेंट होते हैं, जिनका काम मीडिया में अच्छी पब्लिसिटी दिलाना और खराब पब्लिसिटी को रोकना होता है। इसके अलावा मीडिया मैनेजमेंट करने वाली बड़ी-बड़ी पब्लिक रिलेशन कंपनियां इस देश में हैं। राजनीतिक दलों के भी मीडिया डिपार्टमेंट हैं और कई दल अब पब्लिक रिलेशन और इमेज बिल्डिंग एजेंसियों की सेवाएं लेते हैं। ज्यादातर नेताओं का मीडिया मैनेजमेंट का अपना तंत्र है। अब तो अमूमन हर मंत्रालय, विभाग और पी.एस.यू. ने भी निजी जनसंपर्क एजेंसियों की सेवाएं ले ली हैं। इन सबका काम घोषित या अघोषित तौर पर मीडिया को मैनेज करना है। ये सारी बातें अब रहस्य नहीं हैं।

विदेश की सरकारें भी जान गई हैं कि भारत में मीडिया कैसे काम करता है। इसलिए जब ऑस्ट्रेलिया की सरकार ने भारतीय छात्रों पर हो रहे हमले के बीच अपनी छवि संवारने के लिए भारत के 25 पत्रकारों को प्रति पत्रकार लगभग 4.15 लाख रुपए के खर्च पर मेलबोर्न और सिडनी के दौरे पर बुलाया तो भारत में इसे लेकर कोई हंगामा नहीं मचा, जबकि ऑस्ट्रेलिया में इसे अनैतिक माना गया।[1]६मलेशिया से लेकर दुबई और फ्रांस और मिस्र से लेकर स्कॉटलैंड तक के टूरिज्म डिपार्टमेंट, पत्रकारों के प्रायोजित टूर और विज्ञापनों की ताकत से भारतीय मीडिया में खूब छपते

और दिखते हैं। मिसाल के तौर पर *इकोनॉमिक टाइम्स* के ट्रेवल सप्लिमेंट में जॉर्डन के बारे में पूरे पेज का एक लेख छपा जिसका शीर्षक था–*बाई ग्रांड* डिजाइन। ये रिपोर्ट अखबार के स्टाफ के लोगों की लिखी है और उसी पेज के नीचे के हिस्से में जॉर्डन टूरिज्म का विज्ञापन है।[2] अखबारों में ये चलन जितना आम है, उतना ही टी.वी. चैनलों पर भी है। पाठकों और दर्शकों के लिए मुश्किल ये भी है कि उन्हें यह पता नहीं होता कि इस तरह का ट्रेवल लेखन और शो अक्सर प्रायोजित होते हैं और इनका खर्च मीडिया संगठन नहीं उठाते। लेकिन आलेख या शो में इस बात का जिक्र नहीं होता। अक्सर जब कोई विदेशी राष्ट्राध्यक्ष या बड़ा नेता भारत आता है तो उस देश का दूतावास भारतीय मीडिया में स्पेस खरीदकर संबंधित देश और नेता के बारे में सामग्री छपवा लेता है। सेमिनार और कॉन्फ्रेंस के दौरान भी संस्थाएं कवरेज खरीदती हैं और संबंधित सामग्री समाचार की शक्ल में ही लोगों तक पहुंचती है।

यह तो मीडिया मैनेजमेंट का ऑर्गेनाइज्ड सेक्टर है। इसके अलावा लालच, दबाव, भय, ब्लैकमेलिंग जैसे तमाम तरीकों से मीडिया का प्रबंधन किया जाता है, जिसके बारे में सार्वजनिक रूप से तो चर्चा कम होती है, लेकिन इस सच को मीडिया और जनसंपर्क से जुड़े तमाम लोग जानते-समझते हैं। मुंबई में शिव सेना ने मीडिया पर नियंत्रण बनाए रखने के लिए मीडियाकर्मियों पर जानलेवा हमले कराए। उत्तर प्रदेश में मुलायम सिंह सरकार का मीडिया के खिलाफ हल्ला बोल अभियान काफी चर्चा में रहा। पंजाब में खालिस्तान समर्थकों ने भी एक समय मीडिया के कंटेंट को नियंत्रित करने की कोशिश की थी और इसमें वे एक हद तक सफल भी रहे थे (याद कीजिए कि उस समय ज्यादातर अखबारों ने आतंकवादियों के लिए खाड़कू शब्द का इस्तेमाल करने का आतंकवादियों का हुक्म मान लिया था)। इस देश में वर्तमान समय में कोला ड्रिंक्स के खिलाफ लिखना या खबर दिखाना आसान नहीं है। छत्तीसगढ़ में खनन कंपनियों के खिलाफ खबरें लिखना और दिखाना लगभग नामुमकिन है। उमेश डोभाल हत्याकांड से जाहिर हुआ कि उत्तराखंड में शराब माफिया के खिलाफ खबर लिखना जानलेवा होने की हद तक खतरनाक है।[3] थोड़ा पीछे जाएं तो हमारे देश में इमरजेंसी जैसे उदाहरण भी हैं, जब *द स्टेट्समैन* और *इंडियन एक्सप्रेस* जैसे अपवादों को छोड़कर पूरा मीडिया सरकार और सत्ता के सामने दंडवत हो गया था।[4] यानी मीडिया को साम-दाम-दंड-भेद से प्रभावित करने की देश में लंबी परंपरा रही है।

दबाव और प्रलोभन से इतर खुद मीडिया भी लोक से हटकर निरंतर अभिजन यानी एलीट के पक्ष में झुकता चला गया और अब कई अखबारों में गरीबों, किसानों, मजदूरों, विस्थापितों और दूसरे वंचित तबकों की खबरों के लिए जगह काफी कम

है। राष्ट्रीय कहे जाने वाले अखबारों में गांव, दलित, आदिवासी, अल्पसंख्यकों के जीवन से जुड़े वास्तविक मुद्दे और सवाल लगभग गायब हैं। विज्ञापनदाता कंटेंट को अपने हिसाब से ढालने में जुटे हैं और मीडिया भी अपने कंटेंट को लगातार विज्ञापनदाताओं की जरूरत के हिसाब से ढाल रहा है। समाचार माध्यम सूचनाओं और विचारों की जगह मनोरंजन का स्थान बनते जा रहे हैं। इसके पीछे सबसे बड़ी वजह विज्ञापन का दबाव है क्योंकि कोई भी विज्ञापनदाता नहीं चाहता है कि उसके चमक-दमक वाले प्रोडक्ट के आस-पास या आगे-पीछे देश की वास्तविकता दिखे या कुछ ऐसा हो जो लोगों को सोचने को मजबूर करता है। इस तरह मीडिया ने बाजार के दबाव में और बाजार से ज्यादा से ज्यादा कमाई करने के लालच में अपने लिए भी एक हद बना ली है, जो भारतीय आबादी के बड़े हिस्से को मीडिया में अनुपस्थित बना देती है। भारतीय समाज की विविधता भारतीय मीडिया में नजर नहीं आती। वास्तविक समाज और मीडिया के समाज के बीच भारी फर्क है। यह सब अचानक नहीं हुआ है। पेड न्यूज के चर्चा में आने से काफी पहले से मीडिया इस दिशा में चल रहा है।

खासकर 1991 के बाद आर्थिक उदारीकरण की प्रक्रिया तेज होने के साथ ही बाजार की छाया मीडिया पर काफी गहरी हो गई है। देश के 35 बड़े शहरों में 2.6 करोड़ परिवार ऐसे हैं, जिन्हें जीवन शैली और साजोसामान के मामले में रईस कहा जा सकता है।[5] जिन शहरों में भारत के सबसे ज्यादा रईस रहते हैं उनमें दिल्ली पहले नंबर पर है। इसके बाद बेंगलूरु, मुंबई, चेन्नई, हैदराबाद, कोलकाता, कोच्चि, पुणे, जयपुर और अहमदाबाद का नंबर है। नीलसन के सर्वे का नतीजा है कि देश के 70 प्रतिशत रईस परिवारों में अंग्रेजी का अखबार पढ़ा जाता है। विज्ञापनदाताओं की पहली प्राथमिकता इन रईस परिवारों तक अपने उत्पाद के बारे में छवि और सूचना पहुंचाना है। मीडिया इस काम में विज्ञापनदाताओं के साथ सहयोग करता है और इन परिवारों का समय और ध्यान विज्ञापनदाताओं के सुपुर्द करने में जुटा रहता है। इसलिए मीडिया की नजर में न हर आदमी बराबर है, न हर शहर और कस्बा। मीडिया के लिए न सिर्फ कुछ लोग ज्यादा महत्त्वपूर्ण हैं, बल्कि कुछ शहर भी ज्यादा महत्त्वपूर्ण हैं। देखा जाए तो खबरों की बिक्री सिर्फ पैसे लेकर नहीं की जाती। पेड न्यूज और कंटेंट का भुगतान कई बार विज्ञापन की शक्ल में होता है।

पुस्तक की संरचना

इस किताब में उदारीकरण के लगभग दो दशक बाद भारतीय मीडिया की कुछ मुख्य प्रवृत्तियों की शिनाख्त करने की कोशिश की गई है। पुस्तक 11 अध्यायों में है। पहले

अध्याय में लोकविमर्श में मीडिया के महत्त्वपूर्ण होते चले जाने और ऐसे दौर में मीडिया के अभिजनवादी और यथास्थितिवादी बनने के कारण पैदा हुई समस्याओं की पड़ताल की गई है। इसमें मीडिया और लोकतंत्र को लेकर वैश्विक अनुभवों को समेटा गया है और इस बारे में कुछ प्रमुख सिद्धांतकारों के विचारों के आलोक में भारतीय मीडिया को देखा गया है। इस अध्याय में पेड न्यूज को लेकर चल रहे विवाद के कुछ बिंदुओं को रखा गया है और इसे परिभाषित करने की आवश्यकता को रेखांकित किया गया है।

दूसरा अध्याय भारत में मीडिया और लोकतंत्र के अंतर्संबंधों की पड़ताल करता है। यहां यह जानने की कोशिश की गई है कि मीडिया की जनमत निर्माण में कितनी महत्त्वपूर्ण भूमिका है और वह इस भूमिका को किस तरह निभा रहा है। साथ ही यह भी बताया गया है कि सरकार और मीडिया के आर्थिक और दूसरे संबंध कैसे हैं और किस तरह से ये संबंध मीडिया की स्वतंत्रता को बाधित करते हैं। इस अध्याय में इस बात को नोट किया गया है कि राजनीति और चुनावों में मीडिया की भूमिका कितनी अहम हो गई है। इसके अलावा यह भी बताया गया है कि चुनाव में पैसा और पैसे वालों का प्रभुत्व किस तरह बढ़ा है। ऐसे दौर में खबरों की बिक्री लोकतंत्र के लिए कितनी खतरनाक है, इसकी पड़ताल इस अध्याय में की गई है। चुनाव में पैसे के खेल का नया और बीभत्स दौर शुरू होने में टी.एन. शेषन के चुनाव सुधारों की भूमिका की भी चर्चा यहां की गई है।

तीसरा अध्याय पेड न्यूज को लेकर पत्रकारिता और राजनीति के क्षेत्र में चली चर्चाओं और आलोचनाओं-समालोचनाओं के संदर्भ में है। इसमें बताया गया है कि अरसे से गुपचुप तरीके से चल रही खबरों की बिक्री जब 2009 में खुलकर होने लगी तो कुछेक पत्रकारों और संपादकों की पहल की वजह से किस तरह सारा मामला सतह पर आया। इस अध्याय में इस विवाद के पनपने से लेकर हंगामा बढ़ने तक के कई चरणों को दर्ज किया गया है। इस विवाद को चर्चा में लाने वालों ने समस्या को किस नजरिए से देखा, वह इस अध्याय में जाना जा सकता है। साथ ही पेड न्यूज को लेकर राजनीतिक प्रतिक्रिया को भी इसी अध्याय में शामिल किया गया है। राज्यसभा में इस संदर्भ में हुई चर्चा को भी इसमें समेटा गया है।

ऐसा माना जा रहा है कि पेड न्यूज को रोकने का दायित्व मीडिया विनियामक यानी भारतीय प्रेस परिषद और चुनाव आयोग का है। पुस्तक का चौथा अध्याय यह बताता है कि इन संस्थाओं ने पेड न्यूज को लेकर किस तरह की प्रतिक्रिया जताई और इस दायित्व को निभाने के लिए वे क्यों पूरी तरह समर्थ नहीं हैं। इस अध्याय में एडीटर्स गिल्ड और पत्रकारों से दूसरे संगठनों की प्रतिक्रियाओं का जिक्र है, साथ ही यह बताया गया है कि इस विवाद को लेकर मीडिया उद्योग की क्या प्रतिक्रिया

और रणनीति है।

इसके बाद के तीन अध्याय इस समस्या को मीडिया की आंतरिक संरचना और मीडिया के अर्थशास्त्र से जोड़कर दिखाने और देखने के मकसद से लिखे गए हैं। परंपरागत रूप से मीडिया की चर्चा करते समय मीडिया की आर्थिक संचरना को महत्त्व नहीं दिया जाता है। भारतीय मीडिया विमर्श के केंद्र में भाषा, विचार, कथ्य, सामग्री का विश्लेषण जैसे सवाल होते हैं, जबकि मीडिया के संचालन से लेकर छपने वाली सामग्री के निर्धारण में मीडिया की अर्थव्यवस्था और मीडिया संस्थान के स्वामित्व की संरचना का अब निर्णायक महत्त्व है। इसलिए पुस्तक में मीडिया अर्थशास्त्र को काफी महत्त्वपूर्ण मानते हुए, उसके आलोक में मीडिया की प्रवृत्तियों को समझने की कोशिश की गई है।

पुस्तक का पांचवां अध्याय इस बात की पड़ताल करता है कि 2009 में पेड न्यूज की समस्या जिस तरह से सामने आई, उसका आर्थिक मंदी से कोई रिश्ता है या नहीं। मंदी का भारतीय मीडिया पर किस तरह असर हुआ, इसे इस अध्याय में सामने रखा गया है। साथ में यह भी बताया गया है कि मंदी से निबटने के लिए और मंदी के नाम पर मीडिया संगठनों ने क्या रणनीति बनाई और अपने संस्थानों की संरचना में किस तरह के बदलाव किए। इस अध्याय में यह सवाल उठाया गया है कि कहीं मीडिया ने मंदी को मौके की तरह इस्तेमाल तो नहीं किया।

छठा अध्याय मीडिया में विज्ञापन के महत्त्व के बारे में है। इस अध्याय में चर्चा है कि मीडिया उद्योग किस तरह पाठकों और दर्शकों से मिलने वाले पैसे पर निर्भर नहीं है और इस वजह से पाठकों और दर्शकों की जरूरतों और इच्छाओं की अनदेखी करने में मीडिया किस तरह समर्थ है। भारतीय विज्ञापन उद्योग के आकार और उसके बढ़ने की रफ्तार के आंकड़ों के आधार पर यह स्थापित करने की कोशिश की गई है कि मीडिया का रेवेन्यू मॉडल यानी आमदनी का तरीका उसे आम आदमी की आवाज बनने से रोकता है। विज्ञापन किस तरह से मीडिया के कंटेंट को प्रभावित और नियंत्रित करता है, इसका जिक्र यहां मिलेगा।

सातवें अध्याय में मीडिया कारोबार की संरचना की पड़ताल की गई है। मीडिया मिशन है या व्यवसाय, इस बात को लेकर चलने वाली बहस को यहां नए नजरिए से परखा गया है और दिखाया गया है कि किस तरह सरकार से सुविधाएं लेने के लिए मीडिया उद्योग अपने कारोबार को मिशन के तौर पर पेश करता है। इस अध्याय में यह दिखाया गया है कि मीडिया उद्योग के लगातार बड़े होता आकार और केंद्रीकरण की वजह से किस तरह नए खिलाड़ियों की इस खेल में एंट्री लगभग बंद है और इस वजह से पाठकों और दर्शकों के लिए चुनने के मौके सीमित हैं। साथ ही यह समझने की कोशिश है कि ज्यादा लोगों तक पहुंचने के बावजूद भारतीय भाषा का मीडिया,

आमदनी और मुनाफे के मामले में अंग्रेजी मीडिया से पीछे क्यों है।

आठवें अध्याय में पेड न्यूज के एक पुराने और स्थापित रूप कॉरपोरेट पेड न्यूज और बिजनेस पत्रकारिता की परतें खोली गई हैं। नवां अध्याय इस मिथक को तोड़ने में मदद कर सकता है कि अंग्रेजी के अखबारों और उनमें भी प्रतिष्ठित माने जाने वाले अखबारों में राजनीतिक रिपोर्टिंग में संतुलन होता है। यह कहना मुश्किल है कि यह असंतुलन पेड न्यूज की वजह से है या नहीं।

पुस्तक का दसवां अध्याय मीडिया की उन प्रवृत्तियों की चर्चा करता है, जिनके लिए न सरकार को डंडा चलाना पड़ता है, न कंपनियों को पैसे खर्च करने पड़ते हैं। यह अध्याय बताता है कि किस तरह भारतीय मीडिया इलीट के पक्ष में और कमजोर वर्ग के खिलाफ है। अखबारों की सामग्री के विश्लेषण के आधार पर साबित किया गया है कि भारतीय मीडिया का मूल स्वर अनिवार्य रूप से शहरी, इलीट और सवर्ण है। इसके बाद ग्यारहवें और आखिरी अध्याय में बताया गया है कि भारतीय मीडिया के चरित्र के निर्धारण में जिन पत्रकारों की भूमिका हाशिए की है, उन्हें किस तरह सच्चरित्र होने का पाठ पढ़ाया जाता है।

इस पुस्तक को लिखना न हो पाता अगर भारतीय जनसंचार संस्थान, दिल्ली के विद्यार्थियों ने मीडिया की नैतिकता और लोकतंत्र में उनकी भूमिका को लेकर लगातार मुझसे असहज सवाल न पूछे होते। मीडिया प्रैक्टिशनर होने के नाते ये सवाल मेरे लिए ज्यादा कठिन थे, क्योंकि मुझे इस बात का अंदाजा था कि उनका आदर्शवाद चंद दिनों बाद किन मुश्किल परिस्थितियों के मुकाबिल होने वाला है। मुझे उम्मीद है कि पत्रकारिता के विद्यार्थी आगे भी संदेह करना और सवाल पूछना जारी रखेंगे। इस पुस्तक को लिखने के लिए काफी अध्ययन सामग्री भारतीय जनसंचार संस्थान के पुस्तकालय से ही मिली। इसके लिए मैं संस्थान के कर्मचारियों का आभारी हूं। संस्थान के शिक्षकों आनंद प्रधान और भूपेन सिंह ने कई महत्त्वपूर्ण सुझाव दिए।

पुस्तक का पहला ड्राफ्ट प्रकाशन विभाग की संपादक आर. अनुराधा ने पढ़ा और उनके सुझावों और संपादन की वजह से ही पुस्तक की कल्पना साकार हो पाई। मेरी भाषाई अराजकता पर कुछ हद तक अंकुश लग पाया है, तो इसका श्रेय आर. अनुराधा को जाता है। पुत्र अरिंदम कुमार, जो अभी-अभी नवीं कक्षा में गए हैं, के कंप्यूटर संबंधी तकनीकी सहयोग के लिए उनका आभारी हूं। इसके अलावा मोहल्ला लाइव डॉट कॉम के संपादक अविनाश, जनतंत्र डॉट कॉम के संपादक समरेंद्र, मीडिया विश्लेषक विनीत कुमार *जनतसत्ता* के पत्रकार अरविंद शेष, बामसेफ के अध्यक्ष वामन मेश्राम और डायवर्सिटी मिशन के राष्ट्रीय अध्यक्ष एच.एल. दुसाध ने भी मीडिया के बारे में राय बनाने में मेरी काफी मदद की। इन सबका मैं आभारी हूं। *दैनिक जागरण, जनसत्ता, इंडिया टुडे, अमर उजाला, इंटर प्रेस सर्विस, परख,*

आज तक, ज़ी न्यूज, स्टार न्यूज़, सी.एन.बी.सी. आवाज़ और *इकोनॉमिक टाइम्स डॉट कॉम* में पत्रकारिता करने और भारतीय जनसंचार संस्थान, दिल्ली विश्वविद्यालय, माखनलाल चतुर्वेदी पत्रकारिता विश्वविद्यालय और अरबिंदो इंस्टिट्यूट आदि संस्थानों में पढ़ाने के दौरान मिले अनुभवों से मुझे मीडिया को समझने की दृष्टि मिली। टाइम्स सेंटर फॉर मीडिया स्टडीज के शिक्षकों बालमुकुंद, प्रोफेसर सुभाष धूलिया, डॉ. गोविंद सिंह और डॉ. सुरेश शर्मा का आभारी हूं, जिनसे मैंने पत्रकारिता का शुरुआती पाठ पढ़ा। इन संस्थानों के और संपर्क में आने वाले अन्य सभी मीडियाकर्मियों, मीडिया के अन्य विभागों में काम करने वाले सभी साथियों और विद्यार्थियों का मैं शुक्रगुजार हूं। आप सब साथ न होते, तो यह न होता।

—दिलीप मंडल
दिल्ली

अनुक्रम

21वीं सदी का भारतीय मीडिया : दाग अच्छे हैं

"मीडिया का कारोबार काफी फायदे में चल रहा है और यह चंद ताकतवर कॉरपोरेशन के हाथों में सिमट गया है। लेकिन सालाना मुनाफे के चमकदार आंकड़ों और कॉरपोरेट वाहवाही के बीच मीडिया के बड़े हिस्से का देश की जनता की वास्तविकता से संपर्क टूट गया है, जो खतरनाक है।"

—बेन बेग्डिकियान, द मीडिया मोनोपोली (1983)

"हमारे मीडिया में पैसा कमाने के लिए हाल में जिस तरह से राजनीतिक और आर्थिक खबरों को तोड़ा-मरोड़ा गया, यह प्रवृत्ति हमारी राजनीति और अर्थव्यवस्था की छवि को ध्वस्त कर सकती है।"

हामिद अंसारी, उपराष्ट्रपति[6]

"प्रेस की स्वतंत्रता को सिर्फ बाहरी हस्तक्षेप से नहीं बचाना है बल्कि इसे आंतरिक हस्तेक्षप से भी बचाने की उतनी ही जरूरत है।"

(पत्रकारों के लिए दिशानिर्देश, 2010 का संस्करण जारी करते समय भारतीय प्रेस परिषद के अध्यक्ष जस्टिस जी.एन. रे)[7]

आप कोई साबुन क्यों इस्तेमाल करते हैं? या कोई टूथपेस्ट या फिर कोल्ड ड्रिंक्स? या किसी खास ब्रांड की वाशिंग मशीन या फ्रिज या दीवार रंगने का पेंट या फिर जूते? क्या आपको पता होता है कि आप जिस साबुन या टूथपेस्ट या कोल्ड ड्रिंक्स के ब्रांड का नाम लेकर खरीदारी करते हैं, उनमें खास क्या है? आपने कभी सोचा है कि किसी फिल्म के रिलीज होने से पहले पूरे देश में दर्शकों को कौन बताता है कि फिल्म का एडवांस टिकट खरीदना चाहिए या नहीं। शोरूम में आने से पहले ही टाटा नैनो या मारुति स्विफ्ट जैसी कारों की लाखों की संख्या में बुकिंग क्यों हो जाती है?

कोई अगर पूछे कि कुछ या ढेर सारे लोगों को क्यों लगता है कि आतंकवाद इस देश की सबसे बड़ी समस्या है? ऐसे लोगों की नजर में इस देश में सिंचाई का बंदोबस्त पूरा न होना, किसानों को खाद-बीज सही कीमत पर न मिल पाना, उपज

के संग्रह का बंदोबस्त न होना आदि सबसे बड़ी समस्या क्यों नहीं हैं? जबकि खेती के बुरे हाल की वजह से डेढ़ लाख से ज्यादा किसान आत्महत्या कर चुके हैं[8] और जो भूख से मरे वे अलग। या फिर देश की सबसे बड़ी समस्या यह क्यों नहीं है कि देश में हर साल चार लाख लोग टी.बी. से मर जाते हैं[9] जिन्हें शायद बचाया जा सकता है? आतंकवादी तो हर साल कुछ सौ लोगों[10] को ही मारते हैं। ऐसे में चार लाख लोगों की टाली जा सकने वाली मौत क्या हिंसा नहीं है? नॉलेज इकोनॉमी के दौर में इस देश में दस में से नौ बच्चों का उच्च शिक्षा से वंचित रह जाना[11] देश की सबसे बड़ी समस्या क्यों नहीं है? ऐसा ही एक सवाल यह हो सकता है कि इस देश के किसी नेता के बारे में लोगों को कितना मालूम होता है कि वे उसे ईमानदार और साफ-सुथरी छवि वाला मानने लगते हैं? लगभग 10 लाख मतदाता एक लोकसभा सीट पर होते हैं। एक मतदाता कितने मतदाताओं से मिलकर अपनी राय बनाता है कि उसे किसे वोट डालना है? किसी को ऐसा क्यों लगता है कि चुनाव में खड़ा कोई उम्मीदवार बाकियों से ज्यादा ईमानदार है, विकास करने वाला है या फिर बाकी उम्मीदवारों से भारी है? कोई दूसरा उम्मीदवार उसके सामने कमजोर या बेईमान क्यों लगता है?

दरअसल इन सारे और ऐसे ही अनेक सवालों का जबाव उस परिघटना में है जिसे एडवर्ड एस. हरमन और नॉम चोमस्की *मैन्युफैक्चरिंग कंसेंट* यानी आम-सहमति गढ़ना कहते हैं। मास मीडिया का काम आम जनता तक संदेश और छवियों को पहुंचाना है। उसकी यह भूमिका बन गई है कि वह आम जनता को बहलाए, उसका मनोरंजन करे, उसे सूचना दे और व्यापक समाज के संस्थाबद्ध ढांचे में जनता को ढालने के लिए उसे मूल्य, विश्वास और बर्ताव के तौर-तरीके सिखाए।[12] छवियों के बूते साबुन-तेल-टूथपेस्ट और तमाम तरह के उत्पाद बेचे जाते हैं, फिल्में और टी.वी. धारावाहिक बेचे जाते हैं, मनोरंजन बेचा जाता है, विचार बेचा जाता है, राजनीति बेची जाती है और 2009 के भारत के लोकसभा और कुछ राज्यों के लिए हुए विधानसभा चुनाव में यह बात खुलकर सामने आई कि इस तरह किसी उम्मीदवार या पार्टी को भी मतदाताओं के बीच बेचा जा सकता है। छवियां बनाने और बिगाड़ने में जनसंचार माध्यमों की भूमिका अब असंदिग्ध है। 2009 के लोकसभा और कुछ राज्यों के लिए हुए विधानसभा चुनाव के दौरान इसी का एक रूप पेड न्यूज या पैकेज पत्रकारिता की शक्ल में बड़े पैमाने पर नजर आया।

चुनाव के दौरान प्रचार और छवि तथा सहमति-निर्माण के उपकरण के रूप में जनसंचार माध्यमों का इस्तेमाल भारतीय लोकतंत्र की विशिष्टता नहीं है। पश्चिमी देशों में यह चलन काफी पुराना है और भारत की तुलना में ज्यादा संस्थाबद्ध रूप ले चुका है। अमेरिका के राष्ट्रपति चुनाव के बारे में हल्के-फुल्के ढंग से ये भी कहा

जाता है कि ये चुनाव जनता के बीच नहीं, टेलीविजन स्टूडियो में लड़े जाते हैं। बड़े देशों में ज्यादातर लोग आपस में कभी नहीं मिल पाते हैं और ऐसी स्थिति में मीडिया ही लोगों के बीच संवाद कायम करने का जरिया बनता है।[13] तकनीकी रूप में विकसित देशों में यह प्रक्रिया और भी ज्यादा प्रभावी तरीके से संपन्न होती है, क्योंकि तकनीक के विकास के साथ ही संचार माध्यमों की पहुंच भी बढ़ती है। जनसंचार माध्यमों के विस्तार के साथ भारत भी अब उन देशों में शामिल है, जहां मीडिया लोगों के बीच संवाद कायम करने और छवि बनाने का एक प्रभावशाली माध्यम बन गया है। यह एक ऐसा माध्यम भी बन गया है, जिसका इस्तेमाल करके नेता चुनाव जीतने की बात सोचने लगे हैं और इसके लिए करोड़ों रुपए खर्च करने लगे हैं।

एजेंडा तय करने में मीडिया की भूमिका : वैश्विक अनुभव

मीडिया लोगों के सोचने के तरीके को प्रभावित करता है, यह चर्चा पुरानी है। 1922 में पहली बार वाल्टर लिपमैन ने अखबार में काम करने के अपने अनुभव के आधार पर यह कहा कि मास मीडिया छवियों के सहारे लोगों की राय बनाता है।[14] दो बार के पुलित्जर पुरस्कार विजेता वाल्टर लिपमैन को लोक-विमर्श पर मास मीडिया के असर के बारे में अध्ययन की शुरुआत करने वाला माना जाता है। दो विश्वयुद्धों के बीच के दौर में अमेरिका और यूरोप में प्रेस, सिनेमा और रेडियो के तेज गति से विकास पर टिप्पणी करते हुए लिपमैन ने इसे लोकतांत्रिक भीड़तंत्र में *मैन्युफैक्चर ऑफ कंसेंट* यानी आम सहमति का निर्माण या उत्पादन कहा। इस पूरी प्रक्रिया में लिपमैन मीडिया की विज्ञापनों पर निर्भरता, उपभोक्तावाद के बढ़ने और एक ऐसे समाज की महत्त्वपूर्ण भूमिका देखते हैं, जहां जनमत का अराजनीतीकरण हो गया हो। लिपमैन 1922 में अमेरिका और यूरोपीय मीडिया की जिन प्रवृत्तियों की शिनाख्त कर रहे थे, उसका विस्तार वर्तमान भारतीय मीडिया में देखा जा सकता है। मीडिया की विज्ञापनों पर निर्भरता किस हद तक (90% तक) बढ़ गई है, इसे हम आगे के अध्यायों में देखेंगे। अंतर्राष्ट्रीय संचार के प्रोफेसर दया किशन थुस्सू ने अपनी किताब 'मीडिया ऐज़ एंटरटेनमेंट' में भारतीय संदर्भ में बताया है कि किस तरह यहां समाचार पर मनोरंजन हावी हो गया है और इससे अंततः किसका हित सधता है।

अमेरिका के राष्ट्रपति चुनावों में मतदाताओं पर मीडिया के असर का अध्ययन करते हुए मेक्सवेल मैककॉम्स और डोनल्ड शॉ[15] इस नतीजे पर पहुंचे कि संपादक, टी.वी. प्रसारणकर्मी और पत्रकार खास तरह से खबरें चुनते हैं और उसे दिखाते हैं,

जिसकी जनमत निर्माण में महत्त्वपूर्ण भूमिका होती है। खबर में कितनी जानकारी दी गई है और उसे कितने महत्त्वपूर्ण तरीके से पेश किया गया है, इससे पाठक न सिर्फ बताए गए मुद्दों के बारे में जानता है बल्कि यह भी तय करता है कि मुद्दे को कितना महत्त्व देना है। मीडिया या मीडिया का बड़ा या प्रभावशाली अंश अगर किसी मुद्दे से संबंधित घटनाओं को लगातार पहले पन्ने पर या प्रमुख शीर्षक के रूप में दिखाए, तो इस बात की काफी संभावना है कि लोग उस मुद्दे को महत्त्वपूर्ण मानने लगेंगे। कई अखबार और चैनल जब किसी खबर को हेडलाइन बनाते हैं तो वह खबर देश की सबसे बड़ी खबर मान ली जाती है। इसी तरह किसी मुद्दे की मीडिया में लगातार अनदेखी होने का नतीजा यह हो सकता है कि लोग भी उस मुद्दे को कम महत्त्वपूर्ण मानने लगें। चुनाव प्रचार के दौरान उम्मीदवार की कही गई बातों से खास मुद्दे चुनकर मीडिया चुनाव अभियान का एजेंडा तय कर सकता है। इसी तरह किसी व्यक्ति का प्रासंगिक होना या न होना भी अक्सर इस बात से तय होता कि मीडिया में उसे कितने महत्त्वपूर्ण ढंग से पेश किया जा रहा है।

मेक्सवेल मैककॉम्स और डोनल्ड शॉ का यह भी कहना था कि इन दिनों (यह शोध 1972 में छपा था) उम्मीदवार लोगों तक पहुंचने के लिए खुद उन तक जाने की जगह मास मीडिया का इस्तेमाल पहले से कहीं ज्यादा कर रहे हैं। मीडिया जो सूचना देता है वह कई लोगों के लिए राजनीति के बारे में जानने का एकमात्र जरिया बन जाता है। दो चुनावों के बीच के समय में राजनीतिक गतिविधियों में अगर लोगों की हिस्सेदारी कम हो तो चुनाव के दौरान एजेंडा तय करने में मीडिया की भूमिका और बढ़ जाती है। मतदान संबंधी फैसला करने में जिन सूचनाओं का इस्तेमाल किया जाता है उनमें समाचारों, स्तंभों और संपादकीय लेखों में बताए गए उम्मीदवारों और पार्टियों के दावों, वादों और नारों का महत्त्वपूर्ण योगदान होता है।

मेक्सवेल मैककॉम्स और डोनल्ड शॉ ने अपने शोधपत्र में के. लैंग और जी.ई.लैंग की 1966 की किताब '*मास मीडिया ऐंड वोटिंग*' के हवाले से लिखा है कि "मास मीडिया कुछ बातों पर ज्यादा ध्यान देने के लिए बाध्य करता है। वह राजनीतिक व्यक्तियों की सार्वजनिक छवि का निर्माण करता है। वह लगातार ऐसी चीजें पेश करता है जो लोगों को बताती हैं कि किस बारे में सोचना चाहिए, क्या जानना चाहिए और किसके बारे में कैसी भावनाएं होनी चाहिए।" इंग्लैंड के 1959 के आम चुनाव का अध्ययन करते हुए ट्रेनामेन और मैकक्वेल ऐसे ही नतीजे पर पहुंचे थे। उन्होंने पाया कि मास मीडिया जिन मुद्दों पर जितना जोर देता है, लोगों को उनके बारे में उसी अनुपात में जानकारी मिल पाती है। ये उदाहरण बता रहे हैं कि एजेंडा तय करने में और खासकर राजनीतिक एजेंडा तय करने में मीडिया की महत्त्वपूर्ण भूमिका के

बारे में यूरोप और अमेरिका में साठ और सत्तर के दशक में कई शोध हुए। मीडिया का विस्तार होने के बाद अब भारत भी शायद ऐसी ही स्थिति में पहुंच चुका है, जहां मीडिया न सिर्फ सोचने के मुद्दे तय करने लगा है बल्कि किस तरह से सोचना है, यह भी बताने लगा है।

जब राष्ट्रजीवन में मुद्दे तय करने में मीडिया की भूमिका इस कदर बढ़ गई हो तो सरकारें मीडिया की छाया से मुक्त कैसे रह सकती हैं। मीडिया और सरकार के रिश्तों को लेकर चिंताएं नई नहीं हैं। विचार-अभिव्यक्ति की स्वतंत्रता पर पहरा बिठाने वाली सबसे ताकतवर संस्था के तौर पर सरकार को चिह्नित किया जाता है। मिसाल के तौर पर वर्ल्ड एसोसिएशन ऑफ प्रेस परिषद की इस्तांबुल (तुर्की) में सितंबर 1998 में हुई बैठक में घोषणा की गई कि :

> *''प्रेस की स्वतंत्रता का मतलब सिर्फ पत्रकारों, संपादकों या मीडिया मालिकों की स्वतंत्रता नहीं है। बल्कि यह सभी नागरिकों का लोकहित के विषयों पर सब कुछ जानने का अधिकार है। स्वतंत्र प्रेस का यह भी मतलब है कि वह इस अधिकार का इस्तेमाल जिम्मेदारी के साथ करेगा। प्रेस को सरकार के प्रति नहीं बल्कि जनता के प्रति जवाबदेह होना चाहिए।''*

इस घोषणा में मीडिया के लिए लोकहितकारी होने की कसौटी रखी गई है और इसकी लक्ष्मणरेखा तय करने की कोशिश की गई है। इस घोषणापत्र में सबसे महत्त्वपूर्ण बात यह है कि मीडिया के केंद्र में नागरिकों को रखा गया है। यह मूल स्थापना ही आज खतरे में है कि मीडिया के केंद्र में मुनाफा, विज्ञापन, बैलेंस शीट, अन्य तरह के फायदे, कॉरपोरेट, सरकार, राजनीतिक दल आदि नहीं, बल्कि लोग और उनका हित होना चाहिए। यूनेस्को की पहल पर बने मैकब्राइड कमीशन ने भी अपनी रिपोर्ट में सूचनाएं हासिल करने और उन्हें दूसरों तक पहुंचाने को बुनियादी मानवाधिकार माना है। कमीशन का मानना है कि संचार की बुनियादी प्रकृति ऐसी है कि उसका पूरा इस्तेमाल राजनीतिक, सामाजिक, आर्थिक माहौल और खास तौर पर राष्ट्र के भीतर और राष्ट्रों के बीच लोकतंत्र होने पर निर्भर है।[16] मीडिया और संचार की प्रवृत्तियों की आलोचना को मैकब्राइड कमीशन एक बड़े फ्रेमवर्क में देखता है। यह फ्रेमवर्क मीडिया को देश-काल-समाज से अलग-थलग नहीं मानता। यह एक व्यापक आधार है, जो मीडिया को समझने के उपकरण मुहैया कराता है।

मीडिया और समाज को लेकर सैद्धांतिकी की बात करें तो वर्तमान मीडिया परिदृश्य में यह सवाल महत्त्वपूर्ण हो जाता है कि मीडिया की वर्तमान प्रवृत्तियां देश और समाज में आ रहे बदलाव का कारण हैं या परिणाम। यानी क्या मीडिया इसलिए

बदल रहा है कि समाज, उत्पादन संबंध, लोगों के विश्वास, उनके विचार और कई और पहलू बदल रहे हैं या फिर समाज में इस तरह के और ऐसे अन्य कई बदलाव लाने में मीडिया कारक या उत्प्रेरक की भूमिका निभा रहा है? इससे जुड़ा एक सवाल यह भी है कि क्या टेक्नोलॉजी के क्षेत्र में आ रहा बदलाव समाज और उसके साथ ही मीडिया को निर्णायक रूप से बदल रहा है? मीडिया और समाज को लेकर प्रचलित कई परंपरागत सिद्धांत भी स्थितियों को समझने में मदद करते हैं। मिसाल के तौर पर, मीडिया के बारे में सी. राइट मिल्स और कई अन्य लेखकों ने यह माना कि सत्ता का इस्तेमाल करने वाली संस्थाएं एक दूसरे से गुंथी हुई होती हैं और इस नाते उन्होंने मीडिया को भी सामाजिक सत्ता और अधिकार के स्रोत के तौर पर देखा। मास सोसायटी थ्योरी नाम से प्रचलित इस सिद्धांत का आधार यह है कि समाज का आकार काफी बड़ा है और व्यक्ति का दायरा बेहद सीमित है। ऐसे में केंद्रीकृत मीडिया एकतरफा संवाद चलाता है और इसका असर इतना ज्यादा है कि लोग अपनी पहचान के लिए मीडिया पर निर्भर हो जाते हैं। इस सिद्धांत के मुताबिक, मीडिया को एकाधिकारवादी यानी इजारेदारी तरीके से चलाया जाएगा, और यह लोगों को भीड़, दर्शक, पाठक, उपभोक्ता, बाजार, मतदाता में बदलने का असरदार माध्यम बनेगा। इस सिद्धांत के सबसे प्रखर प्रणेता सी. राइट मिल्स के मुताबिक जनसंचार माध्यम 'ऊपर से' अलोकतांत्रिक नियंत्रण कायम करने का जरिया बन जाते हैं, जहां पलटकर जवाब देने के मौके कम होते हैं।[17]

इस सिद्धांत के अलावा मीडिया के व्यवहार और संरचना की मार्क्सवादी व्याख्या भी की जाती रही है। मीडिया स्वामित्व के जरिए मीडिया के स्वभाव के बारे में कई तरह के सवालों के जवाब ढूंढ़ने की कोशिश होती रही है और बाद के दौर में लुई अल्थूसर ने मीडिया की व्याख्या राज्य के वैचारिक तंत्र के तौर पर की है। ग्राम्शी की प्रभुत्व या वर्चस्व की अवधारणा भी मीडिया में प्रभुत्वशाली वर्ग तथा इलीट यानी अभिजन के वर्चस्व को समझने में मदद करती है। अल्थूसर और ग्राम्शी को मीडिया के नवमार्क्सवादी व्याख्याकारों की श्रेणी में रखा जाता है।

मीडिया विमर्श की भारतीय विशिष्टताएं

भारत में लोकतांत्रिक प्रक्रिया और खासकर चुनावों में मीडिया का हस्तक्षेप और उसकी भूमिका बढ़ने की व्याख्या लोक विमर्श (हैबरमास) के क्षय, आम सहमति के निर्माण (लिपमैन, हरमन, चोमस्की), वर्चस्व यानी हेजेमनी (ग्राम्शी), मास सोसायटी थ्योरी (मिल्स), मीडिया मोनोपोली (बेन एच बेग्डिकियान) जैसी सैद्धांतिकियों के

दायरे में एक हद तक देखा और पढ़ा जा सकता है। पश्चिमी देशों में मीडिया के विस्तार और प्रभाव तथा समाज के साथ मीडिया के अंतर्संबंधों की विशिष्टताएं तो हैं लेकिन भारतीय संदर्भ में मीडिया की कई प्रवृत्तियों के जवाब पश्चिम में चले मीडिया विमर्श के सहारे तलाशे जा सकते हैं। हालांकि भारतीय मीडिया और समाज के रिश्तों की कुछ विशिष्टताएं ऐसी हैं, जहां पश्चिम का मीडिया विमर्श या तो खामोश है या फिर कुछ उलझे-से सूत्र छोड़ता है। इन विशिष्टताओं के अध्ययन की परंपरा का विकास अभी होना है इसलिए भारतीय मीडिया विमर्श जितने सवालों के जवाब देने में सक्षम है, उससे कई गुना ज्यादा सवाल और गुत्थियां अनसुलझी रह जाती हैं।

मिसाल के तौर पर मौजूदा समय में भारतीय मीडिया के बहुचर्चित विषय पेड न्यूज की पश्चिम में कोई समानांतर परंपरा नहीं है। चुनाव खर्च पर कोई सीमा न होने के कारण कई देशों में पेड न्यूज उस शक्ल में नहीं दिखता, जिसे लेकर भारतीय लोकतंत्र में गहरी चिंता है। नेताओं और राजनीतिक दलों द्वारा चुनाव के दौरान मीडिया में स्पेस खरीदने को कई देशों में नीति विरुद्ध नहीं माना जाता है। बल्कि कई देशों में घोषित तौर पर राजनीतिक दल टेलीविजन पर समय खरीदते हैं। इसी तरह एक और महत्त्वपूर्ण सवाल क्रॉस मीडिया ओनरशिप यानी एक ही मीडिया संस्थान द्वारा मीडिया के अलग-अलग रूपों (प्रिंट, वेब, टी.वी. आदि) के संचालन का है। भारत में क्रॉस मीडिया ओनरशिप को लेकर न कोई गंभीर बहस है और न ही कोई कायदा-कानून, जबकि पश्चिमी देशों में इसे लेकर काफी सतर्कता है और इसके रेगुलेशन यानी विनियमन अब काफी हद तक शक्ल ले चुके हैं।

भारतीय मीडिया में न्यूजरूम डायवर्सिटी (यानी समाज के विभिन्न धार्मिक, जातीय नस्लीय तबकों की न्यूज रूम में संख्यानुपात के अनुसार मौजूदगी) को लेकर भी चेतना और चर्चा का अभाव है, जबकि पश्चिमी देशों में यह सवाल कम-से-कम 30-40 साल से चर्चा में है। जाति के प्रश्न पर भारतीय मीडिया की विशिष्ट दृष्टि और न्यूज रूम में दलितों, आदिवासियों, पिछड़ों और मुस्लिमों की अनुपस्थिति[18] या कम उपस्थिति की पश्चिमी मॉडलों के आधार पर कोई व्याख्या संभव नहीं है, क्योंकि यह भारत की और इस वजह से भारतीय मीडिया की विशिष्ट समस्या है। जातीय आरक्षण के सवाल पर भारतीय मीडिया के खास तरह के जातिवादी व्यवहार को समझने में पश्चिम का मीडिया विमर्श मदद नहीं करता। अंग्रेजी और भारतीय भाषाओं के मीडिया अर्थशास्त्र में अंतर की भी व्याख्या भारतीय संदर्भों से ही संभव है और इस मामले में भी पश्चिम का अनुभव कोई नजरिया नहीं देता। हालांकि हेजेमनी यानी वर्चस्व के सिद्धांत के आधार पर एक व्यापक दायरे में इनमें से कुछ सवालों के जवाब तलाशे जा सकते हैं क्योंकि भारतीय मीडिया की लगभग तमाम

प्रवृत्तियों में एक बात समान रूप से मौजूद है, और वह है मीडिया का इलीट चरित्र और सामाजिक-आर्थिक वंचितों के मुद्‌दों और हितों की व्यापक अनदेखी तथा उनका नकारात्मक चित्रण।

भारतीय मीडिया की विशिष्टताओं की बात करते समय सबसे पहले ध्यान पेड न्यूज के चलन पर जाता है। वर्तमान संदर्भ में इसकी चर्चा राजनीतिक और खासकर चुनाव के दौरान किए गए पैकेज कवरेज को लेकर है। यह प्रवृत्ति नई नहीं है और पेड न्यूज के दायरे में अगर कारोबारी और मनोरंजन क्षेत्र के पेड न्यूज को ले आएं और भुगतान के दायरे को पैसे से बढ़ाकर राज्यसभा की सीट, पद्‌म पुरस्कार, जमीन, फ्लैट, सरकारी विज्ञापन, लाइसेंस, टैक्स और ड्यूटी में छूट आदि तक कर दें तो राजनीतिक पेड न्यूज को लेकर चौंकने का भाव खत्म नहीं तो कम जरूर हो जाएगा। इस नजरिए से 2009 में भारत में पेड न्यूज के जिस रूप का खुलेआम प्रदर्शन हुआ, उसे पेड न्यूज के परंपरागत रूपों का चुनाव के दौरान हुआ खुला विस्तार कहा जा सकता है।

क्या है पेड न्यूज

पेड न्यूज की कोई सविधिमान्य परिभाषा नहीं है। चुनाव आयोग ने भारतीय प्रेस परिषद से कहा था कि वह पेड न्यूज को परिभाषित करे।[19] पेड न्यूज को लेकर न्यायपालिका या चुनाव आयोग या प्रेस परिषद किसी भी तरह की कार्रवाई करे, या किसी तरह के दिशा-निर्देश दे, उससे पहले जरूरी है कि इस परिघटना की विधिसम्मत परिभाषा निश्चित कर ली जाए। इसके बिना तो जो मीडिया संस्थान पेड न्यूज के लिए दोषी ठहराए जा रहे हैं, वे भी कह सकते हैं कि हम जो कर रहे हैं वह पेड न्यूज नहीं है और पेड न्यूज पर तो रोक लगनी ही चाहिए। इस पुस्तक में जिस प्रवृत्ति को पेड न्यूज कहा गया है, उसका मतलब संपादकीय सामग्री के स्थान पर छपी या दिखाई गई उस सामग्री से है, जो देखने में तो समाचार लगे, पर उसके लिए अखबार या चैनल ने भुगतान लिया हो। यानी कोई समाचार जो दरअसल विज्ञापन की तरह छपना या दिखना चाहिए, अगर समाचार की तरह और समाचार की जगह छपे या दिखे तो उसे पेड न्यूज कहेंगे। इसे बिकी हुई खबर भी कह सकते हैं। प्रेस परिषद ने पेड न्यूज को इस तरह परिभाषित किया है—

> "कोई भी समाचार या विश्लेषण अगर पैसे या किसी और तरफदारी के बदले किसी भी मीडिया (इलेक्ट्रॉनिक या प्रिंट) में जगह पाता है तो उसे पेड न्यूज की श्रेणी में रखा जाएगा।"

(स्रोत : पेड न्यूज पर प्रेस परिषद द्वारा प्रकाशित रिपोर्ट)

केंद्रीय सूचना और प्रसारण मंत्री अंबिका सोनी ने राज्यसभा में इस मुद्दे पर ध्यानाकर्षण प्रस्ताव पर कहा कि "हाल के महीने में ऐसी मीडिया रिपोर्ट आई है कि इलेक्ट्रॉनिक और प्रिंट मीडिया ने खास व्यक्ति, संगठन या कॉरपोरेट के पक्ष में छापने या प्रसारण करने के लिए पैसे लिये। यह दरअसल न्यूज की शक्ल में विज्ञापन है। इसे पेड न्यूज सिंड्रोम कहा जा रहा है।"[20] खबर कोई भी खरीद सकता है। उद्योग, कारोबार और मनोरंजन जगत खबरें खरीदता रहा है। लेकिन पेड न्यूज के संदर्भ में 2009-10 में जो बहस चली, वह मुख्य रूप से चुनावों के दौरान उम्मीदवारों और पार्टियों द्वारा पैसे देकर खबर छपवाने और प्रसारण करवाने के बारे में है। इसकी ज्यादा चर्चा प्रिंट मीडिया के बारे में है, लेकिन यह बीमारी टेलीविजन समाचार चैनलों में भी उतनी ही गंभीर है।

पेड न्यूज के साथ सुविधा यह है कि खरीदने वाला यानी नेता और बेचने वाला यानी अखबार या टी.वी. चैनल, दोनों ही इस काम के लिए लेन-देन चुपचाप करना चाहते हैं। इस वजह से पेड न्यूज को चुनाव खर्च में शामिल न करने में आसानी होती है। किसी खबर को पेड न्यूज साबित करना आसान नहीं है। पेड न्यूज के लिए पैसों का लेन-देन अक्सर नकद में होता है। चैनल और अखबार अगर पैसे लेकर किसी के पक्ष में या पैसे न मिलने पर किसी के खिलाफ खबरें छापते-दिखाते हैं तो पैसे का लेन-देन साबित किए बगैर यह नहीं कहा जा सकता कि कोई न्यूज पेड न्यूज है क्योंकि मीडिया किसी के पक्ष या खिलाफ में लिखने के लिए कानूनी तौर पर स्वतंत्र हैं। साथ ही पेड न्यूज कानूनी अपराध से कहीं ज्यादा नैतिक प्रश्न ही है क्योंकि अगर कोई मीडिया संगठन पैसे लेकर खबर छापता है तो वह ऐसा करके देश के किसी कानून को नहीं तोड़ता। बेशक अगर इस लेन-देन को वह अपने खाते में नहीं दिखाता तो ऐसी हालत में आयकर कानून के उल्लंघन के लिए उसे दोषी ठहराया जा सकता है।[21]

पेड न्यूज के बारे में यह भी तय करना होगा कि क्या खबर के बदले में जब नकद या चेक से भुगतान किया जाए, तभी इसे पेड न्यूज कहेंगे। कोई संपादक या अखबार या चैनल मालिक अगर किसी राजनीतिक दल के पक्ष में खबरें लिखता या दिखाता है और इस वजह से उसे राज्यसभा में भेजा जाता है या पद्म पुरस्कार दिया जाता है या किसी सरकारी समिति या बोर्ड का सदस्य बनाया जाता है तो इसे पेड न्यूज माना जाए या नहीं? अगर भुगतान जमीन या फ्लैट की शक्ल में किया जाए, तो यह पेड न्यूज होगी या नहीं? या फिर सरकार अगर किसी मीडिया संस्थान को चैनल के लाइसेंस या विज्ञापनों, या किसी और तरह की सुविधा या छूट आदि के जरिए भुगतान करे, चुनावी साल में मीडिया उद्योग के लिए कोई राहत पैकेज दे तो फिर ऐसे अखबार या चैनल को पेड न्यूज के लिए दोषी माना जाएगा या नहीं? ये

सवाल महत्त्वपूर्ण हैं क्योंकि भुगतान करने के इन तमाम तरीकों का असर संपादकीय सामग्री पर एक जैसा ही होता है। पैसे देकर एक खबर छपवाने और राज्यसभा की सदस्यता के बदले किसी मीडिया समूह की वफादारी का पांच या और भी ज्यादा साल का सौदा करने के बीच ज्यादा खतरनाक किसे माना जाए, यह विचारणीय है। इसलिए खबर खरीदने के लिए किए गए नकदी भुगतान को ही पेड न्यूज मानना उचित नहीं होगा। प्रेस परिषद ने भी "तरफदारी" के बदले छापे गए समाचार या विश्लेषण को पेड न्यूज माना है।

खबर के लिए भुगतान को लेकर कानूनी स्थिति साफ न होने की वजह से पेज-थ्री कहे जाने वाले स्पेस में खबरें काफी समय से बेची जा रही हैं, और यह काम छिपकर नहीं किया जा रहा है। परिशिष्ट में संपादकीय सामग्री के स्थान पर प्रायोजित सामग्री को समाचार की तरह पेश करने का चलन वर्षों से चला आ रहा है और अक्सर यह बात विवादों के घेरे में भी नहीं होती। टेलीविजन चैनल काफी समय से कॉरपोरेट फिल्में समाचार की तरह दिखाते रहे हैं और यह बात भी विवादों में नहीं है। इस बारे में पहली बार गंभीर चर्चा राजनीति के क्षेत्र में पेड न्यूज को लेकर ही शुरू हुई है। क्या यह इसलिए है कि राजनीतिक परिदृश्य में शुचिता और सदाचार का लोक जीवन के बाकी क्षेत्रों की तुलना में ज्यादा महत्त्व है? या फिर पेड न्यूज की बहस इसलिए है क्योंकि मीडिया के बारे में साफ-सुथरी छवि बनाए रखना खुद मीडिया के लिए जरूरी हो गया है?

अगर चिंता इस बात की है कि पेड न्यूज से अमीर उम्मीदवार चुनाव नतीजों को प्रभावित कर सकते हैं, तो यह नहीं भूलना चाहिए कि पेड न्यूज चुनाव में हवा बनाने का अकेला तरीका नहीं है। हेलिकॉप्टर के दौरे सिर्फ इसलिए नहीं किए जाते कि नेता ज्यादा से ज्यादा इलाकों तक पहुंचना चाहते हैं। हैसियत दिखाने के लिए भी नेता और उम्मीदवार हेलिकॉप्टर में उड़ते हैं। डमी उम्मीदवार खड़ा करके प्रभावशाली उम्मीदवार आसानी से अपना चुनावी तामझाम और इस तरह चुनावी खर्च दो, तीन और चार गुना कर लेते हैं। चुनाव क्षेत्रों में वोट मैनेजरों यानी प्रभावशाली लोगों को पैसे और दूसरे तरह के संसाधन और प्रलोभन देकर भी मतदाताओं का प्रबंधन किया जाता है। वोट मैनेजरों को पैसे देने की बात आमतौर पर साबित तो नहीं की जा सकती लेकिन भारतीय राजनीति का यह एक ऐसा रहस्य है, जिसे सभी जानते हैं। भारतीय राजनीति और समाज चुनाव में पैसे के खेल को लेकर अभ्यस्त हो चुका है और चुनाव आयोग भी इस मामले में कारगर साबित नहीं हुआ है। इसके बावजूद मीडिया ने जब 2009 के लोकसभा चुनाव और कुछ राज्यों के विधानसभा चुनाव के दौरान पैकेज और रेट कार्ड लाकर न्यूज का स्पेस बेचना शुरू कर दिया और उम्मीदवार और पार्टियां समाचार खरीदने लगे, तो इस पर शोर मच गया।

यह शोर इसलिए नहीं था कि नेता समाचार खरीद रहे थे। राजनीतिक हलके में किसी नेता की इस बात के लिए आलोचना नहीं हुई कि उसने चुनावों के दौरान अखबारों और चैनलों को पैसे देकर समाचार की जगह अपना प्रचार लोगों तक पहुंचाया या पैसे देकर अपने विरोधी उम्मीदवार को ब्लैक-आउट करा दिया या खिलाफ खबरें छपवाईं। नेताओं से इस मामले में नैतिकता की उम्मीद किसी ने नहीं की, खुद सियासी जमात ने भी नहीं। लेकिन ऐसा लगता है कि मीडिया की नैतिकता को लेकर इस देश में अभी कुछ मोह बाकी है। कुछ पारंपरिक मूल्यों पर कायम रहने की मीडिया से अब भी अपेक्षा की जाती है। नेता भी नैतिक होने की उम्मीद मीडिया से कर रहे हैं। वे खुद अपनी पार्टियों में इस बात की बहस नहीं चलाते कि पेड न्यूज एक गलत प्रवृत्ति है और मीडिया को भ्रष्ट करना लोकतंत्र के लिए कितना खतरनाक हो सकता है। पेड न्यूज के लिए मीडिया की निंदा करने वाले नेता यह नहीं कहते कि वे पैसे देकर खबरें नहीं खरीदेंगे। फरवरी 2010 में राज्यसभा में ध्यानाकर्षण प्रस्ताव के तहत इस बारे में हुई चर्चा में आलोचना के केंद्र में मीडिया ही रहा उसे भ्रष्ट बनाने वाले राजनेता या पार्टी को लेकर आमतौर पर खामोशी रही।[22]

लेकिन यहां एक सवाल उठता है कि क्या मीडिया अचानक ही इस एक चुनाव में खबरें बेचने लगा या उसकी यह बीमारी पुरानी है? पत्रकार प्रमोद रंजन ने इस बारे में अपने एक चर्चित आलेख (मीडिया में हिस्सेदारी, प्रज्ञा सामाजिक शोध संस्थान, 2009) में लिखा है–

''ज्ञात तथ्यों के अनुसार, छत्तीसगढ़ में वर्ष 1997 के विधानसभा चुनाव से इसकी शुरुआत हिंदी के दो प्रमुख मीडिया समूहों ने की थी। उस चुनाव में 25 हजार रुपये का पैकेज प्रत्याशी के लिए तय किया गया था, जिसमें एक सप्ताह का दौरा-रिपोर्टिंग, तीन अलग-अलग दिन विज्ञापन के साथ मतदान वाले दिन प्रत्याशी का इंटरव्यू प्रकाशित करने का वादा शामिल था। उसके बाद के सालों में हिमाचल प्रदेश, पंजाब, चंडीगढ़, हरियाणा, राजस्थान आदि में चुनावों के दौरान यह संस्थागत भ्रष्टाचार पैर पसारता गया। उत्तर प्रदेश और बिहार जैसे राजनीतिक रूप से सचेत राज्यों में अखबारों को इस मामले में फूंक-फूंककर कदम रखना पड़ा। संस्थागत रूप (जिसमें पैसा सीधे प्रबंधन को जाता है) से उत्तर प्रदेश में अखबारों ने पहली बार उगाही वर्ष 2007 के विधानसभा चुनाव में की।''

मीडिया या कहें इसका बड़ा हिस्सा अचानक पेड न्यूज जैसे अनैतिक माने गए काम में कैसे लिप्त हो गया? और, क्या यह अचानक हुआ? इस बारे में वरिष्ठ पत्रकार प्रकाश दुबे का एक अनुभव है–

''लगभग 15 साल पुरानी घटना याद करता हूं। विधानसभा चुनाव के समाचार

संकलन की खातिर गुजरात में था। राजकोट में प्रातःकालीन गुजराती समाचार-पत्र के प्रथम पृष्ठ पर प्रकाशित समाचार पर ध्यान दिया। गुजराती में कामचलाऊ ज्ञान से इतना समझ गया कि कुछ बड़ा गोरखधंधा है। संबंधित समाचार-पत्र के कर्ता-धर्ता चुनाव लड़ रहे थे। समाचार-पत्र में उनके विरोधी उम्मीदवार के विजयी होने की संभावना व्यक्त करने वाला समाचार छपा था। समाचार की निष्पक्षता ने गहरे तक छू लिया। हरिश्चंद्र के आधुनिक अवतार से मिलने का इच्छुक था। उत्सुकता यह जानने की थी कि समाचार-पत्र के मुख्य कार्यकारी की सहमति थी या नहीं? यह भेद तो बाद में खुला कि टी.एन. शेषन की चुनावी कड़ाई की काट गुजरात के कुछ चतुर व्यापारी समाचार-पत्र तलाश कर चुके थे। प्रत्येक समाचार का आकार के हिसाब से भुगतान नकद लिया जाता था। प्राप्त राशि में उस उम्मीदवार का भी हिस्सा था जिनके विरोधी उम्मीदवार ने नकद रकम खर्च कर अपने पक्ष में खबर छपवा ली।[23]

अगर ये समस्याएं पहले से चली आ रही थीं, तो 2009 में ऐसा क्या खास हुआ कि पेड न्यूज राष्ट्रीय विमर्श का हिस्सा बन गया? सवाल यह भी है कि पेड न्यूज खुद बीमारी है या फिर किसी बड़ी बीमारी का एक लक्षण मात्र और क्या यह समस्या सिर्फ राजनीतिक कवरेज तक ही सीमित है? आगे के अध्यायों में मीडिया के कारोबार की पड़ताल के जरिए हम इन सवालों के जवाब ढूंढ़ने की कोशिश करेंगे, क्योंकि आखिरकार ये भारतीय लोकतंत्र की सेहत पर असर डालने वाले सवाल हैं। साथ ही यह जानने की कोशिश करेंगे कि पेड न्यूज और पैकेज पत्रकारिता के इतने खुले रूप में सामने आने के पीछे क्या वैश्विक आर्थिक मंदी की भूमिका है? यह जानना भी जरूरी है कि यह समस्या भारतीय भाषाओं के मीडिया में ज्यादा गंभीर रूप से क्यों सामने आई। और इन सबसे बड़ा सवाल कि क्या यह समस्या मीडिया की संरचना में ही अंतर्निहित है? यानी, क्या मीडिया के भ्रष्ट या कदाचार में लिप्त होने के कारणों की तलाश मीडिया के अर्थशास्त्र में की जानी चाहिए?

आगे उन सवालों का जवाब भी ढूंढ़ने की कोशिश की जाएगी, जो उपराष्ट्रपति हामिद अंसारी ने भारतीय मीडिया से पूछे हैं।[24] ये सवाल हैं—

* क्या आम नागरिक की चिंता के विषयों पर मीडिया में सार्वजनिक बहस होती है?
* क्या हाशिए के लोगों, वंचितों और समाज के कमजोर तबके के लोगों के सरोकार के लिए मीडिया में पर्याप्त स्थान है?
* संविधान के सामाजिक और राजनीतिक लक्ष्यों को पूरा करने की दिशा में हमारे मीडिया ने क्या योगदान किया है?

2009 : चुनाव और मीडिया का महाभोज

''2009 के लोकसभा और विधानसभा चुनाव ने विज्ञापन कारोबार में आई मंदी से निबटने में मदद की। चुनाव के विज्ञापन प्रिंट, टेलीविजन, रेडियो, इंटरनेट और आउटडोर माध्यमों पर आए। चुनावी विज्ञापनों का 40 से 50 प्रतिशत हिस्सा प्रिंट की झोली में गिरा, जबकि 150 टेलीविजन चैनलों पर कुल 1,76,001 चुनावी विज्ञापन दिखाए गए। टी.वी. पर कुल मिलाकर 1439 घंटों के चुनावी विज्ञापनों का प्रसारण हुआ। ये विज्ञापन 52 दलों की ओर से आए।''[25]

''केंद्र सरकार ने विज्ञापन और दृश्य प्रचार निदेशालय (डी.ए.वी.पी.) के जरिए 2008-09 में 320 करोड़ रुपए से अधिक के विज्ञापन मीडिया को दिए। कुल 2 लाख 8 हजार विज्ञापन प्रकाशन के लिए दिए गए। एक साल पहले केंद्र सरकार ने 207 करोड़ रुपए के विज्ञापन मीडिया को दिए थे।''[26]

फिक्की-के.पी.एम.जी. की मीडिया एंटरटेनमेंट इंडस्ट्री रिपोर्ट, 2010 बताती है कि भारत में 2009 में चुनावी विज्ञापनों का कुल कारोबार 800 करोड़ रुपए का रहा। यह रकम पूरी तस्वीर को सामने नहीं लाती। विज्ञापनों का बड़ा हिस्सा ऐसी शक्ल में होता है कि वह विज्ञापन की तरह नहीं दिखता और कई अन्य तरह के विज्ञापनों की तरह अक्सर उनका भुगतान भी रसीद काटकर नहीं लिया जाता। 800 करोड़ रुपए के आंकड़े को अगर सही या सच के आसपास भी मान लें तो यह भारतीय लोकतंत्र और भारतीय पत्रकारिता दोनों पर एक गंभीर टिप्पणी है। यह आंकड़ा इस तथ्य को पुष्ट करता है कि भारतीय लोकतंत्र अब काफी हद तक धनतंत्र में बदल गया है और मीडिया इस धनतंत्र का एक बड़ा और प्रभावशाली किरदार बन गया है। साथ ही सरकार मीडिया में जिस बड़े पैमाने पर विज्ञापन दे रही है और चुनावी वर्ष में अचानक उसमें जो बढ़त देखी गई है (केंद्र सरकार के विज्ञापन का खर्च चुनावी साल में अचानक 113 करोड़ रुपए बढ़ गया), वह लोकतंत्र, सरकार और मीडिया के रिश्तों को नए ढंग से देखने की जरूरत को रेखांकित करती है।

राजनीति के क्षेत्र में मीडिया के बढ़ते दखल को लेकर चिंताएं लगातार बढ़ रही हैं। यह चिंता वैश्विक स्तर पर कई लोकतांत्रिक देशों में है। ऐसे सवाल उठाए जाने लगे हैं कि क्या हम एक ऐसे दौर की ओर बढ़ रहे हैं, जहां मीडिया ही राजनीति के मुद्दे तय करेगा और मीडिया लोकतांत्रिक संस्थाओं की जगह ले लेगा? जर्मन विद्वान थॉमस मेयर ने मीडिया की इस प्रवृत्ति पर चिंता जताई है।[27] ऐसे समय में जब मीडिया में गंभीर और लोकमहत्त्व के मुद्दे महत्त्व खो रहे हैं (ऐसा भारत में भी हो रहा है) और मनोरंजन या मनोरंजन जनित सूचनाओं (इन्फोटेनमेंट) का मीडिया में बोलबाला बढ़ रहा है, तब लोकतंत्र के प्रभावी तरीके से काम करने के लिए आवश्यक सूचनाओं की अनुपस्थिति के खतरों का अंदाजा लगाया जा सकता है।

साथ में अगर मीडिया के जरिए बनने वाले जनमत को पैसे देकर अपने पक्ष में या किसी के खिलाफ मोड़ना आसान और संस्थाबद्ध हो जाए तो यह खतरा और गंभीर हो जाता है। मीडिया के कंटेंट के निर्धारण में मीडिया अर्थशास्त्र और विज्ञापनों के महत्त्व को देखते हुए यह कहा जा सकता है कि राजनीति और मीडिया के अंतर्संबंधों का एक नया धरातल अब तैयार हो चुका है। अध्याय की शुरुआत में दिए गए आंकड़े अपने आप में चौंकाने वाले हैं, लेकिन यह पूरी तस्वीर का एक हिस्सा भर है। मीडिया को प्रभावित करने और मीडिया के जरिए जनमत पर असर डालने के लिए चुनावी विज्ञापन अकेला जरिया नहीं है। यह प्रक्रिया साल भर चलती रहती है। साथ ही पेड न्यूज जैसे संस्थाबद्ध तरीकों से भी मीडिया का प्रबंधन किया जाने लगा है, जो अपेक्षाकृत नई परिघटना है।

संसद और विधानसभा भारत जैसे लोकतंत्र में चुनाव क्षेत्र का आकार बहुत बड़ा है। साथ ही राजनीतिक सरगर्मियों का समय भी मुख्य रूप से चुनाव हैं जो कई-कई साल बाद होते हैं। राजनीतिक सरगर्मियों में, आंदोलनों या सभा-रैलियों में किसी चुनाव क्षेत्र की सीमित आबादी ही शिरकत करती है। ज्यादातर लोग ऐसे होते हैं, जो साल-दर-साल राजनीतिक गतिविधि के नाम पर सिर्फ मतदान करते हैं या वह भी नहीं करते और इस नाते उनकी राजनीतिक चेतना का स्तर ऊंचा नहीं हो पाता। चुनाव क्षेत्र बड़ा होने के कारण किसी उम्मीदवार के लिए अपनी छवि को ज्यादा-से-ज्यादा लोगों तक पहुंचाना आसान नहीं होता। सीधे संपर्क के जरिए यह काम संभव भी नहीं है। इसलिए मीडिया एक ऐसे उपकरण के रूप में सामने आया है जिसके जरिए लोक-विमर्श के क्षेत्र (पब्लिक स्फियर[28]) में अपनी बात पहुंचाई जा सकती है। लेकिन यह ध्यान रखना होगा कि लोगों की चुनने की आजादी की बुनियादी शर्त यह है कि अलग-अलग विचार और सूचनाएं, तमाम विविधताओं के साथ उनके पास पहुंच सकें। विचारों और सूचनाओं पर नियंत्रण की स्थिति में चुनने की आजादी बेमानी हो जाती है।

राजनीति, नेता और मीडिया के बदलते रिश्ते

बहुत पुरानी बात नहीं है जब भारत में कई नेता कहा करते थे कि उन्हें मीडिया की परवाह नहीं है और वे मीडिया की वजह से नहीं, बल्कि मीडिया के बावजूद जीतते हैं। कर्नाटक में 1972 से 1980 तक मुख्यमंत्री रहे देवराज अर्स मीडिया को चिढ़ाने के लिए 'अदृश्य मतदाता' (इनविजिबल वोटर) जुमले का इस्तेमाल करते थे। वे कहते थे कि उनका वोटर मीडिया को दिखाई नहीं देता। 1978 के विधानसभा चुनाव में भारी बहुमत से जीत हासिल करके उन्होंने यह बात साबित भी कर दी।[29] लालू प्रसाद यादव से लेकर कांशीराम और पश्चिम बंगाल में वाममोर्चा के नेता भी मीडिया के विरोध के बावजूद राजनीति में महत्त्वपूर्ण बने रहे। केंद्र की राजनीति में आने से पहले तक लालू प्रसाद यादव मीडिया मैनेजमेंट का महत्त्व नहीं मानते थे और अपने भाषणों में मीडिया का मजाक उड़ाया करते थे। लेकिन रेल मंत्री बनते ही उन्होंने एक आईएएस अफसर को मीडिया के प्रबंधन के काम में अघोषित रूप से लगा दिया। 2009 के लोकसभा चुनाव से ठीक पहले (2008-09) रेल मंत्रालय ने मीडिया को दिए जाने वाले विज्ञापनों पर खर्च में लगभग 50 करोड़ रुपए की बढ़ोतरी की। इसे तत्कालीन रेल मंत्री लालू प्रसाद यादव की छवि निर्माण की कोशिश के तौर पर देखा जा सकता है। वाम मोर्चा ने तो शुरुआती दिनों में मीडिया की बेरुखी को देखते हुए अपना मीडिया खड़ा करने पर पूरा जोर लगा दिया और *दैनिक गणशक्ति* अखबार और कैरली चैनल आदि के रूप में उसे एक हद तक कामयाबी भी मिली।

अस्सी और नब्बे के दशक के शुरुआती वर्षों तक मीडिया को खास तवज्जो न देने वाले नेताओं को धीरे-धीरे इस बात का एहसास होने लगा कि मीडिया लोगों की राय बनाने और बदलने में महत्त्वपूर्ण भूमिका निभा सकता है। इसके साथ ही मीडिया मैनेजमेंट का काम जोर-शोर से होने लगा जो अब पेड न्यूज तक आ पहुंचा है। भारत में समाचार माध्यमों के विस्तार के साथ उनकी ताकत हाल के वर्षों में काफी बढ़ी है। दूरदर्शन के मंच पर 'आजतक' और 'न्यूज टुनाइट' जैसे निजी कार्यक्रम निर्माताओं के समाचार कार्यक्रम शुरू होने के साथ ही टेलीविजन न्यूज का चेहरा बदलने लगा। 2000 में आजतक के 24 घंटे के चैनल बनने के साथ ही टेलीविजन न्यूज चैनलों के क्षेत्र में एक बड़े विस्फोट की शुरुआत हुई। लगभग 10 साल बाद, 2010 में देश में 512 चैनलों को प्रसारण करने की इजाजत हासिल है।[30] इस समय देश में 461 टी.वी. चैनलों से प्रसारण होता है जबकि 2008 में 389 चैनलों से ही प्रसारण होता था।[31] इससे भारत में टी.वी. के विस्तार की रफ्तार का अंदाजा लगाया जा सकता है। देश में टेलीविजन के लगभग 50 करोड़ दर्शक हैं, जबकि

समाचार-पत्रों के कुल पाठकों की संख्या 35 करोड़ है। पांच साल पहले देश के 50 प्रतिशत घरों में टेलीविजन देखा जाता था। 2010 में ऐसे घरों की संख्या 60 प्रतिशत तक पहुंच गई।[32]

यानी अब देश की बहुत बड़ी आबादी मीडिया कवरेज के दायरे में है। मीडिया अब पहले की तरह निरीह और लाचार नहीं रहा, जब नेता उसका मजाक उड़ाया करते थे। अब वह देश की सबसे ताकतवर संस्थाओं में से एक बन गया है। सुप्रीम कोर्ट के पूर्व न्यायाधीश और भारतीय प्रेस परिषद के पूर्व अध्यक्ष जस्टिस पी.बी. सावंत के मुताबिक न्यायपालिका के बाद संभवतः यह समाज की सबसे ताकतवर संस्था है।[33] जस्टिस सावंत की राय में मीडिया ताकतवर तो हो गया है लेकिन इसका संचालन पैसे वालों के हाथों में होने के कारण इसमें कई गड़बड़ियां भी हैं और इसकी कई सीमाएं भी हैं। उनका मानना है कि मीडिया के स्वामित्व की संरचना को देखते हुए इस बात पर आश्चर्य नहीं होना चाहिए कि नीचे से लेकर ऊपर तक व्यवस्था हमेशा आर्थिक रूप से ताकतवर के पक्ष में झुकी होती है।

पेड न्यूज या पैकेज पत्रकारिता मीडिया की ताकत और उसकी खामी दोनों को एक साथ दर्शाती है। ताकत इस बात की कि मीडिया जनमत बना सकता है, जनमत को बदल सकता है, लोगों के सोचने का एजेंडा तय करता है और खामी यह कि मीडिया पैसों के आगे किसी बात की परवाह नहीं करता। मीडिया को पैसे वाले पैसा कमाने के लिए और ताकत के लिए चलाते हैं। इसलिए इसके दुरुपयोग की संभावना इसकी संरचना और स्वामित्व के ढांचे में ही दर्ज है। भारतीय मीडिया के एक बड़े हिस्से और राजनेताओं ने 2009 के लोकसभा और विधानसभा चुनावों के दौरान लोक-विमर्श में महत्त्वपूर्ण भूमिका निभाने वाले संचार माध्यमों का जिस तरह दुरुपयोग किया, वह अभूतपूर्व है।

इस पूरी परिघटना की गंभीरता को मीडिया समझता नहीं होगा, ऐसा मानने का कोई कारण नहीं है। लोक-विमर्श के क्षेत्र यानी पब्लिक स्फीयर में हुआ यह घाल-मेल लोकतंत्र में नागरिकों को हासिल चुनने के अधिकार को साफ तौर पर बेअसर करता है। संसदीय लोकतंत्र में जहां पांच साल बाद लोग अपने प्रतिनिधि चुनते हैं, वहां अगर चुनने से पहले जानने-समझने की प्रक्रिया में मिलावट कर दी जाए, तो लोकतंत्र लोक के विचारों की अभिव्यक्ति कैसे रह जाएगा? लोक-विमर्श की अवधारणा की पहली बार चर्चा हैबरमास ने की थी, इसलिए यहां मौजूं है कि ऐतिहासिक परिप्रेक्ष्य में पेड न्यूज के विवाद को समझने के लिए लोक-विमर्श की हायबरमास की परिभाषा को देखा जाए। उनके मुताबिक—

> *लोक-विमर्श के क्षेत्रों से हमारा मतलब हमारे सामाजिक जीवन के उन तमाम सामाजिक क्षेत्रों से है, जहां जनमत जैसी कोई चीज बनती है।*

लोक-विमर्श में हर नागरिक हिस्सेदारी कर सकता है। लोक-विमर्श में एक क्षेत्र ऐसा होता है जहां व्यक्ति निजी तौर पर शामिल होता है और जनता बन जाता है। जब जनता की तादाद बड़ी होती है तो संचार के लिए खास तरह के माध्यमों की जरूरत होती है। आजकल अखबार, पत्रिकाएं, रेडियो, और टेलीविजन लोक-विमर्श के संचार माध्यम हैं।[34]

लोक-विमर्श में जनमत का निर्माण सही ढंग से हो, इसके लिए जरूरी है कि इसमें हिस्सा लेने वालों तक सूचनाएं तमाम विविधताओं के साथ पहुंचें। लोगों को इस बात का अधिकार है कि वे यह जानें कि उन्हें जिन पार्टियों या उम्मीदवारों के बीच किसी एक को चुनना है, उनकी नीतियां क्या हैं, उनका पिछला काम-काज कैसा रहा आदि। इस बारे में एकतरफा जानकारी उनके फैसले को गलत तरीके से प्रभावित करेगी, क्योंकि भारत जैसे देश में चुनाव क्षेत्र के आकार की वजह से मीडिया वह जरिया बन जाता है जिससे कई लोगों को उम्मीदवारों या पार्टियों के बारे में जानकारियां मिलती हैं। लेकिन लोक-विमर्श में सरकार या पैसा या प्रलोभन या कोई और दबाव हावी हो तो जनमत भी गलत तरीके से बनेगा। भारतीय प्रेस परिषद भी मीडिया के चुनावी कवरेज को लेकर सतर्क रहा है। भारतीय प्रेस परिषद ने खास तौर पर चुनावों के कवरेज के बारे में साफ तौर पर दिशा-निर्देश दिया है कि :

प्रेस को किसी उम्मीदवार या पार्टी को आगे दिखाने के लिए किसी भी तरह का आर्थिक या अन्य लाभ नहीं लेना चाहिए। प्रेस के किसी उम्मीदवार या पार्टी द्वारा या उनकी ओर से दिए जाने वाले आतिथ्य या सुविधा का इस्तेमाल नहीं करना चाहिए।[35]

जरगन हैबरमास और दूसरे चिंतकों के मुताबिक लोक-विमर्श लोकतंत्र के लिए असरदार तरीके से तभी काम करता है जब संस्थागत रूप से वह सरकार और प्रभावशाली आर्थिक ताकतों से आजाद हो। हरमन और मैकचेस्नी लिखते हैं कि हो सकता है कि ऐसी स्वायत्तता हासिल करना आसान न हो, लेकिन लोकतांत्रिक संचार स्थापित करने के लिए इस दिशा में प्रयास करना चाहिए।[36] लाभ-हानि के आधार पर न चलने वाले पब्लिक सर्विस ब्रॉडकास्टर की इसमें भूमिका हो सकती है। लेकिन भारत में पब्लिक सेक्टर ब्रॉडकास्टर का मतलब सरकारी मीडिया मान और समझ लिया गया है। प्रसार भारती बनने के बाद भी दूरदर्शन और आकाशवाणी सरकारी छाया से मुक्त नहीं हो पाए हैं। ऐसे में मीडिया, खासकर चुनाव के दौरान, लोगों तक दबाव और लोभ से मुक्त होकर सूचनाएं न पहुंचाए तो यह सिर्फ विचार और अभिव्यक्ति की स्वतंत्रता और लोगों की जानने की आजादी का हनन नहीं बल्कि लोकतांत्रिक प्रक्रिया को खतरे में डालने वाली हरकतें हैं।

अगर पैसे देकर मीडिया कवरेज की दिशा तय की जा सकती है और जनमत निर्माण की धारा को मोड़ा जा सकता है, तो यह कम पैसे खर्च कर पाने वाले उम्मीदवार को असमान स्थिति में खड़ा कर देता है। इसका दूरगामी असर लोकसभा और विधानसभा जैसी संस्थाओं में पैसे वाले उम्मीदवारों के और भी बड़ी संख्या में पहुंचने के रूप में नजर आ सकता है क्योंकि जो ज्यादा पैसे खर्च करते हैं, वे कई और तरह से भी मत जुटाने में समर्थ होते हैं। मीडिया या उसका एक हिस्सा अगर ऐसे नेताओं का उपकरण बनने को तैयार होता है तो उनका रास्ता और आसान हो जाता है। चुनाव पर खर्च करना नेताओं के लिए किसी निवेश की तरह है क्योंकि नेता बनना आमदनी के अनेक नए रास्ते खोलता है। सांसदों और विधायकों के चुनाव आयोग में जमा आमदनी के हलफनामों का अध्ययन करके साबित किया जा चुका है कि जीते हुए उम्मीदवार अगले चुनाव तक काफी अमीर हो जाते हैं। मिसाल के तौर पर महाराष्ट्र में 2004 के विधानसभा चुनाव जीतने वाले एक औसत उम्मीदवार ने 2009 के चुनाव तक अपनी जायदाद में 3.5 करोड़ रुपए जोड़ लिये थे।[37]

चुनाव जीतने के लिए जो निवेश किया जाता है, उसी का एक हिस्सा मीडिया तक पहुंच रहा है। यह रकम कितनी बड़ी है इसका तो अंदाजा ही लगाया जा सकता है क्योंकि इसका बड़ा हिस्सा किसी खाते में लिखित में दर्ज नहीं होता। आंध्र प्रदेश के 2009 चुनाव के बारे में अनुमान है कि उम्मीदवारों और पार्टियों ने प्रेस को 350 करोड़ रुपए पेड न्यूज छापने के लिए चुकाए।[38] चुनाव जीतने के बाद सिर्फ उम्मीदवार ही अमीर नहीं होते, पार्टियों का खजाना भी तेजी से भरने लगता है। 2004 से 2008 के बीच कांग्रेस और बीजेपी की जायदाद का आयकर विभाग को दिया गया ब्योरा देखें तो इस दौरान बीजेपी की जायदाद 155 करोड़ रुपए से बढ़कर 177 करोड़ रुपए पर पहुंची, जबकि इसी दौरान केंद्र की सत्ता में रही कांग्रेस की जायदाद 136 करोड़ रुपए से बढ़कर 340 करोड़ रुपए हो गई।[39] पार्टियां आयकर विभाग को जो ब्योरा देती हैं, वह वास्तविक जायदाद का एक हिस्सा भर होता है, लेकिन इससे एक प्रवृत्ति का पता तो चलता ही है।

ऐसे में जब पैसा चुनाव जीतने की शर्त या अनिवार्य योग्यता बन गया हो तो मीडिया को लेकर आदर्शवादी विचार रखने वाले यह सोच सकते हैं कि क्या मीडिया इस खेल का पर्दाफाश करेगा और लोकतंत्र को पैसे वालों के हाथों में जाने से रोकने की मुहिम चलाएगा। चुनाव के दौरान अगर मीडिया कवरेज में पैसे की भूमिका न हो तो चुनावी कवरेज में संतुलन हो सकता है और जिनके पास पैसे कम हैं, वे भी अपने मुद्दों और कामकाज के आधार पर चुनावी चर्चा में बने रह सकते हैं। उनकी

बात भी लोगों तक पहुंच सकती है। लेकिन मीडिया का चरित्र और उसका अर्थशास्त्र दोनों ही उसे पैसे के खेल के खिलाफ खड़ा होने से रोकते हैं। बल्कि अब तो ये हो गया है कि मीडिया भी लोकतंत्र को पैसे का खेल बनाने और इस खेल से पैसे कमाने में राजनेताओं के साथ जुट गया है। पेड न्यूज को लेकर मीडिया के अंदर से असहमति के जो स्वर आ भी रहे हैं, उनमें ज्यादातर का अंदाज यही है कि ऐसा करते हुए मीडिया की अपने लिए गढ़ी हुई विश्वसनीयता की छवि खत्म न हो जाए, क्योंकि विश्वसनीयता के आवरण के बिना कोई भी धंधा नहीं हो सकता, चाहे वह खबरों का धंधा ही क्यों न हो।

शेषन की दवा से बढ़ गया मर्ज

भारतीय चुनाव में आम सहमति गढ़ने की कोशिश पहले भी होती थी। यह काम मुख्य रूप से झंडे-बैनर-पोस्टर, दीवार पर नारे लिखकर, जुलूस-सभा से लेकर लाउड स्पीकर पर घोषणाओं और सूचनाओं के जरिए किया जाता था। इसे चुनावी हवा बनाना कहते हैं। लेकिन टी.एन. शेषन के मुख्य चुनाव आयुक्त रहने के दौरान (1990-96) चुनावी हवा बनाने के इन परंपरागत साधनों पर अंकुश लग गया। चुनाव खर्च के नजर आने वाले तमाम रूपों की निगरानी शुरू हो गई और प्रचार पर किए खर्च को चुनाव खर्च में शामिल करने से बचने के रास्ते मुश्किल हो गए। ऐसे में हवा बनाने के दूसरे तरीके ढूंढ़ने की जरूरत पड़ी। ऐसे तरीकों की तलाश शुरू हुई, जिन पर किए गए खर्च को चुनाव खर्च में शामिल न करना मुमकिन हो।

टी.एन. शेषन के मुख्य चुनाव आयुक्त रहने के दौरान उम्मीदवारों पर, चुनाव खर्च की सीमा के अंदर चुनाव लड़ते हुए दिखने का दबाव पहली बार बना। इससे पहले भी खर्च की सीमा तो थी, लेकिन इसे एक औपचारिकता माना जाता था। उम्मीदवार मनमाना खर्च करते थे और अपना खर्च तय सीमा के अंदर दिखा देते थे। इस समय तक चुनावों में तड़क-भड़क खूब होती थी। पोस्टरों और झंडों से गलियां पट जाती थीं। लगभग हर दीवार पर किसी न किसी उम्मीदवार या पार्टी के नारे लिखे होते थे। झंडे-बैनर से लेकर जुलूसों में गाड़ियों और मोटरसाइकिलों की संख्या आदि से किसी उम्मीदवार की हैसियत का पता लग जाता था। बसों में भरकर लोग आते और खूब बड़ी-बड़ी रैलियां हुआ करती थीं। पैसे तो इस तरह के प्रचार में भी खर्च होते थे, लेकिन किसी उम्मीदवार को कार्यकर्ताओं का समर्थन हासिल होता था, तो उसके लिए दीवार लेखन कराना, पोस्टर छपवाना, झंडे-बैनर लगवाना, साइकिल-मोटरसाइकिल या गाड़ियों का जुलूस निकालना बहुत मुश्किल काम नहीं

होता था और न ही इन कामों में करोड़ों रुपए खर्च होते थे। परंपरागत तरीके के चुनाव प्रचार में उम्मीदवार समान धरातल पर होते थे और किसी उम्मीदवार के झंडे किसी की छत पर लगे रहें या पोस्टर किसी के घर की दीवार पर चिपके रहें, यह पैसे से ज्यादा उसे हासिल समर्थन से तय होता था।

लेकिन चुनावी खर्च की सीमा को सख्ती से लागू किए जाने के बाद चुनाव में माहौल बनाने के ये तरीके बेअसर हो गए। मतदाताओं में संवाद कायम करने, उन तक पहुंचने के पुराने तरीके अब किसी काम के नहीं थे क्योंकि तय सीमा से ज्यादा गाड़ियां चुनाव प्रचार में शामिल नहीं हो सकती थीं, पोस्टर कहां लगाया जा सकता है और कहां नहीं और किसी की दीवार पर नारे लिखने से किसी उम्मीदवार को दिक्कत हो सकती है, जैसे नियमों ने चुनाव लड़ने के तरीके को निर्णायक रूप से बदल दिया। कहने को तो शेषन चुनावी प्रक्रिया की सफाई करने चले थे, लेकिन मुख्य चुनाव आयुक्त पद से शेषन की विदाई के लगभग डेढ़ दशक बाद यह बात निर्णायक तौर पर कही जा सकती है कि शेषन चुनाव खर्च घटाने में बुरी तरह नाकाम साबित हुए। शेषन के तथाकथित सुधारों के बाद से चुनाव खर्च कई गुना बढ़ गया और कम पैसों वालों के लिए चुनाव जीतना लगभग असंभव हो गया। यानी शेषन की दवा ने मर्ज को और बढ़ा दिया।

2009 के आम चुनाव में जिस तरह 300 से ज्यादा करोड़पति उम्मीदवार लोकसभा में जीतकर आए[40], उससे इस नतीजे पर पहुंचा जा सकता है कि चुनाव सुधार के टी.एन. शेषन के प्रयोग ने दरअसल चुनावों में रुपए के खेल को और प्रभावशाली बना दिया। लोकसभा में इतनी बड़ी संख्या में करोड़पतियों के पहुंचने में मुमकिन है कि मीडिया ने भी भूमिका निभाई हो। पी. साईनाथ ने सेमिनार पत्रिका में नेशनल इलेक्शन वाच के हवाले से बताया है कि पेड न्यूज के लिए सबसे बदनाम राज्यों में से एक महाराष्ट्र में अक्टूबर 2009 के विधानसभा चुनाव में 184 करोड़पति (करोड़पति यानी वे, जिन्होंने चुनाव आयोग को दिए हलफनामे में अपनी जायदाद एक करोड़ रुपए से ज्यादा घोषित की है। उनकी वास्तविक हैसियत और अधिक हो सकती है) विधायक चुनकर आए। महाराष्ट्र विधानसभा में कुल 288 सीटें हैं। हरियाणा में हर चार में से तीन विधायक करोड़पति हैं। हरियाणा में भी महाराष्ट्र के साथ ही विधानसभा चुनाव हुए। लोकसभा में भी 306 करोड़पति सांसद हैं। लोकसभा के एक सांसद की औसत जायदाद 5 करोड़ रुपए से ज्यादा है। लोकसभा के सभी सांसदों की सम्मिलित जायदाद 2,800 करोड़ रुपए से ज्यादा है। साथ ही यह बात भी साबित हो गई है कि जिस उम्मीदवार के पास ज्यादा पैसे हैं, उसके जीतने की संभावना ज्यादा है। मिसाल के तौर पर महाराष्ट्र में अगर किसी के पास एक करोड़ रुपए से ज्यादा की जायदाद है तो 10 लाख रुपए या उससे कम जायदाद वाले के

मुकाबले उसके जीतने की संभावना 48 गुना ज्यादा हैं।[41]

शेषन की पहल पर किए गए चुनाव सुधारों के बाद पैसे के कुछ नए खेल शुरू हो गए, जिनसे चुनावी खर्च कई गुना बढ़ गया। मिसाल के तौर पर, किसी इलाके के प्रभावशाली व्यक्ति को अपने पक्ष में करने के लिए किए गए खर्च का हिसाब न देने का रास्ता खुला है। चुनाव से पहले प्रशासन के सहयोग से मतदाताओं के बीच शराब पहले भी बांटी जाती थी और अब भी बांटी जाती है। चुनाव में खुद खर्च न कर किसी समाजसेवी या स्वयंसेवी संगठन के माध्यम से किसी विरोधी उम्मीदवार के खिलाफ अभियान चलाया जा सकता है, जिसका खर्च उम्मीदवार के चुनाव खर्च में शामिल नहीं होता। पेड न्यूज भी ऐसा ही एक तरीका है, जिस पर किए गए खर्च को चुनावी खर्च में शामिल करने से बचा जा सकता है।

शेषन इफेक्ट और पेड न्यूज के अंतर्संबंध को इस तरह से समझा जा सकता है कि कोई पार्टी किसी दीवार पर नारे लिखे, पोस्टर चिपकाए, बैनर टांगे, रात दस बजे के बाद गोष्ठी-बैठक करे, ये सब चुनावी कदाचार के दायरे में आ सकते हैं और इनके लिए नियम तय हैं लेकिन उसी चुनाव क्षेत्र में एक चैनल चौबीसों घंटे किसी उम्मीदवार के समर्थन में काम करे, उसकी सभाएं दिखाए, विरोधी उम्मीदवारों के खिलाफ लोगों के बयान दिखाए, तो यह चुनावी कदाचार के दायरे में नहीं है। इसी तरह कोई अखबार अपने पन्ने किसी उम्मीदवार के समर्थन में या खिलाफ रंग दे, तो भी यह चुनावी कदाचार के दायरे में नहीं है। इसकी पड़ताल का कोई तरीका भी नहीं है कि कोई मास मीडिया किस वजह से किसी उम्मीदवार के पक्ष या विरोध में अभियान चला रहा है। कोई कवरेज कब किसी उम्मीदवार या पार्टी के पक्ष में अभियान बन जाता है, इसे परिभाषित करना भी मुश्किल है। इसमें किस स्तर पर पैसे का खेल शुरू हो जाता है, यह जानना भी कठिन है क्योंकि पेड न्यूज में पैसे के लेनदेन की रसीद नहीं कटती और भुगतान हमेशा पैसे की शक्ल में नहीं होता। यह राज्यसभा की सदस्यता की शक्ल में हो सकता है, किसी सरकारी समिति की सदस्यता या पुरस्कार की शक्ल में हो सकता है, जमीन या फ्लैट या कोई ठेका, सप्लाई ऑर्डर और ऐसी ही कई शक्लों में न्यूज के लिए भुगतान किया जा सकता है।

चुनाव खर्च : परदे में रहने दो

भारतीय लोकतंत्र में अमीरों का दबदबा बढ़ने और चुनाव खर्च की सीमा तय किए जाने का पेड न्यूज परिघटना से सीधा रिश्ता है। चुनाव खर्च को लेकर बताने से ज्यादा छिपाने का चलन है और यह अविश्वसनीय होने की हद तक है। ज्यादातर

बड़ी पार्टियां चुनावों में बड़ा खर्च करती हैं। लेकिन चुनाव खर्च का जो आंकड़ा देती हैं, वह हास्यास्पद है। मिसाल के तौर पर 2009 के लोकसभा चुनाव में बहुजन समाज पार्टी के उम्मीदवारों का औसत चुनाव खर्च 6.3 लाख रुपए बताया गया। कांग्रेस के उम्मीदवारों के लिए यह आंकड़ा 13.8 लाख रुपए, बी.जे.पी. के लिए 12.5 लाख रुपए और समाजवादी पार्टी के लिए 8.9 लाख रुपए था। यह रकम 25 लाख रु की निर्धारित अधिकतम सीमा से काफी कम है। चुनाव खर्च के आंकड़ों का और गहराई से अध्ययन करने पर पाया गया कि जीतने वाले उम्मीदवारों ने भी अपना चुनाव खर्च काफी कम दिखाया। कांग्रेस के उम्मीदवार औसतन 14.3 लाख रुपए खर्च करके चुनाव जीत गए, जबकि बी.जे.पी. के उम्मीदवारों को चुनाव जीतने के लिए औसतन 15.04 लाख रुपए, तृणमूल कांग्रेस के उम्मीदवारों को 15.8 लाख रुपए, जेडीयू के उम्मीदवारों को 15.57 लाख रुपए और समाजवादी पार्टी के उम्मीदवारों को चुनाव जीतने के लिए औसतन 16.31 लाख रुपए खर्च करने पड़े।[42] यह तो कागज पर दिखाया गया खर्च है जो वास्तविक खर्च से कई गुना कम होता है।

चुनाव इस देश में लोकतंत्र का सबसे बड़ा उत्सव है और उत्सव में तो खर्च करने का रिवाज ही है। चुनाव कराने में भी खर्च होता है। चुनाव आयोग ने 2004 तक के आंकड़े अपनी वेब साइट पर दिए हैं। इसके मुताबिक 2004 के लोकसभा चुनाव को कराने पर सरकार के 1300 करोड़ रुपए खर्च हुए।[43] लेकिन यह खर्च उस खर्च के मुकाबले कुछ भी नहीं है जो पार्टियां और उम्मीदवार करते हैं। लोकसभा चुनाव में खर्च की आधिकारिक सीमा तो 25 लाख है और उम्मीदवार खर्च का हिसाब देते समय रकम को और भी घटाकर बताते हैं। लेकिन उम्मीदवारों का वास्तविक चुनावी खर्च अक्सर इस सीमा से कई गुना ज्यादा है, यह इस देश का ऐसा रहस्य है जिसे सभी जानते हैं।

प्रेस परिषद के अध्यक्ष जस्टिस जी.एन. रे ने इस बात पर गहरी चिंता जताई कि चुनाव में पैसे का इस्तेमाल बढ़ रहा है। उन्होंने अपने एक भाषण में उम्मीदवारों के चुनाव खर्च पर सेंटर फॉर मीडिया स्टडीज, सी.एम.एस. द्वारा बताए गए 10,000 करोड़ रुपए के आंकड़े के साथ ही पूर्व वित्त सचिव एस. नारायण का एक अनुमान भी रखा। एस. नारायण का अनुमान है कि चुनाव पर उम्मीदवारों का वास्तविक खर्च 10,000 करोड़ रुपए से चार या पांच गुना ज्यादा रहा। जस्टिस रे ने 2009 के लोकसभा चुनाव से पहले कहा था कि इस चुनाव में धन-बल का जैसा प्रदर्शन दिखेगा, वैसा पहले कभी नहीं हुआ।[44]

सी.एम.एस. स्टडीज का अनुमान है कि 2009 के लोकसभा चुनाव में उम्मीदवारों ने 2004 के चुनाव की तुलना में दो गुना और 1996 के चुनाव के मुकाबले पांच गुना ज्यादा खर्च किया। सी.एम.एस. और कुछ और संस्थाओं ने चुनाव से पहले

अनुमान लगाया था कि 2009 के लोकसभा चुनाव में उम्मीदवार 10,000 करोड़ से 16,000[45] करोड़ रुपए खर्च करेंगे। सी.एम.एस. ने अनुमान लगाया कि उम्मीदवारों के कुल खर्च का पांचवां हिस्सा प्रिंट और इलेक्ट्रॉनिक मीडिया पर विज्ञापनों और चुनावी सर्वेक्षणों पर खर्च किया जाएगा।[46] चुनावी खर्च का एक बड़ा हिस्सा मीडिया की झोली में गिरा। इस पैसे का एक हिस्सा तो विज्ञापनों की शक्ल में आया, जिसका जिक्र उम्मीदवारों ने चुनाव खर्च का हिसाब देते हुए किया, लेकिन जो पैसा पेड न्यूज के लिए दिया गया, वह कहीं भी दर्ज नहीं हुआ।

यहां यह भी ध्यान रखने की बात है कि मीडिया को चुनावी लूट का फायदा सिर्फ चुनाव प्रचार के दो हफ्तों में ही नहीं मिलता। चुनावी वर्ष में सरकार भी अपनी उपलब्धियों को बताने के लिए मीडिया में अभियान चलाती है। एन.डी.ए. सरकार ने 2004 में मीडिया के माध्यम से इंडिया शाइनिंग कैंपेन चलाया था। 2009 के लोकसभा चुनाव से पहले भी यू.पी.ए. सरकार के कार्यक्रमों का बखान करते हुए बड़े पैमाने पर विज्ञापन मीडिया में आए। हरियाणा सरकार ने भी चुनाव से पहले नंबर वन हरियाणा नाम का अभियान मीडिया में चलाया। महाराष्ट्र सरकार ने भी विधानसभा चुनाव से पहले जबर्दस्त विज्ञापन अभियान चलाया। इसके अलावा उम्मीदवार भी टिकट पाने के लिए अपने पक्ष में और विरोधियों के खिलाफ मीडिया में खबर छपवाने की कोशिश करते हैं। इस तरह चुनाव मीडिया के लिए लंबे समय तक चलने वाले एक पर्व की तरह है, जिसमें उसकी झोली में पैसे बरसते हैं।

चुनावी साल में सरकारों का विज्ञापन बजट काफी बढ़ जाता है। 2009 के लोकसभा चुनाव में भी यह बात साबित हुई। भारत सरकार के विज्ञापन और दृश्य प्रचार निदेशालय (डी.ए.वी.पी.) से जारी होने वाले विज्ञापन के लिए किया गया भुगतान 2007-08 में 246.5 करोड़ रुपए था जो 2008-09 में 472.1 करोड़ रुपए हो गया।[47] इसी तरह रेल मंत्रालय का प्रिंट माध्यमों को दिए गए विज्ञापनों पर खर्च 2007-08 में 159.1 करोड़ था जो 2008-09 में बढ़कर 208 करोड़ रुपए हो गया।[48] बाकी सरकारी विभागों और सरकारी कंपनियों का विज्ञापन खर्च भी चुनावी साल में अचानक काफी तेजी से बढ़ गया। डी.ए.वी.पी. से विज्ञापनों के लिए ज्यादा भुगतान किए जाने के बारे में पूछे गए सवाल के जवाब में सरकार ने संसद को जानकारी दी कि ऐसा विज्ञापनों की दर बढ़ाए जाने और मंत्रालयों और विभागों द्वारा ज्यादा विज्ञापन जारी किए जाने की वजह से हुआ। सरकार चुनाव से ठीक पहले मीडिया संस्थानों पर विज्ञापन की शक्ल में पैसों की बारिश करके क्या हासिल करना चाहती है, इसे समझना कठिन नहीं है।

पेड न्यूज यानी भ्रष्टाचार की नई शक्ल

वर्ष 2009 के चुनाव में मीडिया के पास नेताओं और पार्टियों से जो पैसा आया, उसकी मात्रा ही ज्यादा नहीं थी, उसकी शक्ल भी अलग थी और उसे जुटाने का तरीका भी अलग था। पहले राजनेताओं द्वारा किए जाने वाले मीडिया प्रबंधन में संवाददाताओं और संपादकीय विभाग के कर्मियों की भूमिका होती थी। पक्ष और विपक्ष में खबरें लिखने-लिखवाने का खेल काफी खुलकर ही खेला जाता रहा। इस दौर में कुछ संपादक और पत्रकार राजनीतिक दलों और नेताओं के इतने करीब हो गए कि उन्हें चुनाव लड़ने के लिए टिकट मिला और उनमें से कई सांसद लोकसभा पहुंच गए। कुछ पत्रकार और समाचार-पत्र मालिक राज्यसभा में भी पहुंचे।[49] जिन दलों ने पत्रकारों को टिकट दिया या उन्हें राज्यसभा पहुंचाया उनमें कांग्रेस, बी.जे.पी. और समाजवादी पार्टी शामिल हैं जबकि कुछ पत्रकार मनोनीत श्रेणी से राज्यसभा में पहुंचे। साथ ही, पत्रकारों के प्रधानमंत्री का मीडिया सलाहकार बनने की भी परंपरा है।[50] राज्यों में मुख्यमंत्री और केंद्र तथा राज्य सरकारों में मंत्री भी अक्सर पत्रकारों को मीडिया सलाहकार बनाते हैं। जिन पत्रकारों को सरकार ने पद्‌म पुरस्कार दिए, उनकी लिस्ट भी लंबी है। यू.पी.ए. सरकार ने शेखर गुप्ता, मार्क टली, मृणाल मिरी को पत्रकारिता के क्षेत्र में योगदान के लिए पद्‌मभूषण दिया है। वहीं अभय छजलानी, आलोक मेहता, बरखा दत्ता, राजदीप सरदेसाई, विनोद दुआ, मृणाल पांडे, सुचेता दलाल, कनकसेन डेका, मैमन मैथ्यू, शोभना भरतिया, मानस चौधरी पद्‌मश्री से सम्मानित हो चुके हैं।[51]

जाहिर है कि नेताओं और पत्रकारों के बीच जो 'चीन की दीवार' होनी चाहिए, वह इन वर्षों में काफी कमजोर हो चुकी थी और उसमें कई जगह बड़े सुराख हो चुके थे। इस दीवार को मजबूत रखकर ही राजनीतिक पत्रकारिता की विश्वसनीयता बनी रह सकती है। लेकिन ऐसा करना न तो संपादकों के एजेंडा में था, न राजनेताओं के। मालिकों को भी ये रिश्ते बुरे नहीं लगते थे, क्योंकि इससे उनके भी काम बनते थे। 2009 में इसमें सिर्फ इतना बदलाव आया कि पहले जो काम संवाददाताओं, ब्यूरो प्रमुखों, समाचार संपादकों और संपादकों के जरिए किया जाता था, उसे अब अखबार के मैनेजमेंट के लोग खुद करने लगे। पहले पत्रकार और संपादक नेताओं के लिए काम करते थे और बदले में नेता उन्हें और मीडिया संस्थानों को फायदा पहुंचाते थे। अब खेल के नियम बदल गए हैं।

इस मायने में यह एक फुटकर प्रक्रिया का संस्थानीकरण है। यह मानने का कोई कारण नहीं है कि नेताओं के मीडिया मैनेजमेंट के तौर-तरीकों और उसमें पत्रकारों और संपादकों की भूमिका को समाचार-पत्र प्रबंधन के लोग नहीं देख रहे होंगे। पत्रकारों के राजनीतिक रसूख का अंदाजा लगाने में वे सक्षम थे और उन्हें इस बात

की भी जानकारी रही होगी कि इस रसूख का इस्तेमाल पत्रकार किन तरीकों से करते हैं। मीडिया प्रबंधन की नजरों से यह बात छिपी नहीं होगी कि पत्रकारों का राजनीतिक रसूख उन खबरों की वजह से ही है, जो अखबार के पन्नों पर छपती हैं, या चैनलों पर दिखाई जाती हैं। इस बात का एहसास होने के बाद तो सिर्फ वक्त की बात थी कि समाचार-पत्रों के प्रबंधक यह काम और राजनीतिक संपर्कों की लगाम को कब अपने हाथ में ले लेते।

2009 की आर्थिक मंदी ने उनके सामने मौका और बहाना दोनों मुहैया करा दिया। इसी दौर में देश में लोकसभा चुनाव हुए और साथ में कई राज्यों के विधानसभा चुनाव भी। मंदी की वजह से सरकार बाकी उद्योगों के साथ ही मीडिया उद्योग को राहत पैकेज दे रही थी, और दूसरे "राहत पैकेज" का इंतजाम मीडिया के एक हिस्से ने चुनाव के बहाने खुद ही कर लिया। मंदी की वजह से दुनिया भर से अखबारों के बंद होने और पत्रकारों की छंटनी की खबरें आ रही थीं। भारत में भी कई संस्थान छंटनी कर चुके थे। पत्रकारों का मनोबल इस दौरान अपने निचले स्तर पर था। ऐसे समय में जब कुछ अखबारों के प्रबंधन की तरफ से उन्हें कहा गया कि वे उम्मीदवारों और पार्टियों के नेताओं के पास जाएं और उन्हें खबरों के पैकेज बेचें, तो पत्रकारों की तरफ से विरोध नहीं हुआ। गौर करने की बात है कि पैकेज पत्रकारिता या पेड न्यूज के दौर में भी पत्रकारों की भूमिका खत्म नहीं हुई। उनकी भूमिका बदल गई। पहले की प्रक्रिया में पहल पत्रकार करते थे और पूरे ऑपरेशन की बागडोर उनके हाथ में होती थी। मालिक इन संबंधों का लाभ जरूर उठाते थे।

लेकिन पेड पत्रकारिता के दौर में खबर बेचने के कारोबार की कमान प्रबंधन के हाथ में आ गई और पत्रकार की भूमिका सेल्समैन या बिचौलिए वाली बन गई। पहले की तुलना में यह कामकाज ज्यादा संगठित भी हो गया। पहले उम्मीदवार किसी पत्रकार को मैनेज करके आश्वस्त नहीं हो सकता था कि कोई खबर छपेगी या नहीं छपेगी क्योंकि यह समाचार-पत्र की आंतरिक संरचना में उस पत्रकार की हैसियत से तय होता था और कई बार इसमें गलतफहमी हो सकती थी। रिपोर्टर को मैनेज करने के बाद कोई खबर मुख्य संवाददाता, समाचार संपादक या संपादक जैसे कई स्तरों पर रोकी जा सकती थी। दुविधा और अनिश्चय से बचने के लिए कई बार एक ही अखबार में कई लोगों को मैनेज करना पड़ता था।

पेड न्यूज के नए दौर में उम्मीदवार या पार्टी सीधे अखबार या चैनल के प्रबंधन के साथ सौदा करती है, इसलिए इसमें खबर रोके जाने जैसी गलतफहमी की गुंजाइश काफी कम होती है। साथ ही इलाके के ढेर सारे पत्रकारों और डेस्क कर्मियों को मैनेज करने की तुलना में चार-पांच महत्त्वपूर्ण अखबारों के प्रबंधन के साथ आर्थिक करार

कर लेना उम्मीदवारों को ज्यादा आसान और निश्चिंतता भरा लगता होगा। वरिष्ठ पत्रकार प्रमोद रंजन ने अपने बहुचर्चित आलेख[52] में पेड न्यूज की परिघटना की इसी तरह व्याख्या की है। उनकी राय में यह पूरी परिघटना इस खेल में अखबार मालिकों के प्रभावी और सक्रिय भूमिका में आने की है। यह मीडिया और राजनीति के बीच के खुदरा भ्रष्टाचार का थोक हो जाना है।

हालांकि इस पूरी बहस में ध्यान रखा जाना आवश्यक है कि भारतीय लोकतंत्र में चुनाव जीतने के लिए ढेर सारे रुपयों की जरूरत होने के बावजूद ढेर सारा रुपया चुनाव जीतने की शर्त नहीं है। जिसके पास ज्यादा पैसा है और जो पैसों से वोट और मीडिया को खरीद ले, वह चुनाव जीत ले, यह हमेशा जरूरी नहीं है। प्रमोद रंजन ने अपने उसी आलेख में प्रथम प्रवक्ता पत्रिका के हवाले से जो लिखा है वह मीडिया की ताकत को लेकर चल रहे मिथकों को ध्वस्त कर सकता है–

"उत्तर प्रदेश में वर्ष 2007 के विधानसभा चुनाव में तीन समाचार-पत्रों ने सरेआम धन लेकर खबर छापने का अभियान चलाया था और करोड़ों रुपए की अवैध उगाही की थी। समाचार-पत्रों के जरिए अपनी छवि सुधारने वाले राजनीतिक दलों ने इन समाचार-पत्रों को विज्ञापन देकर भी पैसा पानी की तरह बहाया। परंतु इनके चुनावी सर्वेक्षण व आकर्षक समाचार भी मतदाताओं का रुझान नहीं बदल सके और विज्ञापन पर सबसे कम धन खर्च करने वाली बहुजन समाज पार्टी को पूर्ण बहुमत मिल गया।"

वर्ष 2009 में पेड न्यूज की जो प्रवृत्ति मीडिया में प्रभावी हुई, वह मीडिया के समग्र परिदृश्य का एक हिस्सा भर थी। इस साल मीडिया की प्रमुख प्रवृत्तियां इस तरह रहीं :

* यह ग्लोबल मंदी से उबरने का साल था, जिसने भारतीय मीडिया को भी प्रभावित किया। यह सरकार से मिले आर्थिक राहत पैकेज के जारी रहने का साल था। मीडिया के लिए यह खर्च घटाने का साल था, जिस क्रम में पन्ने घटाने से लेकर कर्मचारी घटाने जैसे कदम उठाए गए।
* यह चुनाव का साल था। यू.पी.ए. वामपंथी दलों और उनके वैचारिक आग्रहों से मुक्त हो चुका था।
* यह चुनाव के लिए और चुनाव के दौरान किए गए भारी खर्च का साल था। इससे पहले के आम चुनाव में चुनाव आयोग का अपना खर्च 1300 करोड़ रुपए था। उम्मीदवारों और पार्टियों के खर्च के बारे में 10,000 करोड़ रुपए से लेकर 50,000 करोड़ रुपए तक का अनुमान है।
* इस खर्च का एक बड़ा हिस्सा मीडिया की झोली में आया। मीडिया के पास आई रकम के बारे में अनुमान है कि वह कुल चुनाव खर्च का पांचवां

हिस्सा होगा।

* इस साल पहली बार मीडिया संगठनों के प्रतिनिधि उम्मीदवारों और पार्टियों के पास कवरेज का रेट कार्ड लेकर पहुंचे और पेड न्यूज के सौदे किए गए।
* इस तरह 2009 भारतीय समाचार माध्यमों के लिए मंदी और चुनाव का महाभोज साबित हुआ। मंदी की वजह से मीडिया उद्योग ने अपना खर्च घटाया, सरकार से उसे राहत पैकेज मिला और चुनाव में उसने कमाई का एक और बड़ा बंदोबस्त कर लिया।
* भारतीय समाचार माध्यमों के लिए यह विश्वसनीयता के क्षय का साल भी रहा। भारतीय समाचार माध्यमों की विश्वसनीयता का यह अब तक का संभवतः सबसे निचला स्तर रहा।

बिकती खबरें : आलोचना और आत्मालोचना

चुनावों में मीडिया प्रबंधन कोई आज की बात नहीं है। चुनाव में माहौल बनाने के उपकरण के तौर पर मीडिया में अनुकूल खबरें छपवाना और विरोधी के खिलाफ छपवाने की कोशिशें पुरानी परिघटना हैं। कई दशकों से नेता अपने साथ चुनावी दौरों पर पत्रकारों को ले जाते रहे हैं। बड़े दल और मजबूत कहे जाने वाले उम्मीदवार चुनाव के दौरान मीडिया सेंटर चलाते रहे हैं। लेकिन अखबार और न्यूज चैनल खुलेआम कवरेज रेट कार्ड लेकर नेताओं और पार्टियों के पास जाने लगे, यह 2009 के लोकसभा और विधानसभा चुनाव की विशिष्ट परिघटना थी। ऐसा भी पहली बार बड़े पैमाने पर हुआ कि पब्लिक रिलेशन एजेंसियों ने चुनाव के दौरान चैनलों और अखबारों में कवरेज खरीदने का काम अपने हाथों में ले लिया। टेलीविजन और अखबारों के विज्ञापन विभाग के लोग (कई बार पत्रकारों के साथ) नेताओं के पास गए और उनके साथ कवरेज के लिए सौदे तय कर आए।

कई बार एक ही खबर या तस्वीर दो अलग-अलग अखबारों में अलग-अलग पत्रकार के नाम से छपी तो कई बार एक अखबार के एक ही पन्ने पर दो अलग उम्मीदवारों के जीतने की खबरें छपीं। मीडिया में पहली बार इतने बड़े पैमाने पर और खुलकर दिखे इस कदाचार का सबूत ढूंढ़ना मुश्किल है लेकिन इसके मजबूत परिस्थितिजन्य साक्ष्य हैं।[53] पेड न्यूज के बारे में प्रेस परिषद को कई शिकायतें मिलीं, जिन पर विचार करने के लिए एक उपसमिति का गठन किया गया। समिति की रिपोर्ट को भारी काटछांट और मीडिया समूहों के नाम हटाकर जारी किया गया है। यह सब सतह के अंदर ही रह जाता अगर मीडिया का एक हिस्सा और कुछ पत्रकार मुखर होकर इस प्रवृत्ति के खिलाफ सामने न आते।

इस बारे में सबसे पहले पी. साईनाथ की खबर *'Package deals–with credibility discounts'* चर्चा में आई।[54] खबर बताती है कि किस तरह विदर्भ में चुनाव की रिपोर्टिंग के दौरान पी. साईनाथ ने इस प्रवृत्ति को देखा। उन्होंने इस प्रवृत्ति को लोकतांत्रिक चुनाव प्रक्रिया के लिए एक खतरे के रूप में देखा। इस पूरी रिपोर्ट में वे जिन प्रवृत्तियों की बात करते हैं, उन्हें बिंदुवार रखें तो वे हैं :

1. विदर्भ और कुछ और इलाकों में 2009 का चुनाव इस मायने में अलग रहा कि कुछ अखबारों और चैनलों ने कवरेज पैकेज बेचे। इस बार के चुनाव में पैकेज बेचने की प्रवृत्ति पहले से कहीं ज्यादा नजर आई।
2. इस तरह के पैकेज 15 से 20 लाख रुपए से शुरू हो रहे थे। ऊंची लागत के पैकेज भी बेचे गए।
3. कवरेज पैकेज से चुनाव लड़ रहे उम्मीदवार कॉलम सेंटीमीटर के हिसाब से फोटो या रिपोर्ट अखबारों में लगवा रहे थे और टी.वी. पर प्रचार और रैलियां कवर करवा रहे थे।
4. अगर किसी उम्मीदवार ने पैसे नहीं दिए तो उसे कवरेज नहीं मिला या फिर उसके खिलाफ कवरेज किया गया। कई उम्मीदवार अखबारों और चैनलों से बिल्कुल ब्लैकआउट कर दिए गए।
5. इसकी किसी ने कोई शिकायत नहीं की।
6. पत्रकारों को भी पैकेज जुटाने के काम में लगाया गया, क्योंकि नेताओं तक उनकी पहुंच होती है।
7. छोटे उम्मीदवारों को इस वजह से बिल्कुल कवरेज नहीं मिला।
8. कई बार ऐसे विज्ञापन संपादकीय सामग्री की शक्ल में आए, यानी संपादकीय सामग्री और विज्ञापनों के बीच की सीमा रेखा धुंधली हो गई।

पेड न्यूज पर दूसरी चर्चित सामग्री रही प्रभाष जोशी का लेखन। प्रभाष जोशी ने इस बारे में *दैनिक जनसत्ता* के अपने कॉलम कागद कारे[55] में लिखा। इस लेख के कुछ अंश हैं–

> ''डायरी पढ़ने के बाद इस दोस्त से मैंने कवरेज का तरीका पूछा। सबेरे सब हमारे दफ्तर आते। उनके लिए नाश्ता, पीने का पानी और गाड़ी तैयार की जाती। भोजन का पैसा नकद दिया जाता था। तय रेट के हिसाब से रोज का खर्चा-पानी अलग। चैनल वालों में छठे वेतन आयोग का वेतन पाने वाले दूरदर्शन के लोग भी होते थे। हमारी गाड़ियों से निकलने से पहले वे दूसरे उम्मीदवारों से भी प्रबंध करते। किसी से पेट्रोल के पैसे लेते तो किसी से गाड़ी के। एक पत्रकार तो पैकेज का पैसा लेने के लिए रात दो बजे तक दरवाजे के बाहर बैठा रहा। यह सब सुनकर मैंने पूछा कि इसका मतलब है कि आपके चुनाव क्षेत्र के चुनाव से कोई खबर, फोटो ऐसी नहीं छपी जो पैकेज के बाहर हो? उन्होंने कहा कि एकाध अपवाद हो सकता है, नहीं तो सारा-का-सारा चुनाव कवरेज पैसे लेकर किया गया है। इसमें पत्रकारिता, पाठक को सूचना और राय देने की कोई जिम्मेदारी नहीं है। यह सरासर पैकेज का धंधा है, इसमें पाठक/वोटर को

बुद्धू मान लिया गया है। जिसने अपना पैकेज रिचार्ज नहीं करवाया, वह अखबार से गायब हो गया।

''बनारस से हमारे एक मित्र ने 'हिन्दुस्तान' अखबार के 15 अप्रैल और 16 अप्रैल के नगर संस्करण की फोटोकॉपी भेजी है। पहला पन्ना रोज की ही तरह था। लेकिन फर्क सिर्फ इतना था कि पहले पन्ने की हर खबर और फोटो तुलसी को समर्पित थी। यह तुलसी यहां से लोकसभा प्रत्याशी हैं। कुछ हेडिंग देखिए—केवल वादा नहीं कर्म करने में विश्वास करते हैं—तुलसी (लीड स्टोरी), जाति-धर्म नहीं सिर्फ विकास के लिए लड़ रहे हैं तुलसी (सेकंड लीड स्टोरी), पूर्वांचल राज्य बनाकर विकास कराएंगे तुलसी (तीन कॉलम की खबर), किसानों की खुशहाली को सर्वोच्च प्राथमिकता (बॉटम न्यूज)। इसके साथ ही चुनावी सभा को संबोधित करते हुए तुलसी की फोटो भी छपी है। इस अखबार के पहले पेज को देखकर हंगामा खड़ा हो गया। इसके बाद दूसरे दिन 16 अप्रैल को 'हिन्दुस्तान' के पहले पेज पर स्पष्टीकरण छपा—'हिन्दुस्तान के चंदौली, मुगलसराय, वाराणसी नगर संस्करणों में बुधवार 15 अप्रैल, 2009 को प्रकाशित पहला पृष्ठ वास्तव में एक राजनीतिक दल का चुनावी विज्ञापन है। उसमें प्रकाशित सामग्री का हिन्दुस्तान के संपादकीय विचारों से किसी प्रकार का तादात्म्य नहीं है—प्रमुख संपादक।'

''पटना से हमारे एक और मित्र ने 16 अप्रैल, 2009 के हिन्दुस्तान अखबार की फोटोकॉपी भेजी है। इसमें आठ कॉलम का बैनर शीर्षक है—कांग्रेस बिहार में इतिहास रचने को तैयार। पहले पेज की किसी खबर से इस बैनर लाइन का कुछ लेना-देना नहीं है। यानी यह किसी खबर का शीर्षक नहीं है। अब पाठक बूझें तो जानें कि यह टिकाऊ खबर है या बिकाऊ?''

प्रभाष जोशी के इस आलेख के कुछ महत्त्वपूर्ण बिंदु इस तरह हैं :

1. पिछले लोकसभा चुनाव में पैकेज पत्रकारिता की बीमारी ने गंभीर रूप ले लिया। उनके सभी उदाहरण हिंदी प्रदेशों से हैं और यह संयोग हो सकता है।
2. खबरें छपवाने/कवरेज करवाने के लिए पत्रकारों को खिलाना-पिलाना पड़ता है, बंदोबस्त करना पड़ता है।
3. पैकेज पत्रकारिता के धंधे में पत्रकारों और विज्ञापन प्रतिनिधियों ने मिलकर काम किया।
4. लगभग सारा चुनावी कवरेज पैकेज पत्रकारिता के जरिए ही हुआ।

5. पूरे पन्ने और कई बार पूरा-का-पूरा पहला पन्ना तक पैकेज के तहत बेच दिया गया।
6. खबरें देखकर पता नहीं चल रहा था कि "यह टिकाऊ खबर है या बिकाऊ?" यानी विज्ञापनों को खबर बनाकर छापा गया।

पी. साईनाथ और प्रभाष जोशी के लेखन के बाद यह मुद्दा राष्ट्रीय स्तर पर चर्चा में आ गया। इसके कुछ ही महीने बाद महाराष्ट्र, हरियाणा और अरुणाचल प्रदेश में विधानसभा चुनाव (अक्टूबर 2009 में) हुए। उस दौरान और उसके बाद से *द हिंदू* अखबार ने लगातार पैकेज पत्रकारिता के खिलाफ लेखन किया। इस अभियान का एक महत्त्वपूर्ण पड़ाव पी. साईनाथ का ही एक और आलेख है। इस आलेख में साईनाथ बताते हैं कि पेड न्यूज की समस्या कितनी गंभीर हो गई है। इस समस्या के बहाने वे भारतीय लोकतंत्र पर आए एक 'नए संकट' की भी चर्चा करते हैं।६

इस लेख की शुरुआत वे सी. राम पंडित नाम के एक कॉलम लेखक के जिक्र से करते हैं। वे बताते हैं कि राम पंडित (एक छद्म नाम) काफी समय से एक भारतीय भाषा के समाचार-पत्र में साप्ताहिक कॉलम लिख रहे हैं। नामजदगी के पर्चे वापस लेने के आखिरी दिन उन्हें बताया गया कि उनका कॉलम 13 अक्टूबर तक (मतदान संपन्न होने तक) नहीं छप सकता क्योंकि उस तारीख तक अखबार के सारे पन्ने बिक चुके हैं। पी. साईनाथ अपनी टिप्पणी में लिखते हैं कि राम पंडित को यह जानकारी देने वाला संपादक सच कह रहा था।

साईनाथ के इस आलेख के शुरू में ही दो महत्त्वपूर्ण बातें उभरकर आती हैं। एक तो, कॉलम लेखक का छद्म नाम उन्होंने 'पंडित' लिखा है, जो मीडिया की एक और बीमारी (न्यूजरूम में डायवर्सिटी का अभाव) की ओर इशारा है और दूसरी बात यह कि छद्मनामधारी कॉलम-लेखक एक भारतीय भाषा के अखबार में कॉलम लिखता है यानी जिस अखबार के सारे पन्ने चुनाव के दौरान बिक गए, वह भारतीय भाषा का समाचार-पत्र था। इस लेख में पेड न्यूज की पूरी समस्या को काफी विस्तार से चिह्नित किया गया है और इसके तमाम वैचारिक पक्षों को सामने रखा गया है। इस लेख में कुछ नई बातें आई हैं जो साईनाथ के पुराने लेखों से आगे जाती हैं :

1. सभी मीडिया हाउस पैकेज पत्रकारिता नहीं कर रहे थे, लेकिन कई मीडिया हाउस ऐसा कर रहे थे।
2. उम्मीदवारों ने मीडिया के डर से इस धंधे की किसी से शिकायत नहीं की।
3. यह काराबोर (साईनाथ यहां सिर्फ महाराष्ट्र विधानसभा चुनाव की बात कर रहे हैं) दसियों करोड़ रुपए का था।
4. इस चुनाव में 'पैसा नहीं तो कवरेज नहीं' का चलन शुरू हुआ।

5. छोटी पार्टियों और स्वतंत्र विचार रखने वालों की आवाज सिर्फ इसी वजह से नहीं सुनी गई। असली मुद्दे दब गए।
6. यह परिघटना चंद पत्रकारों के निजी भ्रष्टाचार से बढ़कर मीडिया हाउसों की संगठित उगाही में तब्दील हो गई।
7. महाराष्ट्र के मुख्यमंत्री अशोक चव्हाण का नाम लिये बगैर बताया गया है कि उन्होंने एक स्पेशल सप्लिमेंट पर लगभग डेढ़ करोड़ रुपए खर्च किए। यह चुनावी खर्च की अधिकतम सीमा का 15 गुना है।
8. उम्मीदवार के लिए सामग्री तैयार करने में अखबारों के पत्रकारों ने मदद की।
9. कुछ अखबारों ने हर संस्करण के लिए वसूली के लक्ष्य तक तय कर लिए थे।
10. कुछ अपवाद भी थे। इक्का-दुक्का संपादकों ने कवरेज में संतुलन कायम करने की कोशिश की और न्यूज ऑडिट भी किया। कुछ पत्रकारों ने बड़े नेताओं से मुलाकात करने से परहेज किया।
11. चुनाव में पैसे की ताकत को रोकने के लिए चुनाव आयोग ने अब तक सख्त कार्रवाई नहीं की है।
12. पैसे लेकर चुनाव की प्रचार सामग्री को समाचार की तरह बेचने के किसी भी मामले में चुनाव आयोग की सख्ती अब तक नजर नहीं आई है।

इस लेख का सार तत्त्व रखते हुए साईनाथ लिखते हैं कि यह चुनाव प्रक्रिया के लिए ही नहीं बल्कि लोकतंत्र के लिए भी खतरा है।[57] *द हिंदू* ने इस बारे में अपनी संपादकीय नीति को एक बार फिर साफ किया। अखबार ने पैकेज पत्रकारिता के खिलाफ संपादकीय लिखकर पत्रकारिता की इस प्रवृत्ति की निंदा की और इसे लोकतंत्र के लिए घातक बताया। इस संपादकीय टिप्पणी में कहा गया है—"ज्यादा शर्म की बात है कि इस खुले और व्यापक स्तर पर खेले जा रहे खेल में छोटे खिलाड़ी ही शामिल नहीं थे बल्कि दो बड़े राज्यों में भारतीय भाषाओं के भारी सर्कुलेशन वाले अखबार भी यही कर रहे थे।"

द हिंदू ने चेतावनी दी कि तथाकथित चौथे खंभे द्वारा पाठकों के भरोसे को तोड़ने की इस चौंकाने वाली परिघटना के खिलाफ और भी संपादकीय लिखे जाएंगे। जाहिर है *द हिंदू* इसे बेहद संवेदनशील और महत्त्वपूर्ण मसला मानता है। लेकिन इस संपादकीय में भी ध्यान देने वाली बात है कि निशाने पर भारी बिक्री वाले भारतीय भाषाओं के समाचार-पत्र हैं। इसमें गया है कि उम्मीदवारों ने न्यूज कवरेज के लिए मीडिया हाउस द्वारा तय किए गए पैकेज खरीदे और जो ऐसा नहीं कर पाए या जिन्होंने ऐसा नहीं किया उन्हें कोई कवरेज नहीं मिला।

अंतर्राष्ट्रीय समाचार-पत्र *वॉल स्ट्रीट जर्नल* में भारत में हुई पैकेज पत्रकारिता के बारे में पॉल बकेट की खबर छपने के साथ ही बात और भी दूर-दूर तक फैल गई।

वॉल स्ट्रीट जर्नल ने भी इसे मुख्य रूप से भारतीय भाषाओं के मीडिया की समस्या के तौर पर चिह्नित किया।[58] *वॉल स्ट्रीट जर्नल* में दिल्ली ब्यूरो प्रमुख पॉल बकेट ने अपने समाचार में चंडीगढ़ के एक उम्मीदवार के हवाले से जो बताया है, उसने भारतीय पत्रकारिता को बेहद दागदार बना दिया है। चंडीगढ़ के उस उम्मीदवार ने बताया कि कम-से-कम दस लोग मीडिया में न्यूज कवरेज को लेकर उससे मिल चुके हैं। उनमें से कुछ दलाल थे, कुछ पब्लिक रिलेशन मैनेजर, कोई समाचार-पत्र मालिक था, कोई संपादक तो कोई रिपोर्टर। सबने यही कहा कि खर्चा करो तो छपेगा। और वे विज्ञापन की नहीं समाचार की बात कर रहे थे। एक दलाल ने चार अखबारों में तीन हफ्ते के कवरेज के 10 लाख रुपए मांगे तो एक अखबार के रिपोर्टर और फोटोग्राफर ने डेढ़ लाख रुपए की मांग की। उन्होंने कहा कि 3 लाख रुपए और मिलने पर वे दूसरे रिपोर्टरों को भी मैनेज कर लेंगे। उन्होंने कहा कि वे पांच अखबारों में दो हफ्ते के कवरेज की गारंटी लेते हैं। पॉल बकेट ने लिखा है कि उस उम्मीदवार तक पहुंचने वाले सभी लोग भारतीय भाषाओं में छपने वाले राष्ट्रीय और क्षेत्रीय अखबारों से थे। उस उम्मीदवार ने पैसे देकर एक ऐसी चुनाव सभा की भी खबर छपवा ली, जो हुई ही नहीं थी।

बकेट ने अपनी रिपोर्ट में बताया है कि किस तरह ज्यादातर समाचार-पत्र समाचारों को विज्ञापनदाताओं का गुलाम बना देते हैं। उन्होंने लिखा है कि अंग्रेजी के अखबार यह सब इतना खुलकर नहीं करते, लेकिन आमतौर पर वे किसी एक पार्टी या उम्मीदवार के पक्ष में इतने झुके हुए होते हैं कि दूसरे उम्मीदवारों की बात उस समाचार-पत्र में आ ही नहीं पाती। मुंबई में चल रही पैकेज पत्रकारिता से उन्होंने कुछ पैकेज के उदाहरण दिए हैं। ये सारी बातें संपादकों और दलालों ने कही हैं—

"आपको पहले पेज पर तस्वीर चाहिए और वह भी मुफ्त में, इसके लिए लोग पैसे देते हैं।"

"अगर आपको वहां कोई तस्वीर चाहिए या कोई स्टोरी चाहिए तो आपको पैसे देने होंगे।"

"हम आपका इंटरव्यू छाप देंगे, लेकिन आपको हमारे 5,000 अखबार खरीदने होंगे।"

"अगले दो हफ्ते के लिए 1.2 लाख रुपए दीजिए और सारे कवरेज को हम संभाल लेंगे।"[59]

मीडिया साइट *द हूट* ने भी **साउंड ऑफ मनी** शीर्षक से संपादकीय लिखकर इस बात पर चिंता जताई कि पत्रकार अब पी.आर. एजेंसी के कॉपी राइटर की भूमिका में आ गए हैं। महाराष्ट्र में विधानसभा चुनाव के दौरान खुलकर सामने आई इस प्रवृत्ति के बारे में *द हूट* ने लिखा है कि इसका असर अब भी जारी है। उम्मीदवारों

ने कवरेज के पैकेज खरीदे। कई बार तो एक ही समाचार कई अखबारों में जस-का-तस छपा और कई बार तो जो बात एक जगह खबर के तौर पर छपी वही बात कहीं और बिल्कुल उन्हीं शब्दों में विज्ञापन की शक्ल में छपी।[60]

ध्यान देने वाली बात है कि पेड न्यूज की पूरी चर्चा को मुख्यधारा के मीडिया ने (चंद अपवादों को छोड़कर) अनदेखा कर दिया। इस विवाद से जुड़ी खबरें और वक्तव्य उन अखबारों में भी नहीं छपे, जिन पर पेड न्यूज छापने के आरोप नहीं लगे थे। इसे स्वाभाविक भी माना जा सकता है। वैसे भी मीडिया आमतौर पर मीडिया के आलोचनात्मक पहलुओं को लेकर खामोशी ही बरतता है। एक मीडिया संस्थान आमतौर पर दूसरे मीडिया संस्थानों के बारे में चुप्पी बरतने की नीति पर ही चलता है। खबरों की बिक्री का पूरा विमर्श मुख्य रूप से *द हिंदू, जनसत्ता, मिंट* जैसे गिने-चुने अखबारों, *सेमिनार* जैसी पत्रिकाओं और द हूट, *मोहल्ला लाइव डॉट कॉम, जनतंत्र डॉट कॉम* समेत कुछ गैरव्यावसायिक वेबसाइटों पर ही चला। इक्का-दुक्का खबरें *आउटलुक* पत्रिका और *इंडियन एक्सप्रेस* अखबार में भी छपीं। हिंदी की लघु पत्रिका *समयांतर* में भी इस बार में एक आलेख छपा, जिसमें इस समस्या की जड़ों की पड़ताल करने की कोशिश की गई।

संसद में पेड न्यूज की चर्चा

लोकसभा में यह मामला कम-से-कम तीन बार सवालों की शक्ल में उठ चुका है और ध्यानाकर्षण प्रस्ताव के तहत इस पर बहस भी हो चुकी है। सैयद शाहनवाज हुसैन, हंसराज गंगाराम अहीर, हरिश्चंद्र देवराम चव्हाण, विनय कुमार और शेट्टी राजू ने सूचना और प्रसारण मंत्री से सवाल पूछा कि इलेक्ट्रॉनिक मीडिया और प्रिंट मीडिया में भरमाने वाले विज्ञापनों से उपभोक्ताओं के हितों की रक्षा के लिए क्या कोई दिशा-निर्देश है। उन्होंने जानना चाहा कि क्या एडवरटाइजिंग स्टैंडर्ड कौंसिल के कोड का उल्लंघन करके कई विज्ञापन दिखाए जा रहे हैं। सरकार से यह जानकारी भी मांगी गई कि ऐसे मामलों में क्या कार्रवाई की गई है। 8 दिसंबर को इसका जवाब देते हुए केंद्रीय सूचना और प्रसारण राज्य मंत्री सी.एम. जटुआ ने बताया कि इलेक्ट्रॉनिक मीडिया के सभी कार्यक्रमों और विज्ञापनों पर केबल टी.वी. नेटवर्क (विनियमन) कानून, 1995 का पालन करना पड़ता है। चैनलों पर नजर रखने के लिए एक अंतर मंत्रालय समिति का गठन किया गया है जो शिकायत मिलने पर और अपनी पहल पर भी नियमों के उल्लंघन पर नजर रखती है। सरकार ने एक इलेक्टॉनिक मीडिया मॉनिटरिंग सेंटर भी बनाया है जो निजी चैनलों के प्रसारण पर नजर रखता है।

प्रिंट मीडिया के बारे में मंत्री ने बताया कि सरकार ने प्रेस परिषद ऑफ इंडिया एक्ट 1978 के तहत प्रेस परिषद का गठन किया है जो कानूनी अधिकार संपन्न स्वायत्त संस्था है। प्रेस परिषद का काम प्रेस की स्वतंत्रता सुनिश्चित करना और अखबारों और समाचार-पत्रों के स्तर को बनाए रखना है। सरकार ने साफ किया कि प्रिंट मीडिया में क्या छपता है, इस पर उसका नियंत्रण नहीं है। हालांकि प्रेस परिषद शिकायत मिलने पर या खुद भी उन विज्ञापनों का संज्ञान लेती है. जो पत्रकारीय नैतिकता के खिलाफ होते हैं। प्रेस परिषद के मुताबिक वह विज्ञापनों के प्रकाशन जैसे मामलों में प्रेस को आत्म नियमन के लिए निर्देश और अपील जारी करती रहती है। प्रेस परिषद ने एक्ट की धारा 13(2) के मुताबिक नॉर्म भी बनाए हैं।[61]

इसी तरह का सवाल जब सांसद उमाशंकर सिंह ने पूछा तो सूचना और प्रसारण राज्य मंत्री जटुआ ने प्रेस परिषद की भूमिकाओं का जिक्र करते हुए पेड न्यूज को लेकर की गई शिकायतों की सूची अनुलग्नक के तौर पर शामिल कर दी। उन्होंने बताया कि प्रेस परिषद ने पेड न्यूज की शिकायतों की जांच के लिए एक समिति गठित की है।[62]

पूर्व केंद्रीय मंत्री रघुवंश प्रसाद सिंह ने सूचना और प्रसारण मंत्री से सवाल पूछा कि क्या सरकार के पास कोई तरीका या प्रक्रिया है जिससे वह मीडिया द्वारा बोलने की आजादी के उल्लंघन और अनियमितताओं और भ्रष्टाचार के आरोपों की निगरानी कर सकती है। उन्होंने जानना चाहा कि इस दिशा में सरकार ने क्या कदम उठाए हैं और पत्रकारीय नैतिकता के खिलाफ काम करने वाले पत्रकारों के खिलाफ सरकार ने क्या कदम उठाए हैं और क्या कदम उठाए जा सकते हैं।

इसके जवाब में केंद्रीय सूचना और प्रसारण राज्यमंत्री सी.एम. जटुआ ने बताया कि पीत पत्रकारिता और पत्रकारों के भ्रष्टाचार और ब्लैकमेलिंग जैसे आरोपों की शिकायत प्रेस परिषद में की जाती है। उन्होंने यह जानकारी दी कि प्रेस परिषद एक्ट की धारा 14 के तहत प्रेस परिषद अखबार, संपादक या पत्रकार को चेतावनी दे सकती है, फटकार लगा सकती है या उसकी निंदा कर सकती है। मंत्री ने सदन को यह भी बताया कि लोकसभा चुनाव के दौरान पक्ष में प्रचार करने के लिए प्रेस द्वारा पैसे लिये जाने की खबरों का प्रेस परिषद ने संज्ञान लिया है और पेड न्यूज की अवधारणा की जांच के लिए एक समिति बनाई है।[63]

राज्यसभा में ध्यानाकर्षण प्रस्ताव पर चर्चा के दौरान सी.पी.एम. के सांसद सीताराम येचुरी ने पेड न्यूज की प्रवृत्ति को लोकतंत्र के लिए खतरनाक करार दिया। उनके मुताबिक :

* पेड न्यूज की वजह से मीडिया निष्पक्ष नहीं रह जाता और इस तरह वह

जनमत को गलत ढंग से प्रभावित करता है।

* इसकी वजह से अपना प्रतिनिधि चुनने के जनता के अधिकार में सेंध डाली जाती है क्योंकि जो पेड न्यूज के लिए खर्च कर सकते हैं, वे फायदे की हालत में होते हैं।
* यह लोकतंत्र को तोड़ना-मरोड़ना है, क्योंकि जो लोग ऐसे घोटालों के लिए खर्च करने की हालत में नहीं हैं, उन्हें संविधान प्रदत्त बराबरी से वंचित रखा जाता है।
* इससे पत्रकारिता पर भी कलंक लगता है।[64]

वहीं राज्यसभा में विपक्ष के नेता अरुण जेटली के मुताबिक पेड न्यूज को विचार और अभिव्यक्ति की स्वतंत्रता के दायरे में नहीं रखा जा सकता। ज्यादा-से-ज्यादा इसे कारोबार या धंधा कहा जा सकता है। ऐसी हालत में इस पर कारोबार के नियम लागू होने चाहिए और इसे भी किसी और कारोबार की तरह रेगुलेट किया जाना चाहिए। उनके मुताबिक यह कारोबार गैरकानूनी मकसद से किया जा रहा है और इसकी वजह से चुनावी प्रक्रिया प्रदूषित होती है। अगर सरकार पेड न्यूज को विचार और अभिव्यक्ति की स्वतंत्रता के दायरे से बाहर कर दे तो इसके खिलाफ कानूनी कार्रवाई का रास्ता खुल सकता है।[65]

लेकिन पेड न्यूज पर राज्यसभा में ध्यानाकर्षण प्रस्ताव पर बहस का जवाब देने के क्रम में सूचना और प्रसारण मंत्री अंबिका सोनी ने अरुण जेटली के सुझाव को नहीं माना। सरकार का लगातार यही पक्ष रहा है कि वह मीडिया की आजादी में दखल नहीं देती। वैसे भी ध्यान देने की बात है कि पेड न्यूज का विरोध विपक्ष की तरफ से ही हुआ। सत्ता पक्ष को मीडिया के इस खरीद-बिक्री वाले खेल से शिकायत नहीं है। संसद में ध्यानाकर्षण प्रस्ताव भी विपक्ष के नेता ही लाए और मंत्रालय से सवाल भी विपक्ष के नेताओं ने ही पूछे। इससे अनुमान लगाया जा सकता है कि जो भी दल सत्ता में होता है, वह मीडिया का प्रबंधन करने के लिए बेहतर स्थिति में होता है।

पेड न्यूज : कागजी शेर खफा हैं!

वर्ष 2009 के लोकसभा और विधानसभा चुनावों में जिस तरह मीडियाकर्मी और अखबारों और चैनलों के विज्ञापन विभाग के लोग रेट लिस्ट लेकर पार्टियों और उम्मीदवारों के पास पहुंच गए, उसने नेताओं को चौंकाया। ऐसा करना मीडिया और नेताओं के अब तक चले आ रहे रिश्तों की बुनियाद पर हमले की तरह था। नेता अब तक मीडिया और मीडियाकर्मियों के हितों का ध्यान रखते थे और बदले में मीडिया में कवरेज करते हुए इन बातों और रिश्तों का ध्यान रखा जाता था। यह लेन-देन का रिश्ता तो था, लेकिन इसमें सीधे तौर पर रुपए कम ही गिने जाते थे। इस संदर्भ में कुछ नेताओं के बयान रोचक हैं।

> ''कानपुर में स्वर्गीय नरेंद्र मोहन (*दैनिक जागरण* के मालिक) के नाम पर पुल का नामांकरण उस समय हुआ जब मैं उत्तर प्रदेश सरकार में मंत्री था। उनके मल्टीप्लैक्स को जमीन हमारे समय में दी गई। जागरण का जो स्कूल चलता है और उनका जहां दफ्तर है, उनकी जमीनें हमारे समय में उन्हें मिलीं। लेकिन यह सब मैंने किसी अपेक्षा में नहीं अपना मित्र धर्म निभाते हुए किया। फिर भी मेरे साथ ऐसा व्यवहार (खबर के लिए पैसे की मांग) हुआ। इतनी निर्लज्जता से चलेंगे तो कैसे चलेंगे रिश्ते।''
>
> —लालजी टंडन, लखनऊ से भाजपा के विजयी लोकसभा प्रत्याशी[66]

> ''*दैनिक जागरण* के मालिक को हमने वोट देकर सांसद बनाया था। वे बताएं, वोट के बदले उन्होंने हमें कितना धन दिया था। तब खबर के लिए हम धन क्यों दें।''
>
> —मोहन सिंह, देवरिया से सपा के पराजित लोकसभा प्रत्याशी[67]

> ''मैंने उषा मार्टिन (*प्रभात खबर* को चलाने वाली कंपनी) को भी कठोतिया कोल ब्लॉक दिया। *प्रभात खबर* को यह बताना चाहिए कि उसकी शर्तें क्या थीं, मैंने उनसे कितने पैसे लिये।''
>
> —मधु कोड़ा, झारखंड के पूर्व मुख्यमंत्री, चाईबासा से निर्दलीय सांसद[68]

ऊपर के तीनों उदाहरण वरिष्ठ पत्रकार प्रमोद रंजन ने पैकेज पत्रकारिता पर अपने आलेख में संकलित किए हैं। तीनों उदाहरण एक ओर तो यह बता रहे हैं कि नेताओं में पैकेज पत्रकारिता को लेकर कितनी नाराजगी है। लेकिन उनकी बातों को एक बार फिर गौर से पढ़िए। आप पाएंगे कि ये नेता अब तक सरकार में होने या शक्तिशाली होने के कारण मीडिया को उपकृत करते रहे हैं और बदले में मीडिया से उन्हें अनुकूल कवरेज मिलता रहा है। वे आगे भी इस स्थिति को जारी रखना चाहते हैं। लेकिन मीडिया के अंदर समीकरण कुछ इस तरह बदल गए हैं कि वह अब पैसा लिये बगैर चुनाव के दौरान पक्ष में कुछ छापने-दिखाने को तैयार नहीं है और फिर मीडिया को पैसे न दिए गए, तो खिलाफ में खबरों की लाइन लग जाती है।

यह एक तरह से राजनीति और मीडिया के लंबे समय से चले आ रहे रिश्तों के टूटने का दर्द था, जो इन नेताओं की जुबान से सामने आया है। जब तक मीडिया और नेताओं के रिश्ते गुपचुप निभाए जाते थे और दोनों इससे लाभान्वित होते थे, तब तक कोई हंगामा न हुआ, न प्रेस परिषद और न चुनाव आयोग को ही किसी तरह की कार्रवाई करने की जरूरत महसूस हुई। मीडिया और राजनीति के इन संबंधों के बारे में, यह तो मुमकिन है कि आम दर्शकों और पाठकों को ज्यादा जानकारी न हो, लेकिन पत्रकारिता और चुनाव के विनियामकों को इसके बारे में कुछ भी पता नहीं होगा, ऐसा मानना सही नहीं होगा।

अभी कहना जल्दबाजी होगी कि मीडिया और राजनीति के पुराने अंतर्संबंधों की बुनियाद निर्णायक रूप से हिल गई है। क्या 2009 का मतलब यह है कि मीडिया और नेताओं के बीच अंतःपुर की संधियों और दुरभिसंधियों का अंत हो गया है और सब कुछ सिर्फ पैसों से तय होगा? इस संदर्भ में मुख्य चुनाव आयुक्त एस.वाई. कुरैशी की बात महत्त्वपूर्ण है कि किसी भी पार्टी ने पेड न्यूज के बारे में चुनाव आयोग में विधिवत शिकायत नहीं की है।[69] यह बात भी गौर करने लायक है कि ऊपर दिए गए उदाहरणों में पैकेज पत्रकारिता के तीनों पीड़ित सत्ताधारी दलों के नहीं हैं। पेड न्यूज के खिलाफ संसद से लेकर बाहर तक निंदा के लगभग सभी बयान गैर-कांग्रेसी दलों के हैं। यह बात किसी से छिपी नहीं है कि सत्ताधारी दलों (यह कोई भी दल हो सकता है) के पास मीडिया को देने के लिए पैसे के अलावा भी बहुत कुछ होता है। सत्ताधारी दल और सरकारें कई तरीकों से मीडिया प्रबंधन करती रही हैं और पेड न्यूज के चलन से यह बदल जाएगा, इसका कोई कारण नहीं है। इसे हद-से-हद मीडिया प्रबंधन का एक और तरीका कह सकते हैं।

वर्ष 2009 से पहले और बाद की पत्रकारिता में फर्क यह आया कि चुनावी प्रचार के लिए भुगतान का खेल खुलकर और बिल्कुल संस्थाबद्ध तरीके से होने लगा। कहा जा सकता है कि मीडिया और राजनेताओं के बीच नजरों की शर्म खत्म हो गई।

मीडिया के एक हिस्से में इसे लेकर आवाज भी उठने लगी। जब विवाद बढ़ने लगा तो देश में प्रिंट पत्रकारिता की नियामक संस्था भारतीय प्रेस परिषद तक भी शिकायतें पहुंचीं। ये शिकायतें राजनीतिक दल, नेता और सामाजिक संगठनों के अलावा पत्रकारों की ओर से भी आईं। लोकसभा में भी इस बारे में सवाल पूछा गया।

अप्रैल-मई 2009 में हुए लोकसभा चुनाव के बाद से ही प्रेस परिषद को पेड न्यूज और पैकेज पत्रकारिता के बारे में शिकायतें मिलने लगी थीं। दिवंगत प्रभाष जोशी, कुलदीप नैयर, बी.जी. वर्गीज, अजित भट्टाचार्य, हरिवंश और अच्युतानंद मिश्र ने इस परिघटना की शिकायत प्रेस परिषद से की। प्रेस परिषद के अध्यक्ष जस्टिस जी.एन. रे ने आंध्र प्रदेश अकादमी और ए.पी.यू.डब्ल्यू.जे. द्वारा आयोजित एक सेमिनार में हिस्सा लिया, जहां इस बारे में चर्चा हुई। इन्हीं घटनाओं को लेकर माखनलाल चतुर्वेदी पत्रकारिता विश्वविद्यालय ने भी एक सेमिनार किया। दिल्ली यूनियन ऑफ जर्नलिस्ट के अध्यक्ष एस. के. पांडे ने प्रेस परिषद को 10 जून को टेलिग्राम, फैक्स और ई-मेल भेजकर मीडिया में आ रहे अंधाधुंध पैसे को पत्रकारीय नैतिकता के विरुद्ध बताया और कहा कि यह पत्रकार की खबर लिखने की स्वतंत्रता का भी उल्लंघन है। उन्होंने लिखा कि मंदी से उबारने के लिए कुछ अखबारों को बड़े पैमाने पर विज्ञापन देने और आगे भी दिए जाने के बारे में खबरें आ रही हैं। उन्होंने मांग की कि लोकसभा चुनाव के दौरान कुछ पार्टियों द्वारा कुछ अखबारों और चैनलों को ढेर सारे रुपए दिए जाने के आरोपों पर प्रेस परिषद कार्रवाई करे और सच्चाई सामने लाए।

आंध्र प्रदेश यूनियन ऑफ वर्किंग जर्नलिस्ट ने 13 मई, 2009 को प्रस्ताव पारित करके चुनाव के दौरान मीडिया के बड़े हिस्से द्वारा निभाई गई भूमिका पर चिंता जताई। प्रस्ताव में कहा गया कि मीडिया ने न सिर्फ गैर-पेशेवर, अनैतिक और भ्रष्ट आचरण किया बल्कि उम्मीदवारों और पार्टियों की प्रचार सामग्री को न्यूज के तौर पर दिखाकर पाठकों के साथ धोखाधड़ी भी की। वारंगल पश्चिम से लोकसत्ता पार्टी के उम्मीदवार पी. कोदंड रामा राव ने प्रेस परिषद का ध्यान तेलुगु समाचार-पत्रों में कई उम्मीदवारों द्वारा छपवाए गए सेरोगेट (क्षद्म) विज्ञापनों की ओर दिलाया। इसके अलावा सांसद सुमित्रा महाजन समेत नौ और लोगों ने भी प्रेस परिषद से मीडिया के अनैतिक व्यवहार की शिकायत की।

प्रेस परिषद की प्रतिक्रिया

इसी पृष्ठभूमि में 9 जून, 2009 को प्रेस परिषद की दिल्ली में बैठक हुई तो पेड न्यूज और पैकेज पत्रकारिता पर विस्तार से चर्चा की गई। प्रेस परिषद ने पेड न्यूज पर गंभीर चिंता जताई। परिषद की राय में इस परिघटना का लोकतंत्र के लिए दोहरा

खतरा है क्योंकि यह पत्रकारिता और चुनाव प्रक्रिया दोनों पर बुरा असर डालती है। इस बैठक में प्रेस परिषद के सदस्यों ने कहा कि प्रेस जनहित की सेवा और इस नाते जानने के अधिकार का इस्तेमाल करती है। जब इन सूचनाओं को समाचार के रूप में पेश किया जाता है तो लोक विश्वास है कि वह सही और सच्ची सूचनाएं होती हैं। यह लेखों और संपादकीय जैसे विचार लेखन से अलग है, क्योंकि इनमें लेखक घोषित रूप से अपने विचार रखता है। इसलिए लोगों के जानने के अधिकार की रक्षा करना जरूरी है ताकि लोग उम्मीदवार की जीतने की क्षमता के बारे में भ्रम में न पड़ें। बैठक में एक और राय थी कि पेड न्यूज की समस्या इसलिए सामने आई है क्योंकि चुनाव खर्च पर पाबंदी लागू है, जिससे प्रेस की विज्ञापनों से होने वाली आमदनी पर असर पड़ता है। इस वजह से दोनों पक्षों ने एक ऐसा रास्ता निकाला है, जो चुनाव प्रक्रिया के लिए खतरनाक है। एक और सदस्य ने बताया कि अब जिले के अधिकारियों के पास अधिकार है कि वे प्रेस को नोटिस जारी कर खबर का स्रोत पूछ सकते हैं, और यह प्रेस की स्वतंत्रता के लिए खतरा है।

कौंसिल की राय बनी कि संसद ने प्रेस परिषद को जो कार्यभार सौंपा है उसे देखते हुए जरूरी है कि मीडिया में लोगों का विश्वास बनाए रखने और अगले चुनाव से पहले एहतियाती कदम उठाने की सिफारिश करने से पहले इस मामले के तमाम पहलुओं की पड़ताल अध्ययनों और बहस के द्वारा कर ली जाए। प्रेस परिषद ने अपने सदस्यों से कहा है कि वे एक चर्चा-पत्र बनाने के लिए अपनी बातें रखें। प्रेस परिषद ने एक समिति बनाने का फैसला किया जिसमें परंजय गुहा ठाकुरता और के. श्रीनिवास रेड्डी को रखा गया।[70] इस समिति ने अपनी जांच पूरी कर ली। (देखें परिशिष्ट)

प्रेस परिषद ने ठाकुरता और रेड्डी की रिपोर्ट को सार्वजनिक करने का फैसला किया है। दरअसल इस रिपोर्ट में मीडिया समूहों ने नाम लेकर चर्चा की गई है।

प्रेस परिषद के चेयरमैन जस्टिस जी.एन. रे लगातार अपने भाषणों में पेड न्यूज की समस्या और उसके खतरों के बारे में बात कर रहे हैं। उन्होंने कहा कि ''चुनाव प्रक्रिया की शुचिता और निष्पक्षता बनाए रखना सिर्फ सरकार, चुनाव आयोग और राजनीतिक दलों की जिम्मेदारी नहीं है बल्कि यह हर व्यक्ति और संस्था की जिम्मेदारी है। लोकतंत्र का चौथा खंभा होने के नाते मीडिया पर न सिर्फ यह जिम्मेदारी है बल्कि गलत तरीके से इसे प्रभावित करने वाली ताकतों से चुनाव प्रक्रिया को स्वतंत्र रखने की जिम्मेदारी भी मीडिया की है। यह छिपी बात नहीं है कि अब चुनाव का मीडिया कवरेज लाखों लोगों को प्रभावित करने वाले वास्तविक मुद्दों को केंद्र में नहीं रखता बल्कि वह सनसनीखेज वाकयों और चमक-दमक से प्रभावित होता है। पहले चुनाव

से अब तक चुनाव को मीडिया कवरेज का तरीका नाटकीय तरीके से बदल गया है। हम चुनाव कवरेज के वास्तविक और बुनियादी मूल्यों को भूल गए हैं। वैश्वीकरण के दौर में मीडिया बाजार की ताकतों से ज्यादा से ज्यादा संचालित होने लगा है और सामाजिक मुद्दों से दूर हट गया है। इस सवाल पर गंभीरता से और भावनाओं में बहे बगैर विचार करने की जरूरत है कि क्या बाजारवाद और मुनाफा कमाने की इस होड़ में मीडिया आज अपनी विश्वसनीयता खोता जा रहा है। दुर्भाग्य से इस साल के लोकसभा चुनाव में पेड न्यूज की बीमारी के रूप में एक ऐसा मसला सामने आया है जिसके गंभीर और दूरगामी परिणाम हो सकते हैं। और भी अफसोस की बात है कि ये आरोप ज्यादातर प्रिंट मीडिया और क्षेत्रीय अखबारों पर लगे हैं। पेड न्यूज सिंड्रोम दरअसल लोगों को गलत सूचनाएं देने या सूचनाएं न देने का सबसे गलत रूप है, क्योंकि ऐसी स्थिति में भोले-भाले लोग चुनाव लड़ रहे किसी उम्मीदवार की उपलब्धियों या वादों के बारे में बताई गई खबर को 'सच' मान लेते हैं।"[71]

पेड न्यूज और चुनाव आयोग की भूमिका

देश में साफ-सुथरे और निष्पक्ष तरीके से चुनाव कराने की जिम्मेदारी चुनाव आयोग की है। इस नाते उम्मीद की जाती है कि चुनाव आयोग चुनाव प्रक्रिया में आ रही गड़बड़ी और कायदे-कानूनों के उल्लंघन या उन्हें बाइपास करने की हर कोशिश पर नजर रखेगा। लेकिन चुनाव आयोग ने अब तक कोई ऐसा संकेत नहीं दिया है कि पेड न्यूज के चलन को रोकने के लिए उसके पास पर्याप्त कानूनी अधिकार हैं और अगर ऐसा नहीं है तो वह कानूनों में जरूरी सुधार के लिए सोच रहा है। चुनाव आयोग ने प्रस्तावित चुनाव सुधारों का जो मसौदा बनाया है उसमें एक्जिट पोल और जनमत सर्वेक्षण को लेकर तो दृष्टि साफ है, लेकिन मीडिया से जुड़ी इस नई बीमारी को वह समय पर भांप नहीं पाया। चुनाव आयोग ने सेरोगेट विज्ञापनों को लेकर जरूर सख्ती बरतने का प्रस्ताव रखा है। हालांकि जनप्रतिनिधित्व कानून 1951 की धारा 127 (1) में इस बात का प्रावधान है कि कोई भी व्यक्ति ऐसा पोस्टर या पर्चा नहीं छापेगा, जिसमें प्रिंटर और प्रकाशक का नाम न छपा हो। इस धारा के सेक्शन (3) में इस बात की व्याख्या की गई है कि हाथ से छापने के अलावा किसी भी तरीके से कॉपी करने को प्रिंटिंग माना जाएगा। यानी अखबारी विज्ञापनों को इस कानून के दायरे में माना जाना चाहिए।

पार्टियों और उम्मीदवारों ने इस धारा से बचने के लिए सेरोगेट विज्ञापन का रास्ता अख्तियार कर लिया, जिसमें अखबारों में किसी खास उम्मीदवार के पक्ष या

विरोध में ऐसे विज्ञापन छापे जाते हैं, जो सीधे तौर पर किसी उम्मीदवार से जुड़े नहीं होते। इसलिए उम्मीदवार उनके प्रकाशन पर खर्च को अपने चुनाव खर्च में भी शामिल नहीं करते। हालांकि भारतीय दंड संहिता की धारा 171 एच में चुनाव के दौरान किसी उम्मीदवार की इजाजत लिये बगैर उसके समर्थन में विज्ञापन या प्रकाशन के लिए खर्च करने पर पाबंदी है, लेकिन सेरोगेट विज्ञापन, कानून के इस प्रावधान से बचने का रास्ता देता है। चुनाव आयोग ने प्रस्तावित चुनाव सुधार के ड्राफ्ट में इस बात का जिक्र किया है कि वह अखबारों को इस बात के लिए तैयार करने की कोशिश कर रहा है कि वे जनप्रतिनिधित्व कानून की धारा 127 ए के अनुसार ही चुनावी विज्ञापन छापें। लेकिन एक समाचार-पत्र ने तो कह दिया है कि जनप्रतिनिधित्व कानून और भारतीय दंड संहिता के ये प्रावधान अखबारों पर लागू ही नहीं होते। अब चुनाव आयोग का कहना है कि सेरोगेट विज्ञापनों से निपटने के लिए स्पष्ट प्रावधान होने चाहिए। इसके लिए 127 ए में जरूरी संशोधन किए जाने चाहिए। इसमें प्रिंट मीडिया की बात साफ तौर पर आनी चाहिए। इसमें इस बात का जिक्र होना चाहिए कि चुनाव प्रक्रिया के दौरान किसी पार्टी या उम्मीदवार के पक्ष या विपक्ष में किसी भी तरह के विज्ञापन या चुनाव सामग्री में प्रकाशक का नाम उस सामग्री के साथ जरूर दिया जाना चाहिए। इसके लिए चुनाव आयोग ने एक नई उपधारा (2ए) जोड़ने की सिफारिश की है।[72]

जाहिर है कि चुनाव कानूनों में ऐसे छेद हैं, जिनकी वजह से पेड न्यूज का धंधा चल रहा है। चुनाव आयोग ने हर तरह के विज्ञापन और चुनाव सामग्री को चुनाव कानून के दायरे में लाने की सिफारिश की है। लेकिन अगर रिपोर्टर की रिपोर्ट ही विज्ञापन बन जाए तो उसे संशोधित कानून के दायरे में लाना आसान नहीं होगा। अखबार इस बारे में कानूनी प्रावधान लाए जाने का स्वाभाविक तौर पर विरोध करेंगे और इसे प्रेस की आजादी पर हमला बताएंगे। मिलते-जुलते मामले में अमेरिका में चली बहस के दौरान वहां के एक अखबार की टिप्पणी यहां गौरतलब है।

"अमेरिकी संविधान में ऐसा कुछ भी नहीं है कि प्रेस को न्यूट्रल यानी पक्षपातरहित होना पड़ेगा। न ही कहा गया है कि उसे ऑब्जेक्टिव यानी वस्तुनिष्ठ होना पड़ेगा, या तटस्थ होना पड़ेगा, या बिल्कुल सही या सच ही बताना पड़ेगा। हालांकि ये गुण होने चाहिए, यह एक और बात है। लेकिन इसका फैसला कौन करेगा? मतलब की बात सिर्फ यह है कि प्रेस स्वतंत्र है। और किसी भी और स्वतंत्रता की तरह यह भी किन्हीं शर्तों से बंधी नहीं है, क्योंकि तभी किसी स्वतंत्रता का मतलब होता है। यह जो चाहे वह छापने के लिए स्वतंत्र है और किसी भी विचार के साथ लिखने के लिए आजाद है।"[73]

कोई समाचार किस खास स्थिति में प्रचार सामग्री बन जाता है या विज्ञापन का काम करने लगता है, इसके लिए मापदंड बनाना और वह भी ऐसे मापदंड कि उनकी कानूनी व्याख्या हो सके, आसान नहीं है। आखिर ऐसी ही उलझनों की वजह से तो अखबारों ने आसानी से खबरों के पैकेज बेच लिये और उम्मीदवारों ने अगर इस खर्च का जिक्र चुनाव खर्च में नहीं किया तो, उनके लिए कोई दिक्कत नहीं हुई। इस बारे में प्रेस परिषद में जो शिकायतें आई हैं, वे अखबारों के खिलाफ हैं। यानी उन शिकायतों की वजह से किसी जीते हुए उम्मीदवार की सेहत पर असर नहीं पड़ने वाला है।

संपादकों की संस्था के कड़े तेवर

संपादकों की संस्था एडीटर्स गिल्ड ऑफ इंडिया ने भी पेड न्यूज के बढ़ते चलन पर चिंता जताई है। 22 दिसंबर, 2009 को गिल्ड ने अपनी वार्षिक सभा में पेड न्यूज को भारतीय पत्रकारिता की बुनियाद पर हमला करार दिया।[74] एडीटर्स गिल्ड ने कहा कि खासकर हाल के चुनावों के दौरान कुछ समाचार-पत्रों और टी.वी. चैनलों के खिलाफ पेड न्यूज छापने के बारे में लगातार आ रही रिपोर्टों से गिल्ड को गहरा धक्का लगा है। गिल्ड ने देश के सभी संपादकों से अपील की है कि वे किसी भी ऐसे विज्ञापन को छापने से बचें जो समाचार की शक्ल में दिया जा रहा हो। संपादकों की इस संस्था ने कहा कि वह हमेशा ऐसे समाचारों के प्रकाशन के पक्ष में है जो जनहित में हों, जिन्हें पत्रकारों ने पेशेवर तरीके से संकलित किया है और जिन समाचारों के साथ किसी तरह की दुर्भावना, पक्षपात, भेदभाव या पैसे का असर न जुड़ा हो। एडीटर्स गिल्ड ने कहा है कि मीडिया को विज्ञापन छापने का अधिकार है, लेकिन ये विज्ञापन एडवर्टाइजिंग स्टैंडर्ड कौंसिल और न्यूज ब्रॉडकास्टिंग स्टैंडर्ड कोड के मुताबिक हों। समाचार संगठनों को समाचार और विज्ञापन के बीच के फर्क को साफ तौर पर दिखाना चाहिए ताकि पाठक या दर्शक ऐसे विज्ञापन को देखकर धोखा न खाएं जिसे समाचार के रूप, भाषा और शैली में पेश किया गया हो। चिंताजनक है कि पेड न्यूज का इस्तेमाल राजनीतिक दलों के अलावा कंपनियां, संगठन और लोग भी कर रहे हैं।

एडीटर्स गिल्ड ने इस सभा में प्राइवेट ट्रीटी के चलन की भी निंदा की। प्राइवेट ट्रीटी के तहत समाचार संगठनों को अनलिस्टेड कंपनी की मुफ्त में हिस्सेदारी मिलती है और इसके बदले वे समाचारों और टी.वी. समाचार कार्यक्रमों में उन कंपनियों का प्रचार करते हैं। समाचार संगठनों को इन कंपनियों में अपने कारोबारी हितों और हिस्सेदारी के बारे में पाठकों और दर्शकों को पारदर्शी तरीके से बताना चाहिए।

संपादकों की इस संस्था का कहना है कि पेड न्यूज के धंधे में शामिल होने वाले मीडिया संगठन और संपादक तथा न्यूज छापने के लिए पैसे देने वाले लोग और संगठन, दोनों ही स्वतंत्र और निष्पक्ष प्रेस, जो भारत के हर नागरिक का हक है, को कलंकित कर रहे हैं। कुछ मीडिया संगठनों के ऐसे गैरजिम्मेदाराना बर्ताव से पूरी मीडिया की साख खराब हो रही है, जबकि भारतीय मीडिया की परंपरा लोकतांत्रिक अधिकारों की रक्षा और तमाम तरह के अन्याय और असमानता का पर्दाफाश करने की रही है। आजादी के पहले भी और बाद भी संपादकों और पत्रकारों ने न्यायसंगत समाज बनाने के आंदोलन में अग्रणी भूमिका निभाई है। पेड न्यूज की अवधारणा भारतीय लोकतंत्र पर काला धब्बा है। एडीटर्स गिल्ड ने मीडिया संगठनों के प्रकाशकों, संपादकों और पत्रकारों से अपील की है कि वे मीडिया में बढ़ते व्यवसायीकरण और आत्मसम्मान के सौदों के खिलाफ लड़ें। गिल्ड ने यह भी कहा है कि आने वाले दिनों में वह मीडिया और समाज के साथ ही राजनीतिक दलों और चुनाव आयोग के साथ मिलकर इस चलन को रोकने की कोशिश करेगा। एडीटर्स गिल्ड के चेयरमैन राजदीप सरदेसाई ने *बिजनेस स्टैंडर्ड* के मुख्य संपादक टी.एन. नैनन की अध्यक्षता में एक आचार समिति बनाने की घोषणा की। इस समिति में संपादक और कॉलम लेखक बी.जी. वर्गीज, *मेनस्ट्रीम* के संपादक सुमित चक्रवर्ती और *मानुषी* की संपादक मधु किश्वर हैं।

कुछ संगठन चिंतित हैं कि ये हो क्या रहा है

प्रेस परिषद ऑफ इंडिया और एडीटर्स गिल्ड के अलावा भी कई और संगठनों ने पेड न्यूज को लेकर विरोध दर्ज किया और कई सेमिनार और गोष्ठियां आयोजित की गईं। ऐसी ही एक गोष्ठी दिल्ली के इंडिया इंटरनेशनल सेंटर में फाउंडेशन फॉर मीडिया प्रोफेशनल्स ने आयोजित की। गोष्ठी का विषय था—*ब्लरिंग द लाइन बिटविन न्यूज ऐंड ऐड*। गोष्ठी का संचालन वरिष्ठ पत्रकार परंजय गुहा ठाकुरता ने किया। इस आयोजन की रिपोर्टिंग पत्रकार विवियन फर्नांडिस ने की है। देखिए उसके अंश[75] :

पिछले लोकसभा चुनाव में न्यूज स्पेस की खुलेआम बिक्री हुई। अखबारों ने उम्मीदवारों के इंटरव्यू, रैली के समाचार, दौरों की रिपोर्ट और विरोधियों की निंदा छापने के लिए रेट तय कर दिए थे। प्रभाष जोशी ने जब हिंदी समाचार-पत्रों में न्यूज के नाम पर किए गए पेड कवरेज के उदाहरण दिए तो लोगों ने उन्हें गौर से सुना... फाउंडेशन फॉर मीडिया प्रोफेशनल्स इस बात को लेकर चिंतित है कि मीडिया संगठन पैसे के पीछे बेतरह भाग रहे हैं और उन्हें नैतिकता और ईमानदारी की रत्ती भर

परवाह नहीं है। पाठक और दर्शक खबर के लिए पैसे देते हैं। अगर उन्हें इसके नाम पर विज्ञापन परोसा जाता है तो यह विश्वासघात है। इस खेल में सिर्फ हिंदी के अखबार शामिल नहीं थे। *आउटलुक* के संपादक कृष्ण प्रसाद ने बताया कि लोकसभा चुनाव के दौरान मुंबई के एक प्रमुख अंग्रेजी अखबार ने अपने रिपोर्टरों से कहा कि वे जिन नेताओं का इंटरव्यू करते हैं, उनके पास सेल्स के लोगों को भी साथ लेकर जाएं और उन्हें नेताओं से मिलवाएं (अगर चर्चा के दौरान टी.वी. न्यूज चैनलों का जिक्र नहीं आया तो इसकी वजह यह नहीं है कि वे दूध के धुले हैं। बात सिर्फ इतनी है कि पैनल में मौजूद लोगों में से किसी ने टी.वी. से जुड़े उदाहरण नहीं दिए)।

इस गोष्ठी में मौजूद विज्ञापन गुरु और फ्यूचर ब्रांड के एम.डी. और सी.ई.ओ. संतोष देसाई ने कहा कि मीडिया को जो असर हासिल है वह उसे समाज ने दिया है। विज्ञापनदाता तो हमेशा ही इस कोशिश में रहते हैं कि संपादकीय और मार्केटिंग के बीच की दीवार तोड़ी जाए। अब नई बात है कि मीडिया के मालिक भी इसी कोशिश में जुट गए हैं। उनकी राय है कि न्यूज को नैतिकता से अलग नहीं किया जाना चाहिए। एक विज्ञापन गुरु पेड न्यूज की समस्या को जिस तरह से देख रहा है, वह बेहद रोचक है। विज्ञापन के क्षेत्र के लोगों का काम ही यही है कि वे अपने ब्रांड या विचार को ज्यादा विश्वसनीय बनाकर उपभोक्ताओं के सामने पेश करें। इसके लिए वे समाचार के तौर पर अपनी बातों को पहुंचाने की कोशिश जरूर करेंगे। लेकिन संतोष देसाई की चिंता है कि अगर मीडिया की साख ही नहीं बचेगी, तो विज्ञापन के प्लेटफॉर्म के तौर पर उसकी उपयोगिता क्या रह जाएगी। पेड न्यूज या पैकेज पत्रकारिता का बुनियादी आधार है कि पाठक या दर्शक संपादकीय सामग्री के तौर पर पेश की गई चीजों को विज्ञापन से ज्यादा विश्वसनीय मानते हैं। विज्ञापनदाता के लिए ऐसे संपादकीय स्पेस में घुसने का कोई आकर्षण नहीं होगा, जहां पहले से ही काफी मिलावट हो और उस मिलावट के बारे में पाठकों और दर्शकों को भी पूरा नहीं तो कुछ अंदाजा हो।

सेंटर फॉर मीडिया स्टडीज की पहल

सी.एम.एस. एकेडमी ऑफ कम्युनिकेशन ऐंड कनवर्जेंस स्टडीज ने पेड न्यूज की समस्या पर विचार करने के लिए 16 जनवरी, 2010 को एक गोष्ठी आयोजित की। समाचार के लिए तय जगह को बेचने के चलन को रोकने के तरीकों पर इस गोष्ठी में विचार किया गया। इसमें कुलदीप नय्यर, अजित भट्टाचार्य, राहुल देव, सुमित चक्रवर्ती और एन. भास्कर राव समेत कई लोगों ने अपने विचार रखे। इस दौरान

भास्कर राव ने कहा कि पेड न्यूज कोई नई बात नहीं है। लेकिन पहले यह कुछ पत्रकारों के स्तर पर होता था। अब सब खुलकर हो रहा है और इसने संस्थाबद्ध रूप ले लिया है, मानो इसमें कोई गलत बात ही न हो। उनकी राय में हालात अब ऐसे हो गए हैं कि सुधार के उपाय करना जरूरी हो गया है। यह काम खुद मीडिया को और समाज के तमाम संबंधित पक्षों को मिलकर करना चाहिए।

गोष्ठी की अध्यक्षता कर रहे अजित भट्टाचार्य ने कहा कि जो लोग पेशेवर नैतिकता की तुलना में पैसा कमाने को ज्यादा महत्त्वपूर्ण मानते हैं उनसे अपील करने और प्रस्ताव पारित करने का कोई असर नहीं होगा। उन्होंने कहा कि कानून को दंड देने का अधिकार होना चाहिए। अगर पेड न्यूज के चलन को न रोका गया तो लोग जो पढ़ रहे हैं और देख रहे हैं, उस पर भरोसा करना बंद कर देंगे। यह लोकतंत्र के लिए खतरनाक होगा। उन्होंने सुझाव दिया कि सूचना का अधिकार कानून मीडिया कंपनियों पर भी लागू होना चाहिए।[76]

वहीं, साउथ एशियन फ्री मीडिया एसोशिएसन (साफमा) की दिसंबर महीने में मुंबई में हुई बैठक में न्यूज के लिए तय जगह को बेचे जाने के बढ़ते चलन पर चिंता जताई गई है। साफमा को दक्षिण एशियाई देशों के संगठन सार्क की मान्यता हासिल है। साफमा की बैठक में पारित किए गए एक प्रस्ताव में कहा गया कि हाल में महाराष्ट्र में हुए विधानसभा चुनाव और दूसरे चुनावों में देखा गया कि चुनाव लड़ने वालों को संपादकीय सामग्री के स्थान पर जगह देने के बदले में पैसे लिये गए। यह एक ऐसी बुराई है, जिसने संस्थाबद्ध रूप ले लिया है।[77]

यहां सवाल उठता है कि मीडिया के खबर बेचने को लेकर इतनी आलोचनाओं के बीच खुद मीडिया उद्योग और उनके संगठन किस तरह की प्रतिक्रिया जता रहे हैं? इस मामले में मीडिया उद्योग की तरफ में खामोशी की रणनीति अपनाई गई है। वे इस तरह चुप हैं मानो कुछ हुआ ही नहीं है। पेड न्यूज की इतनी चर्चा के बाद मार्च, 2010 में उद्योग संगठन फिक्की ने के.पी.एम.जी. के सहयोग से मीडिया और मनोरंजन उद्योग की स्थिति और संभावनाओं पर एक भव्य रिपोर्ट–'बैक इन द स्पॉटलाइट' छापी। लेकिन 227 पेज की कॉफी टेबलबुक आकार की इस भारी-भरकम रिपोर्ट में इस उद्योग की अमूमन तमाम बारीकियां हैं, बजट के असर से लेकर चुनाव के दौरान आए 800 करोड़ रुपए के विज्ञापनों की चर्चा है, लेकिन पेड न्यूज का इसमें जिक्र तक नहीं है। मीडिया उद्योग संभवतः पेड न्यूज को लेकर उठे गुबार के खुद ही थमने के इंतजार में है।

कुछ मंचों पर मीडिया उद्योग के प्रतिनिधियों की तरफ से बात आई है कि उन्होंने खबर नहीं बेची। खासकर अंग्रेजी के अखबार और चैनल इस अंदाज में पेश आ रहे हैं, मानो यह गंदा काम हिंदी और भारतीय भाषा के प्रकाशनों ने किया है, और

वे यह सब नहीं करते, जबकि पेड न्यूज के खेल में बड़े खिलाड़ी अंग्रेजी के अखबार और चैनल ही हैं, लेकिन उनके तौर तरीकों में वह भोंडापन नहीं है, जिसकी वजह से भारतीय भाषा के अखबार और चैनलों की इस समय निंदा हो रही है। धन संग्रह के आभिजात्य तरीकों की वजह से अंग्रेजी मीडिया पेड न्यूज को लेकर इस समय हो रही आलोचना के दायरे से लगभग बाहर है, जबकि न्यूज स्पेस बेचने की शुरुआत अंग्रेजी प्रकाशनों से ही हुई है (न्यूज स्पेस बेचने का काम संस्थाबद्ध तरीके से सबसे पहले *टाइम्स ऑफ इंडिया* ने किया) और वे ही इस खेल के जमे हुए और बड़े खिलाड़ी हैं। अंग्रेजी के कुछ चैनलों पर पेड न्यूज को लेकर चर्चा के कार्यक्रम हुए हैं और कुछ अंग्रेजी अखबार इस विषय पर लगातार विचार आदि छाप रहे हैं।

बहरहाल, लोकतंत्र के सबसे बड़े पर्व चुनाव में चल रहे पैसे के खेल में मीडिया भी एक खिलाड़ी के तौर पर औपचारिक तौर पर शामिल हो गया है। अभी थोड़ी लुका-छिपी इसलिए है क्योंकि इस खर्च को चुनाव खर्च में शामिल करने या न करने को लेकर कानूनी उलझन है। मीडिया में भी नीति और अनीति की कुछ बहस बाकी है। प्रेस परिषद ने इस मामले में तेवर तो कड़े दिखाए हैं, लेकिन कार्रवाई करने के सीमित अधिकारों के साथ वह पेड न्यूज को रोकने में कितना कारगर साबित होता है, यह तय होना अभी बाकी है। चुनाव आयोग इस मामले में क्या करता है, यह भी देखना होगा। और इन सबसे बढ़कर देखना होगा कि लोकतंत्र में असली मालिक यानी जनता, जो दर्शक और पाठक भी है, इसे लेकर किस हद कर सचेत हो पाती है और किस तरह अपनी प्रतिक्रिया व्यक्त करती है। आखिरकार मीडिया जो दिखा या छाप रहा है, उसका सबसे ज्यादा असर पाठकों और दर्शकों पर ही पड़ता है।

पेड न्यूज को लेकर आई प्रतिक्रियाओं का सार संकलन करें, तो इस परिघटना के मायने अलग-अलग स्टेक होल्डर (संबंधित पक्षों) के लिए अलग-अलग हैं। पेड न्यूज को ये पक्ष जिस रूप में देखते हैं, उसे यहां संकलित करने की कोशिश की गई है।

पत्रकार : पेड न्यूज मीडिया समूहों और राजनीति के बीच की सीधी सौदेबाजी है। इसमें पत्रकारों की हैसियत अगर है भी तो नाम मात्र की है। पेड न्यूज को लेकर पत्रकार निजी तौर पर जो भी राय रखते हों, लेकिन ज्यादातर पत्रकार इस विषय पर खामोश हैं। व्यक्तिगत तौर पर कुछ पत्रकारों ने पेड न्यूज के खिलाफ आवाज उठाई है, लेकिन मीडिया के तंत्र में व्यक्तिगत तौर पर पत्रकारों की ऐसी हैसियत नहीं है कि वे ऐसे विमर्श में हस्तक्षेप कर सकें।

पत्रकारों के संगठन : पत्रकारिता के गिरते स्तर और विश्वसनीयता के संकट को लेकर पत्रकार संगठनों में चिंता है। ये संगठन कहते हैं कि पेड न्यूज से

पत्रकारिता के पतित हो जाने का खतरा है। लेकिन अपने स्तर पर वे किसी तरह की कार्रवाई करने में समर्थन नहीं हैं। कार्रवाई के लिए इन संगठनों की नजर चुनाव आयोग से लेकर प्रेस परिषद और सरकार पर है। लेकिन खबरों के माल बन जाने और बाजार में बोली लगाकर बिक जाने की परिघटना के बुनियादी कारणों पर कोई चर्चा नहीं की गई है। मीडिया की आंतरिक आर्थिक संरचना, मीडिया और सत्ता के अंतर्संबंधों को लेकर इन संगठनों में खामोशी है।

केंद्र सरकार : सरकार का कहना है कि पेड न्यूज की शिकायतों पर कार्रवाई करना प्रेस परिषद का काम है। सरकार ऐसा कुछ नहीं करेगी जिससे ऐसा लगे कि वह मीडिया की स्वतंत्रता पर कोई आघात पहुंचा रही है। इसलिए सरकार यह तो जताएगी कि वह चिंतित है, लेकिन कोई कार्रवाई करेगी, इसके संकेत नहीं। पेड न्यूज क्या है, इसे लेकर कोई स्पष्टता न होना सरकार के लिए कार्रवाई न करने का बहाना है।

भारतीय प्रेस परिषद : मीडिया स्वतंत्र रूप से काम करे और इसका स्तर न गिरे, यह देखना मुख्य रूप से प्रेस परिषद का काम है। इसलिए पेड न्यूज की शिकायतें इसी संस्था के पास आती हैं। प्रेस परिषद ने पेड न्यूज की निंदा की है और इस पर चिंता भी जताई है। प्रेस परिषद ने किसी मीडिया संस्था का नाम लेकर कुछ भी नहीं कहा है। मीडिया के किसी कदाचार को रोकने में प्रेस परिषद की सामर्थ्य भी संदिग्ध है। प्रेस परिषद के अधिकार भी निंदा करने से आगे नहीं जाते।

राजनीतिक दल : केंद्र के सत्ताधारी दल को पेड न्यूज को लेकर कोई शिकायत नहीं। कांग्रेस में इसे लेकर व्यापक खामोशी है। विपक्ष के दो बड़े खेमों एन.डी.ए. और वामपंथी दलों की ओर से पेड न्यूज की निंदा और विरोध हुआ है। खासकर वामपंथी दल इस बात को लेकर चिंतित है कि इस चलन की वजह से मीडिया और प्रकारांतर में लोक-विमर्श में उनकी जगह कम हो जाएगी। लेकिन मीडिया और राजनीति के गठजोड़ को खत्म करने की इच्छा का कोई प्रदर्शन देखने को नहीं मिला है। चुनाव आयोग में अब तक किसी दल ने पेड न्यूज को लेकर किसी दल के खिलाफ औपचारिक शिकायत दर्ज नहीं कराई है। किसी पार्टी ने किसी और पार्टी पर आरोप नहीं लगाया है कि उसने खबरें खरीद लीं। छोटे और आर्थिक रूप से कमजोर दलों को पेड न्यूज से सबसे ज्यादा चोट पहुंची है, क्योंकि खबरें खरीदने की इनकी क्षमता कम है। ऐसे दल पेड न्यूज का सबसे ज्यादा विरोध कर रहे हैं, लेकिन उनकी आवाज मीडिया में आए, यह मुमकिन नहीं है। एजेंडा तय करने में मीडिया की भूमिका बढ़ने के साथ ही इन कमजोर दलों की मुसीबत और बढ़ने वाली है। इसलिए पेड न्यूज के ये स्वाभाविक विरोधी हैं।

मीडिया समूह : इस मुद्दे को लेकर कॉरपोरेट मीडिया में सामूहिक खामोशी

का वातावरण है। मुमकिन नहीं है कि कोई मीडिया संगठन माने कि वह खबरें बेचता है। पेड न्यूज को पेड साबित करने में मुश्किल की वजह से उनका काम आसान है। पेड न्यूज को लेकर सारी बहस राजनीतिक खबरों को लेकर चलने की वजह से दूसरे प्रकार के पेड न्यूज का कारोबार अबाध रूप से चलने की उम्मीद मीडिया समूहों को है। मिसाल के तौर पर, कॉरपोरेट पेड न्यूज या मनोरंजन के क्षेत्र में पेड न्यूज को लेकर बहस शुरू भी नहीं हुई है। कॉरपोरेट पेड न्यूज को लेकर खामोशी शायद इसलिए है क्योंकि मीडिया खुद भी कॉरपोरेट सेक्टर का हिस्सा है। राजनीतिक पेड न्यूज का कारोबार मुख्य रूप से चुनावों के दौरान चलता है, जबकि अन्य प्रकार के पेड न्यूज का कारोबार बारहमासी है। इन्हें लेकर *लोकतंत्र पर खतरा* आदि आरोप भी नहीं लगते।

चुनाव आयोग : पेड न्यूज के चलन को कानून बनाकर रोकना विधायिका यानी संसद और विधानमंडलों की जिम्मेदारी है। चुनाव आयोग इस मामले में सिर्फ चुनाव के दौरान ही हस्तक्षेप कर सकता है। पेड न्यूज का कोई ऐसा सबूत नहीं होता, जिसके आधार पर कानूनी तौर पर इन आरोपों को प्रमाणित किया जा सके। किसी राजनीतिक दल ने चुनाव आयोग में पेड न्यूज की विधिवत् शिकायत नहीं की है।[78]

मंदी की मार या मीडिया के लिए मौका

क्या यह सिर्फ संयोग है कि राजनीतिक पेड न्यूज और पैकेज पत्रकारिता का सबसे विकराल रूप देश ने 2009 में देखा? 2009 देश के लिए कई मायने में महत्त्वपूर्ण साल साबित हुआ। देश की राजनीति के लिहाज से यह साल महत्त्वपूर्ण है क्योंकि इस साल यू.पी.ए. सरकार ने अपने पांच साल पूरे किए और इसके बाद मई महीने में देश में लोकसभा चुनाव हुए। इस चुनाव से कुछ ही महीने पहले यू.पी.ए. बिखर गया था। वामपंथी दलों ने अमेरिका के साथ परमाणु समझौते के सवाल पर मनमोहन सिंह सरकार से समर्थन वापस ले लिया था। परमाणु करार के सवाल पर वामपंथी दलों ने बी.जे.पी. समेत बाकी के विपक्ष के साथ मिलकर लोकसभा में सरकार के खिलाफ वोट डाला, लेकिन समाजवादी पार्टी के समर्थन और कुछ अन्य राजनीतिक जोड़तोड़ के कारण सरकार बच गई। भारत की सामरिक और विदेश नीति में यह एक नए दौर की शुरुआत भी थी, क्योंकि विदेश नीति इससे पहले अमेरिका के पक्ष में इस कदर झुकी हुई कभी नहीं थी। आर्थिक नीति के क्षेत्र में माना गया कि यू.पी.ए. का समर्थन कर रहे वामपंथियों की विदाई के बाद सरकार के लिए उदारीकरण के रास्ते पर तेज दौड़ने में अब कोई बाधा नहीं है। यह राजनीतिक उथलपुथल एक तरीके से बाजारवादी आर्थिक नीतियों की भी जीत थी। 2009 के लोकसभा चुनाव में कांग्रेस के नेतृत्व वाले गठबंधन की वापसी हुई और कांग्रेस पिछली लोकसभा की तुलना में ज्यादा मजबूत होकर सामने आई और केंद्र सरकार की वामपंथी दलों पर निर्भरता पूरी तरह खत्म हो गई। इसी साल अक्टूबर महीने में देश के दो समृद्ध राज्यों महाराष्ट्र और हरियाणा तथा उत्तर-पूर्वी राज्य अरुणाचल प्रदेश में विधानसभा चुनाव हुए और तीनों ही राज्यों में कांग्रेस की वापसी हुई।

भारतीय मीडिया और विज्ञापन उद्योग के लिए 2009 बुरा साल साबित हुआ। बुरा साल इसलिए नहीं कि विज्ञापनों से आमदनी पिछले साल के मुकाबले कम हो गई। मीडिया और विज्ञापन जगत में 2009 को बुरा साल इसलिए कहा गया क्योंकि इस साल विज्ञापनों का कारोबार कम तेजी से बढ़ा। एडेक्स 2009 की रिपोर्ट के

मुताबिक इस साल प्रिंट माध्यम के विज्ञापन सिर्फ तीन प्रतिशत की रफ्तार से बढ़े। इस साल प्रिंट माध्यम के सबसे बड़े विज्ञापनदाताओं में से बैंकिंग/वित्त, रिटेल, रीयल एस्टेट, ट्रेवल और टूरिज्म जैसे सेक्टरों का विज्ञापन बजट पिछले साल के मुकाबले घट गया। सर्विस सेक्टर और बैंकिंग/वित्त क्षेत्र के विज्ञापनों में एक और चार प्रतिशत की कमी आई। इसके बावजूद कुल विज्ञापन राजस्व में तीन प्रतिशत बढ़ोतरी का चमत्कार इसलिए हुआ क्योंकि रोजमर्रा के व्यक्तिगत इस्तेमाल की चीजों (एफएमसीजी) और शिक्षा क्षेत्र का विज्ञापन खर्च क्रमशः 31 और पांच प्रतिशत बढ़ गया और ऊपर से चुनावी साल में राजनीतिक और सामाजिक (यानी सरकारी) विज्ञापनों की बरसात हो गई। चुनाव से पहले सामाजिक यानी सरकारी विभागों का प्रचार करने वाले विज्ञापन आए तो लोकसभा और कई राज्यों के लिए हुए विधानसभा चुनावों में राजनीतिक विज्ञापन। लोकसभा चुनाव के दौरान राजनीतिक विज्ञापनों का कुल खर्च 800 करोड़ रुपए होने का अनुमान है, जिसमें से 40 से 50 प्रतिशत प्रिंट मीडिया के हिस्से में आया।[79]

आर्थिक मंदी और भारत

आर्थिक परिदृश्य की बात करें तो 2009 की शुरुआत बेहद निराशाजनक रही। यह वह दौर था जब वैश्विक आर्थिक मंदी का तूफान दुनिया भर में कई अर्थव्यवस्थाओं को झकझोर रहा था। इस समय तक लीमैन ब्रदर्स, गोल्डमैन सैक्स और ए.आई.जी. जैसे वित्तीय महारथियों की चमक पूरी तरह उतर चुकी थी। दुनिया भर के शेयर बाजार लगातार नए निचले स्तर को छू रहे थे। बैंकिंग और फाइनेंस सेक्टर से लेकर प्रॉपर्टी और आई.टी. सेक्टरों में मुर्दनी छाई हुई थी। कई देशों में सरकारों के बेलआउट पैकेज के बूते वित्तीय संस्थान फिर से सांस लेने की कोशिश कर रहे थे। मुक्त अर्थव्यवस्था के सबसे बड़े पैरोकार भी इस बुरी हालत से उबरने के लिए सरकारी मदद की गुहार लगा रहे थे। पूंजीवादी अर्थव्यवस्था के साथ ही पूंजीवाद और बाजारवाद के विचार को लेकर नए सिरे से समीक्षा की जरूरत महसूस होने लगी।

अमेरिका और यूरोप की अर्थव्यवस्थाएं 2008 के शुरुआत से ही ठहराव का शिकार हो चुकी थीं। लेकिन भारत में 2008 के शुरुआती कुछ महीने तक मंदी या ठहराव जैसा कुछ नजर नहीं आया। भारत में मंदी का असर 2008 के आखिरी तीन महीने में और उसके बाद के साल में ही दिखा। अमेरिका में लीमैन ब्रदर्स का पतन एक तरह से वह निर्णायक मौका था जिसके बाद से मंदी सही अर्थों में ग्लोबल हो गई थी। भारतीय अर्थव्यवस्था की डि-कपलिंग (यानी भारतीय अर्थव्यवस्था की वैश्विक अर्थव्यवस्था के उथलपुथल से बचे रहने की कल्पना) की बात देखते ही

देखते कमजोर होकर दम तोड़ गई और भारतीय अर्थव्यवस्था पर भी वैश्विक मंदी का असर दिखने लगा। सबसे पहले तो इसका असर निर्यात क्षेत्र और शेयर बाजारों पर दिखा। सॉफ्टवेयर और टेक्सटाइल जैसे क्षेत्रों में भी मंदी ने असर दिखाया। प्रॉपर्टी बाजार टूटने लगा और एयरलाइंस समेत कई सेक्टर संकट में पड़ गए। नौकरियों पर भी चौतरफा संकट आया और कुछ कंपनियों ने नई नौकरियों पर रोक लगा दी, तो कई कंपनियो में सैलरी में कटौती कर दी गई। कई कंपनियों और सेक्टर में बड़े पैमाने पर छंटनियां भी हुईं। पश्चिमी देशों में हुई छंटनियों की वजह से भारतीय कर्मचारियों में से कई देश लौट आए। कई कंपनियों ने विस्तार की योजनाएं टाल दीं।

2008-09 में आर्थिक विकास की दर गिरकर 6.7 प्रतिशत रह गई। इस साल प्रति व्यक्ति औसत आय भी सिर्फ 3.7 प्रतिशत की दर से बढ़ी। महंगाई के आंकड़ों को जोड़कर देखें तो वास्तविक अर्थों में लोगों की आय बढ़ने की जगह घट गई। 2009-10 में अर्थव्यवस्था में सुधार के लक्षण दिखे लेकिन फिर भी 9 और 10 प्रतिशत की विकास दर का लक्ष्य काफी दूर ही दिख रहा था। भारत सरकार ने 25 फरवरी, 2010 को लोकसभा में पेश किए आर्थिक सर्वेक्षण में कहा कि देश की अर्थव्यवस्था 2009-10 में 7.2 प्रतिशत की दर से बढ़ेगी।[80] अर्थव्यवस्था की मंदी से मीडिया और मनोरंजन उद्योग भी अछूता नहीं रहा। बल्कि इस क्षेत्र का विश्लेषण करने वाली कंसल्टेंसी एजेंसियों का तो कहना है कि मीडिया के लिए मंदी कुछ ज्यादा ही बुरी साबित हुई।[81]

भारतीय मीडिया और मंदी का असर

भारतीय मीडिया में 2009 को पेड न्यूज या पैकेज पत्रकारिता का साल कहा जाता है। पहली बार खबर बेचने का धंधा इतना खुलकर चला और इसकी इतनी खुलकर चर्चा हुई। लेकिन यह आर्थिक मंदी का भी साल था और आई.आर.एस. 2009 राउंड-2 के नतीजे बताते हैं कि यह मीडिया के लिए भी कुछ मायनों में मंदी का साल साबित हुआ। *जागरण प्रकाशन* ने अपनी सालाना रिपोर्ट में लिखा कि आर्थिक मंदी की वजह से विज्ञापनों से होने वाली आमदनी घटी है और इसका असर मीडिया कंपनियों पर पड़ा है। लेकिन इसका असर भारत में कम और विदेशों में ज्यादा हुआ है।

अर्थव्यवस्था की सेहत का खासकर मीडिया पर गहरा असर पड़ता है। ज्यादातर मीडिया संस्थानों की आमदनी अर्थव्यवस्था के ग्राफ के साथ चढ़ती-गिरती है। बढ़ती अर्थव्यवस्था मीडिया को भी समृद्ध बनाती है। इसकी सबसे बड़ी वजह ये है कि

अर्थव्यवस्था जब विकास के दौर में होती है तो कंपनियां विज्ञापनों पर ज्यादा खर्च करती हैं। ज्यादातर मीडिया संस्थान अपनी कमाई के बड़े हिस्से (90 प्रतिशत तक) के लिए विज्ञापनों पर निर्भर होते हैं। लंबे समय तक किए गए विश्लेषणों से ये बात साबित हुई है कि अर्थव्यवस्था की दशा का विज्ञापनों के कम या ज्यादा होने से गहरा संबंध है। ऐतिहासिक रुझानों से पता चलता है कि जब कभी मंदी की आशंका होती है, कंपनियां विज्ञापनों पर खर्च में कटौती कर देती हैं।[82]

अर्थव्यवस्था के साथ ही प्रिंट मीडिया के विकास की दृष्टि से 2009 शानदार नहीं बीता। आई.आर.एस. 2009 के पहले और दूसरे दौर के आंकड़ों की तुलना करें तो इस बात को देखा जा सकता है।[83] राउंड एक की तुलना में शीर्ष के 19 अखबारों (तेलुगु दैनिक *साक्षी* इसमें शामिल नहीं है, क्योंकि यह अखबार राउंड दो में टॉप 20 की लिस्ट में आया, लेकिन इससे पहले के आंकड़े उपलब्ध नहीं हैं) में से नौ के पाठकों की संख्या घटी है। हालांकि महत्त्वपूर्ण है कि इन अखबारों के सर्कुलेशन में कमी बेहद मामूली रही, जबकि जिन 10 अखबारों का सर्कुलेशन बढ़ा उन अखबारों में कुछेक ने सर्कुलेशन में लंबी छलांग लगाई। देश के दूसरे सबसे बड़े अखबार *दैनिक भास्कर* ने इस दौरान 5.86 लाख पाठक गंवाए तो *विजय कर्नाटक* के 4.78 लाख पाठक कम हो गए। तमिल अखबार *दिनमलार* के 3.01 लाख पाठक घट गए, तमिल के ही अखबार *दिनाकरन* के 2.57 लाख पाठक कम हो गए जबकि इसी भाषा के सबसे बड़े अखबार डेली तंती के 2.09 लाख पाठकों ने यह अखबार पढ़ना छोड़ दिया। *पंजाब केसरी* से भी 1.53 लाख पाठकों ने नाता छुड़ा लिया। *गुजरात समाचार* के 87 हजार और *राजस्थान पत्रिका* के 68,000 पाठक घट गए। हालांकि इस दौरान 19 में से 10 अखबारों के पाठकों की संख्या बढ़ी और *लोकमत* ने तो लगभग 26 लाख और *दैनिक हिंदुस्तान* ने पौने बारह लाख नए पाठक जोड़े। लेकिन साल दर साल तेजी से बढ़ते प्रिंट मीडिया के कारोबार के बड़े खिलाड़ियों में लगभग आधे को अगर आगे की बजाय पीछे की ओर जाना पड़ा तो यह बहुत महत्त्वपूर्ण बात है। पत्रिकाओं की बात करें तो शीर्ष की 20 पत्रिकाओं में से 13 के पाठकों की संख्या इस दौरान कम हो गई। 2009 के मीडिया परिदृश्य का यह एक महत्त्वपूर्ण पहलू रहा।

भारतीय मीडिया पिछले कुछ साल तेज आर्थिक विकास दर की सवारी कर रहा था और कई बार तो मीडिया और मनोरंजन उद्योग के तरक्की करने की रफ्तार देश की जी.डी.पी. विकास दर से भी ज्यादा रही। मिसाल के तौर पर 2003 से 2008 के दौरान भारतीय अर्थव्यवस्था की विकास दर 9 प्रतिशत के आसपास रही। कई बार उम्मीद भी जताई गई कि भारत *दस का दम* हासिल कर लेगा। इस दौरान भारतीय मीडिया और मनोरंजन उद्योग 16.6 प्रतिशत की औसत सालाना दर से

बढ़ा।[84] लेकिन 2008 में आई वैश्विक आर्थिक मंदी का असर भारतीय अर्थव्यवस्था पर भी पड़ा और आर्थिक विकास की रफ्तार में सुस्ती आई। इस साल जी.डी.पी. की विकास दर घटकर 6.7 प्रतिशत रह गई। मीडिया और मनोरंजन क्षेत्र की विकास दर भी 2009 में घटकर 1.4 प्रतिशत के आसपास रह गई, जबकि एक साल पहले इस उद्योग की विकास दर 12 प्रतिशत थी।[85]

फिक्की-केपीएमजी इंडियन मीडिया ऐंड एंटरटेनमेंट इंडस्ट्री रिपोर्ट, 2010 में कहा गया है कि आर्थिक मंदी का मीडिया जगत में सबसे ज्यादा असर प्रिंट और रेडियो पर पड़ा। 2008 में प्रिंट उद्योग का कारोबार 172 अरब रुपए का था, जो 2009 में मामूली बढ़त के साथ 175 अरब रुपए पर पहुंचा। इसी दौरान रेडियो का कारोबार 8 अरब रुपए पर ही टिका रहा जबकि टेलीविजन का कारोबार 241 अरब रुपए से बढ़कर 257 अरब रुपए पर पहुंचा। इसकी एक वजह यह भी है कि टेलीविजन पर सबसे ज्यादा विज्ञापन एफ.एम.सी.जी. (फास्ट मूविंग कंज्यूमर गुड) और टेलिकॉम कंपनियों के होते हैं। इन दो क्षेत्रों पर मंदी का सबसे कम असर पड़ा है। जबकि अखबारों में सबसे ज्यादा विज्ञापन प्रॉपर्टी, बैंकिंग फाइनेंस, और कंज्यूमर ड्यूरेबल आइटम (उपभोक्ता सामग्रियों) के होते हैं और इन सब पर मंदी का काफी असर पड़ा है। एक और बात याद रखी जानी चाहिए कि किसी भी और समाचार माध्यम की तुलना में भारत में प्रिंट मीडिया की विज्ञापनों पर निर्भरता ज्यादा है।

पिच मेडिसन मीडिया ऐडवर्टाइजिंग *आउटलुक* के मुताबिक प्रिंट मीडिया की विज्ञापनों से होने वाली आमदनी 2009 में लगभग 21 प्रतिशत गिर गई। 2008 में प्रिंट मीडिया ने विज्ञापनों से 9,825 करोड़ रुपए कमाए थे, अगले साल ये रकम 7,806 करोड़ रुपए रह गई। यानी लगभग 2,000 करोड़ रुपए की कमी। मीडिया को मिलने वाले विज्ञापनों में प्रिंट मीडिया का हिस्सा एक साल में 47.4 प्रतिशत से घटकर 41.8 प्रतिशत रह गया और अब भारत में टेलीविजन विज्ञापनों के लिहाज से सबसे बड़ा माध्यम है, जिसे 2009 में 8,492 करोड़ रुपए के विज्ञापन मिले।[86] *द हिंदू* के प्रबंधन निदेशक एन. मुरली ने के मुताबिक, ''प्रिंट माध्यम को खरीदारों के बाजार के दबाव के सामने झुकना पड़ा, जिसकी वजह से विज्ञापन दरों में बड़े पैमाने पर छूट देनी पड़ी और इसका असर कुल आमदनी पर पड़ा।''[87]

इसके अलावा न्यूज प्रिंट की कीमतें भी काफी ऊंचे स्तर पर रहीं। कारोबार साल 2008-09 में न्यूज प्रिंट की कीमत 43,500 रुपए प्रति टन तक पहुंच गई।[88] इस वजह से लगभग सभी अखबारों ने पन्ने घटा दिए। रंगीन पन्ने घट गए और कागज की क्वालिटी से भी समझौता किया गया। न्यूजप्रिंट की कीमत बढ़ने की वजह से कई अखबारों ने 2008 की पहली छमाही में विज्ञापन दरें बढ़ा दीं। विज्ञापन की दर

बढ़ाने से प्रति विज्ञापन आमदनी तो बढ़ी, लेकिन विज्ञापनदाताओं के लिए विज्ञापन देना खर्चीला हो गया और विज्ञापनों की संख्या लगभग ठहर गई। अखबारो की स्थिति विज्ञापनों के मामले में अच्छी नहीं रही। 2008 में 1.77 लाख कॉलम सेंटीमीटर विज्ञापन छपे। यह आंकड़ा 2009 में 3 प्रतिशत बढ़ोतरी के साथ 1.83 लाख कॉलम सेंटीमीटर तक पहुंचा। वहीं टेलीविजन में विज्ञापनों की संख्या और दिखाए जाने वाले विज्ञापनों का समय बढ़ गया। टैम ऐडेक्स डाटा विश्लेषण के मुताबिक, 2008 में टी.वी. चैनलों पर कुल मिलाकर 1.14 लाख घंटे के विज्ञापन दिखाए गए जो 2009 में बढ़कर 1.49 लाख घंटे हो गया। लेकिन 2009 की पहली छमाही में विज्ञापनों की दर या तो गिर गई या स्थिर रही।[89]

मीडिया की रणनीति और सरकार का राहत पैकेज

सालों से नए क्षेत्रों में प्रवेश के लिए प्राइस वार (प्रतियोगी से कम कीमत पर अखबार बेचना) की रणनीति पर अमल कर रहे अखबारों ने विज्ञापनों से होने वाली आमदनी में कमी को देखते हुए 2009 में कीमत बढ़ाना शुरू किया। बड़े अखबारों ने कीमतों में 15 से 20 प्रतिशत की बढ़ोतरी की, तो कुछ अखबारों ने तो अपनी कीमत 40 प्रतिशत तक बढ़ा दी। पत्रिकाओं की कीमत भी बढ़ी। *आउटलुक* के प्रकाशक महेश्वर पेरी के मुताबिक कीमत में बढ़ोतरी की वजह से 2009 में *आउटलुक* पत्रिका की सर्कुलेशन से होने वाली आमदनी 21 प्रतिशत बढ़ गई।[90] एच.टी. मीडिया के कार्यकारी निदेशक बिनॉय रायचौधुरी का कहना है कि अखबारों की कीमत बढ़ाने का पाठकों की संख्या पर कोई बुरा असर नहीं पड़ा।[91] हालांकि यह देखना होगा कि कीमतों में बढ़ोतरी का चलन कब तक चलता है क्योंकि नए अखबार जब नए क्षेत्रों में जाएंगे तो प्राइस वार फिर से छिड़ सकता है। मिसाल के तौर पर, *दैनिक भास्कर* के झारखंड जाने के बाद वहाँ सभी अखबारों ने कीमत घटाई है।

बहरहाल मंदी के दौरान कई मीडिया संस्थानों में छंटनियां हुईं। *दैनिक जागरण* और *दैनिक भास्कर* जैसे अखबारों ने विस्तार की योजनाएं रोक दीं। बंद होने वाले प्रकाशनों की बात करें तो *बिजनेस स्टैंडर्ड* का गुजराती संस्करण एकमात्र महत्त्वपूर्ण उदाहरण है (यह बात और है कि एक तरफ मंदी का शोर था, वहीं दूसरी तरफ कई अखबार नए संस्करण खोल रहे थे)। कई अखबारों ने अपने स्टाफ की रिस्ट्रक्चरिंग की और कम लोगों से ज्यादा काम लेने की रणनीति पर काम किया।

यह वह समय भी था जब कई मीडिया संस्थानों में अपने अलग-अलग प्लेटफॉर्म के बीच सिनर्जी बनाने की पहल की। इसका उद्देश्य भी कम संसाधनों के

इस्तेमाल से ज्यादा कंटेंट का सृजन करना था। इसके तहत दो या अधिक माध्यमों के संसाधनों का ऐसा बंटवारा करने की कोशिश की जाती है, जिससे एक व्यक्ति या व्यक्ति समूह के सृजित कंटेंट का इस्तेमाल दूसरे माध्यमों में भी किया जाता है। उदाहरण के लिए किसी चैनल का रिपोर्टर जब फील्ड में जाए तो वह वहीं से टी.वी. चैनल के साथ अपने वेब प्लेटफॉर्म के लिए भी ब्रेकिंग न्यूज भेजे और एक ही कॉपी दोनों माध्यमों में इस्तेमाल हो। बाद में उसी रिपोर्टर की कॉपी प्रिंट माध्यम के लिए भी काम में लाई जा सकती है। इसी तरह किसी मीडिया ग्रुप में अगर दो या अधिक चैनल हों जिसमें कोई चैनल जनरल न्यूज का हो सकता है और कोई चैनल बिजनेस न्यूज का हो सकता है, या फिर ये चैनल अलग-अलग भाषाओं के हो सकते हैं तो एक ही कैमरापर्सन का लाया वीडियो फ़ुटेज इन सबके काम आ सकता है। इस तरह अगर किसी समूह के पास तीन चैनल हैं तो एक चैनल के लिए फुटेज लाने का खर्च एक तिहाई हो जाएगा। इसी तरह एक ही रिपोर्टर अलग-अलग चैनलों के लिए मौके से लाइव लिंक में समाचार दे सकता है। एक ही इंटरव्यू से अलग-अलग चैनलों के लिए बाइट निकाली जा सकती है।

मीडिया प्रबंधन की भाषा में इसे *इंटिग्रेशन* कहा जाता है और इसका विस्तार मार्केटिंग, विज्ञापन से लेकर डिस्ट्रीब्यूशन तक में होता है। एक ही विज्ञापन एक्जिक्यूटिव कई चैनलों, अखबारों, पत्रिकाओं और वेब माध्यमों के लिए विज्ञापन लाने का काम कर सकता है। एक ही ऑफिस के कई मीडिया उत्पाद चल सकते हैं और एक ही जनरल मैनेजमेंट और एच.आर. के जरिए कई चैनलों या अलग-अलग माध्यम के प्रोडक्ट का प्रबंधन किया जा सकता है। इन सबका मतलब है कि मीडिया को संचालित करने का न सिर्फ खर्च घटता है, बल्कि कम लोगों से ज्यादा काम लिया जाता है। इस तरह भी मीडिया समूहों में छंटनी का रास्ता खुला। मंदी की वजह से आम माहौल ऐसा नहीं था कि इसका कोई प्रतिरोध होता। सरकार भी इस मामले में खामोश रही। इस तरह मीडिया समूहों ने रिस्ट्रक्चरिंग के कई सारे प्रोजेक्ट इस माहौल में लागू कर दिए।

सरकार ने बरसाया पैसा

ग्लोबल मंदी का असर जब भारत में बढ़ा तो अलग-अलग उद्योगों से राहत की मांग उठने लगी। सरकार भी इस बात से चिंतित थी कि वैश्विक मंदी की वजह से भारत की विकास दर प्रभावित हो रही है। दुनिया के कई देशों, जिनमें अमेरिका अग्रणी था, ने भी उद्योग और व्यवसाय के लिए राहत पैकेजों की घोषणा की। इसी तर्ज

पर भारत में फरवरी 2009 में प्रिंट मीडिया के लिए राहत पैकेज की घोषणा की गई। इसके तहत डी.ए.वी.पी. विज्ञापनों पर 15 प्रतिशत एजेंसी कमीशन हटा लिया गया और विज्ञापन और दृश्य प्रचार निदेशालय (डी.ए.वी.पी.) की ओर से दिए जाने वाले विज्ञापनों की दरों में 10 प्रतिशत की बढ़ोतरी की गई। इसके अलावा न्यूजप्रिंट के आयात पर शुल्क में भी छूट दी गई।

सरकार मीडिया को हर साल बड़ी रकम विज्ञापनों के जरिए देती है। इस रकम में साल दर साल बढ़ोतरी हुई है। ये विज्ञापन प्रिंट और इलेक्ट्रॉनिक दोनों माध्यमों को मिलते हैं। 2008-09 में डी.ए.वी.पी. से जारी किए गए विज्ञापनों का खर्च दो साल पहले के मुकाबले दो गुना से भी ज्यादा कर दिया गया। लोकसभा में पूछे गए एक अतारांकित प्रश्न के उत्तर में केंद्रीय सूचना और प्रसारण राज्यमंत्री सी.एम. जाटुआ ने बताया कि 2006-07 में डी.ए.वी.पी. विज्ञापनों के जरिए मीडिया को 24,650 लाख रुपए से ज्यादा रकम दी गई। 2008-09 में यह रकम 47,214 लाख रुपए से ज्यादा हो गई।[92]

सरकार यह तो नहीं कहेगी कि इन विज्ञापनों के बदले उसे अपने पक्ष में समाचार के स्पेस में जगह चाहिए, न ही सरकार सीधे तौर पर कहेगी कि उनके खिलाफ न छापा जाए। लेकिन एक साल में मीडिया पर खर्च करने के लिए सरकार के कोष में 427 करोड़ रुपए हों तो इससे खबरों की धारा को एक हद तक तो मोड़ा ही जा सकता है। इस बात को भी ध्यान में रखें कि यह खर्च सिर्फ केंद्र सरकार का है। ये विज्ञापन सीधे डी.ए.वी.पी. के जरिए दिए गए। इसके अलावा राज्य सरकारों में जनसंपर्क विभाग का अपना करोड़ों का बजट होता है। सरकारी उपक्रमों यानी पी.एस.यू. और स्वायत्त संस्थानों का भी अपना विज्ञापन बजट होता है। यानी सरकारों और सरकारी नियंत्रण में चलने वाली संस्थाओं के पास अरबों रुपए मीडिया पर खर्च करने के लिए होते हैं। मंदी के दौर में जब निजी कंपनियों के विज्ञापनों में आमतौर पर गिरावट आई तब सरकारी विज्ञापनों में भारी बढ़ोतरी हुई। इस दौरान राजनीतिक और चुनावी विज्ञापनों की भी जमकर बरसात हुई।

खासकर भारतीय भाषा के अखबारों और छोटे अखबारों के लिए डी.ए.वी.पी. और दूसरे सरकारी विज्ञापनों का काफी महत्त्व होता है, क्योंकि उनके पास कॉरपोरेट विज्ञापन अंग्रेजी के अखबारों की तुलना में कम होते हैं। जो राज्य विकास की दौड़ में पीछे हैं वहां भी कॉरपोरेट विज्ञापनों की कमी होती है। बिहार जैसे राज्यों में सरकार पर इस बात के आरोप लगते रहे हैं कि वह सरकारी विज्ञापन देने और रोकने के नाम पर मीडिया को नियंत्रण में रखती है। बिहार में ऐसे आरोपों का लगना ज्यादा महत्त्वपूर्ण इसलिए है क्योंकि वहां के अखबार सरकारी विज्ञापनों पर अपेक्षाकृत ज्यादा निर्भर होते हैं।

2009-10 के केंद्रीय बजट में भी प्रिंट मीडिया के लिए घोषित पैकेज को जारी रखने का फैसला किया गया। इसके अलावा, बजट में आउटडोर शूटिंग के लिए कर्मियों की यात्रा, होटल और दूसरे खर्चों पर लगने वाला 20 प्रतिशत का फ्रिंज बेनिफिट टैक्स भी हटा लिया गया। एल.सी.डी. पैनल के आयात पर लगने वाले शुल्क में भी कटौती की गई, जो टेलीविजन मीडिया इंडस्ट्री के लिए राहत की बात थी।

मीडिया की मंदी, कितनी असली?

2008 और 2009 में मीडिया में मंदी का काफी शोर रहा। इसके आधार पर मीडिया ने सरकार से पैकेज लिया, कीमतें बढाईं और खर्च घटाने के लिए कर्मचारियों की छंटनी से लेकर पेज घटाने की रणनीति पर अमल किया। लेकिन क्या भारत में मंदी का असर मीडिया उद्योग पर सचमुच उतना गहरा था, जितना कि मीडिया इंडस्ट्री कहती है? यह दौर अगर मंदी का था, तो किसी भी उद्योग की ऐसे समय में पहली प्राथमिकता विस्तार की योजनाओं पर पुनर्विचार करने और अक्सर उन्हें मुल्तवी करने की होती है। इस मामले में 2009 में भारतीय मीडिया उद्योग के कई समूहों की चाल उल्टी रही।

कई मीडिया समूहों के लिए 2009 विस्तार का साल था। इस दौरान कई नए उत्पाद शुरू किए गए तो कई पुराने ब्रांड नए शहरों में पहुंचे। इस साल *हिंदुस्तान टाइम्स* ग्रुप ने अपने बिजनेस अखबार *मिंट* का कोलकाता और चेन्नई संस्करण शुरू किया। *फाइनेंशियल क्रॉनिकल* का दिल्ली में लॉन्च हुआ। *लोकमत* गोवा पहुंचा तो *राजस्थान पत्रिका* ने भोपाल, इंदौर और जबलपुर से संस्करण शुरू किए। *दैनिक हिंदुस्तान* इलाहाबाद और बरेली पहुंचा। तमिल दैनिक *दिनाकरन* ने दिल्ली संस्करण शुरू किया तो *नवभारत* ने पुणे से अखबार निकालना शुरू किया। *अमर उजाला* ने युवाओं को ध्यान में रखकर 'ए.यू. कॉम्पैक्ट' नाम का अखबार छापना शुरू किया। पत्रिकाओं की बात करें तो 2009 में *फोर्ब्स, स्पेक्टेटर, लिविंग इ.टी.सी.* और *स्पोटर्स इलेस्ट्रेटेड* जैसी विदेशी और *ओपन, युवा, कैरियर्स 360, शूज ऐंड एक्सेसरीज, फूड ऐंड नाइट लाइफ* जैसी भारतीय पत्रिकाएं शुरू हुईं। *टाइम्स ऑफ इंडिया* ने सप्ताहांत का अखबार '*क्रेस्ट*' लॉन्च किया। मुंबई से प्रकाशित *डी.एन.ए.* ने रविवार को अखबार के साथ '*द मैग*' नाम की पत्रिका देना शुरू किया। नई दुनिया ने 10 शहरों से *संडे नई दुनिया* का प्रकाशन शुरू किया। नई दुनिया के एक प्रमोटर विजय छजलानी ने इसी साल जहांगीर पोचा के साथ मिलकर न्यूज एक्स चैनल खरीद लिया। 2009 में ही *दैनिक जागरण* ने अपना राष्ट्रीय संस्करण शुरू किया।[93]

टी.वी. की बात करें तो मंदी का साल कहे जाने के बावजूद 2009 में 72

नए चैनलों का प्रसारण शुरू हुआ और सक्रिय चैनलों की संख्या 461 तक पहुंच गई (टैम के आंकड़े)। इसी साल सरकार ने स्पेक्ट्रम की कमी की बात कहकर नए चैनलों के लिए आवेदन लेना बंद कर दिया। टी.वी. पर विज्ञापन देने वालों की संख्या 2009 में 9,400 तक पहुंच गई, जबकि 2008 में विज्ञापनदाताओं की संख्या 8,500 थी। टी.वी. चैनलों पर विज्ञापनों और प्रमोशन का औसत समय भी लगातार बढ़ रहा है। 2009 में हिंदी के मनोरंजन चैनलों में यह समय बढ़कर 17 मिनट प्रति घंटा हो गया। टी.वी. पर विज्ञापनों का समय भी बढ़ा।[94]

ये सारी बातें सोचने को मजबूर करती हैं कि क्या मीडिया इंडस्ट्री 2008 और 2009 में मंदी से सचमुच जूझ रही थी। इन दो सालों में न टी.वी. और प्रिंट मीडिया का विज्ञापन घटा, न कारोबार, न दर्शक घटे, न पाठक। हद से हद इसे तेज तरक्की के पांच साल के बाद का एक अपेक्षाकृत कम तेज बढ़ोतरी का दौर कहा जा सकता है। लेकिन इस दौर को मीडिया उद्योग ने अपने लाभ के लिए इस्तेमाल कर लिया और कई ऐसे बुनियादी और ढांचागत बदलाव कर लिये, जिसका फायदा उसे आने वाले कई सालों तक मिल सकता है। मिसाल के तौर पर, कर्मचारियों की छंटनी, वेतन बढ़ोतरी पर रोक, कर्मचारियों से ज्यादा काम लेने, काम के घंटे बढ़ाने जैसे कई कदम मंदी के दौर में अपेक्षाकृत आसानी से उठाए गए और कर्मचारियों या सरकार की ओर से इन कदमों का कोई विरोध नहीं किया गया।

देश के बड़े समाचार-पत्रों के मालिकों ने दिल्ली में बैठक करके मिल-जुलकर अखबारों की कीमतें बढ़ाने का फैसला किया। कई मार्केट में अखबारों ने आपसी सहमति से मिलकर दाम बढ़ा दिए। इस वजह से विज्ञापनों से होने वाली आमदनी में गिरावट की भरपाई सर्कुलेशन से पूरी हो गई। 2009 में प्रिंट मीडिया की सर्कुलेशन से होने वाली आमदनी पिछले साल के मुकाबले 13 प्रतिशत बढ़कर 7200 करोड़ रुपए हो गई। इस तरह मंदी के साल में भी प्रिंट मीडिया की आमदनी कुल मिलाकर 1.9 प्रतिशत बढ़ी और 2009 में इसकी कुल आमदनी 17,500 करोड़ रुपए हो गई। इस तरह वैश्विक आर्थिक मंदी भारतीय मीडिया उद्योग के लिए परेशानियों के साथ ही सुविधाएं और बढ़ी हुई आमदनी (बेशक उम्मीद से कम) भी लेकर आया।

वैश्विक मंदी और 2008-09 में भारत पर उसके असर के दौरान मीडिया की प्रमुख प्रवृत्तियों की बात करे तो ये बिंदु उभरकर आते हैं।

* मंदी की वजह से भारत में मीडिया के विकास की गति बाधित हुई।
* मंदी का असर टेलीविजन माध्यम से कहीं ज्यादा प्रिंट माध्यम पर हुआ।
* मंदी के दौरान मीडिया की विज्ञापनों से होने वाली आमदनी पर असर पड़ा और इसने मीडिया के राजस्व और लाभ दोनों को प्रभावित किया।
* कई अखबारों ने अपने दाम बढ़ा दिए ताकि विज्ञापनों से होने वाली

आमदनी में कमी की भरपाई हो सके।

* मंदी से बचने के लिए मीडिया ने अपने खर्च में भारी कटौती की। यह कटौती कई शक्लों में सामने आई। खर्च घटाने के लिए पेज कम करने से लेकर कर्मियों की छंटनी तक की गई। कई संस्थानों ने इंटिग्रेशन के मॉडल्स पर काम किया।
* मंदी से मीडिया इंडस्ट्री को बचाने के लिए सरकार ने राहत पैकेज दिया।
* इस दौर में कई अखबारों के नए संस्करण और नए चैनल खुले।
* मंदी के दौर में ही राजनीतिक पेड न्यूज की परिघटना सामने आई। ऐसे आरोप लगे कि मीडिया को एक राहत पैकेज सरकार से मिला और दूसरे राहत पैकेज का इंतजाम उसने चुनाव के बहाने खुद कर लिया।

विज्ञापन : मीडिया पर लगा प्राइस टैग

"मैं खबर और विचार पाठकों को बेचता हूं और अपने पाठकों को विज्ञापनदाताओं को बेचता हूं।"

—पी जी पवार, मराठी समाचार-पत्र समूह सकाल के प्रबंध निदेशक[95]

अगर किसी के पास दर्शक या पाठक हैं तो उनकी पैकेजिंग की जा सकती है, उनकी कीमत लगाई जा सकती है और उन्हें विज्ञापनदाताओं को बेचा जा सकता है।

—जीलियन डॉयल[96]

यह उन सवालों का जवाब है कि मीडिया अगर इंडस्ट्री है तो यहां खरीदार कौन है, बेचने वाला कौन और बेचा क्या जा रहा है। परंपरागत तरीके से कहा जा सकता है कि मीडिया हाउस विक्रेता यानी बेचने वाले हैं, पाठक और दर्शक खरीदने वाले हैं और इस बाजार में जो चीज बेची जा रही है, वे हैं अखबार, पत्रिकाएं, टी.वी. कार्यक्रम या इंटरनेट के कंटेंट यानी समाचार, विचार, फीचर, तस्वीरें, कार्टून आदि। लेकिन इस खरीद-बिक्री में मीडिया इंडस्ट्री के कुल राजस्व के सिर्फ 10 से 20 प्रतिशत का लेन-देन हो रहा हो तो भी क्या पाठक और दर्शक के नाते कोई कह सकता है कि वही असली खरीदार हैं? टेलीविजन न्यूज चैनलों की बात करे तो ज्यादातर न्यूज चैनल देखने के लिए दर्शकों को कोई पैसा खर्च नहीं करना पड़ता। फ्री टू एयर चैनल देखने वाला टी.वी. दर्शक या 50 रु. से 100 रु. लागत वाला अखबार तीन रुपए में खरीदने वाला पाठक क्या ये कह सकता है कि वह मीडिया उद्योग में खरीदार की हैसियत रखता है? तो फिर मीडिया इंडस्ट्री में बेचा क्या जा रहा है जिससे पूरा कारोबार चलता है?

मीडिया कारोबार में जो चीज मुख्य रूप से बेची जा रही है वे पाठक और दर्शक हैं। विज्ञापनदाताओं के हाथों पाठकों और दर्शकों को बेचकर ही मीडिया इंडस्ट्री का 80 से 90 प्रतिशत तक पैसा आ रहा है। इस सौदे में बेचने वाले तो मीडिया हाउस ही हैं और खरीदार हैं विज्ञापनदाता और बिकने वाली चीज है पाठक और दर्शक। पश्चिम के मीडिया विश्लेषकों और शोधार्थियों ने मीडिया कारोबार के

इस चलन को काफी पहले पहचान लिया था कि मीडिया इंडस्ट्री का प्रमुख लक्ष्य समृद्ध पाठकों और दर्शकों को विज्ञापनदाताओं के सुपुर्द कर देना है। दर्शकों और पाठकों तक सूचनाएं और समाचार पहुंचना इस लक्ष्य को हासिल करने का जरिया है और यह काम लागत, लाभ और हानि के गणित को ध्यान में रखकर ही किया जाता है।[97]

सवाल उठता है कि अगर पाठक और दर्शक बेचे और खरीदे जाने वाले माल हैं तो किसी मीडिया इंडस्ट्री को ज्यादा और कम कमाई क्यों होती है? इस हिसाब से तो जिसके पास बेचने के लिए ज्यादा पाठक और दर्शक हो, उस मीडिया हाउस की आमदनी ज्यादा होनी चाहिए। यानी *दैनिक जागरण* और *दैनिक भास्कर* की आमदनी *टाइम्स ऑफ इंडिया* और *हिंदुस्तान टाइम्स* से ज्यादा होनी चाहिए। इसी तरह इंडिया टी.वी. की कमाई एन.डी.टी.वी. से ज्यादा होनी चाहिए क्योंकि इंडिया टीवी ज्यादा लोग देखते हैं। लेकिन ऐसा नहीं है। पाठकों और दर्शकों की संख्या और विज्ञापन से होने वाली आमदनी का संबंध सीधा नहीं है। विज्ञापनदाता किसी मीडिया उत्पाद पर विज्ञापन देने के ज्यादा और किसी के लिए कम पैसे क्यों चुकाते हैं? बहुत ज्यादा बिकने वाला कोई प्रकाशन घाटे में क्यों रहता है या बंद क्यों हो जाता है? अगर अखबार या चैनल विज्ञापन से मिलने वाले पैसों के लिए चलाए जाते हैं तो संपादकीय विभाग की मीडिया उद्योग में क्या हैसियत रह गई है? इस तरह के कई सवाल हैं, जिसके जवाब जानने के लिए जरूरी है कि मीडिया व्यवसाय और विज्ञापन के रिश्तों को समझा जाए।

साथ ही इस बात का भी ध्यान रखा जाना जरूरी है कि जिस उद्योग की जान विज्ञापन नाम के तोते में बसती है, वहां कंटेंट के निर्धारण में दर्शकों या पाठकों की मर्जी किस हद तक चल सकती है। भारत में ज्यादातर लोग मुफ्त के न्यूज चैनल देखते हैं और लगभग मिट्टी के मोल अखबार खरीदते हैं। जिस कारोबार में खरीदार और विक्रेता के बीच पैसों का रिश्ता न हो या बेहद कमजोर या नाममात्र का रिश्ता हो, वहां बेचने वाला उपभोक्ता की मर्जी से नहीं चलता।[98] मीडिया व्यवसाय मुख्यरूप से विज्ञापन के पैसे से चलता है तो मीडिया में क्या दिखाया जाएगा, यह भी मुख्य रूप से विज्ञापनदाता ही तय करेंगे। मीडिया में दिखाई जाने वाली सामग्री पर जो सबसे बड़ा दबाव इस समय काम करता है, वह विज्ञापन ही है।

अमेरिकी मीडिया के बारे में लगभग 10 साल पहले यह बात कही गई थी कि :

> *"मीडिया पर विज्ञापन का दबाव कोई नई बात नहीं है, लेकिन दबाव बढ़ता जा रहा है। अमेरिका और यूरोप में 20वीं सदी के आखिर*

आते-आते दबाव इतना बढ़ गया कि पाठकों के लिए यह संपादकीय सामग्री से ध्यान हटाने का कारण बनने लगा। बॉटम लाइन यानी मुनाफे के लिए चिंता बढ़ने की बात लोगों को नजर आने लगी। लोकहित से ज्यादा महत्त्वपूर्ण मुनाफा कमाना हो गया।''[99]

यह बात भारतीय मीडिया के लिए भी उतनी ही सही है, जितनी कि अमेरिकी मीडिया के लिए। जो कंटेंट विज्ञापन के हिसाब से ठीक नहीं है, उसे मीडिया में जगह मिल पाना बेहद मुश्किल है। जो विज्ञापन की जरूरत के हिसाब से नहीं चल सकते, वे पत्रकार मीडिया की मुख्यधारा में जगह नहीं पा सकते। उन्हें 'विचारधारा से प्रभावित', 'बाजार की जरूरतों के हिसाब से मिसफिट' या सीधे तौर पर 'नए जमाने के हिसाब से ढल पाने में नाकाम और नाकारा' करार देकर किनारे लगा दिया जाएगा।[100] जो कॉरपोरेट मीडिया संस्थान अपने उत्पाद को विज्ञापन पाने योग्य नहीं बना सकते, वे संस्थान या तो घाटे में चलेंगे या फिर मर जाएंगे।

इक्कीसवीं सदी के पहले दशक के पूरा होने के बाद मीडिया के बारे में अब कहने का वक्त आ गया है कि विज्ञापन कॉरपोरेट मीडिया को निर्णायक रूप से नियंत्रित करने लगा है। यह मीडिया पर बाजार और विज्ञापन की विजय का दौर है। विज्ञापन के बूते चलने वाले मीडिया से अब लोककल्याणकारी भूमिका निभाने की उम्मीद करना उचित नहीं है। ऊपर दिए गए उद्धरण में जॉन सी. मेरिल और सहलेखकों की बात गौरतलब है कि अब लोगों (पाठकों और दर्शकों) को यह बात नजर आने लगी है कि मीडिया के लिए सबसे महत्त्वपूर्ण मुनाफा कमाना है। इस मायने में यह मीडिया की चमकदार छवि के टूटने-बिखरने का भी दौर है। यूनेस्को की पहल पर बने मैकब्राइड कमीशन ने लगभग दो दशक पहले अपनी रिपोर्ट में मीडिया के व्यवसायीकरण पर चिंता जताई थी और कहा था कि ''हालांकि हम मानते हैं कि मीडिया के लिए आमदनी जरूरी है लेकिन ऐसे तरीके निकाले जाने चाहिए जिससे राष्ट्रीय और अंतरराष्ट्रीय संचार के प्रवाह पर बाजार और व्यावसायिक हितों के बुरे असर को कम किया जा सके।''[101] लेकिन मैकब्राइड कमीशन की रिपोर्ट के आने के बाद मीडिया पर बाजार का असर कई गुणा बढ़ चुका है। कोई इस नतीजे पर पहुंच सकता है कि मीडिया की बीमारियों की शिनाख्त लगातार की जाती रही है, लेकिन उसमें सुधार के कोई लक्षण नहीं हैं, बल्कि मीडिया पर बाजार का असर लगातार बढ़ता जा रहा है।

कुछ साल पहले के मीडिया विमर्श से यह बात आगे जाती है। वह बहुत पुरानी बात नहीं है जब मीडिया को नियंत्रित करने में सरकार की सबसे महत्त्वपूर्ण भूमिका मानी जाती थी।

मीडिया में सरकार राज

यह सच है कि सरकार मीडिया को कई तरीके से नियंत्रित करती है। अखबार या पत्रिका चलाने के लिए आर.एन.आई. का रजिस्ट्रेशन नंबर चाहिए और इस नंबर को हासिल करने के लिए जरूरी है कि अखबार चलाने वाला उपद्रवी, देशद्रोही या किसी संगीन अपराध का दोषी न हो। आर.एन.आई. के फॉर्म में इसका ब्योरा भरना होता है। इस कानूनी जरूरत को इस संदर्भ में देखा जाना चाहिए कि अपराधों की अलग-अलग व्याख्याएं होती हैं और अपराध गढ़े भी जा सकते हैं। इसके बाद सरकारी विज्ञापन के लिए विज्ञापन और दृश्य प्रचार निदेशालय (डी.ए.वी.पी.) और राज्य सरकार के जनसंपर्क विभाग में रजिस्ट्रेशन जरूरी है। सरकार किसी अखबार को न्यूज प्रिंट देने या न देने के जरिए भी नियंत्रित कर सकती है। चैनल चलाने और प्रसारण के लिए कोई भी सामग्री अपलिंक और डाउनलिंक करने का लाइसेंस जरूरी है। सरकार चैनलों का प्रसारण रोक सकती है या स्थगित कर सकती है।

भारतीय प्रेस को नियंत्रित करने वाले कई कानून भी हैं जो कंटेंट को प्रभावित और नियंत्रित करते हैं। इसके अलावा कुछ कानून ऐसे हैं, जिनका वैसे तो मीडिया से सीधा संबंध नहीं है, लेकिन उन्हें मीडिया पर लागू किया जा सकता है। मानहानि का कानून इसी श्रेणी में आता है। विनीता कोहली ने अपनी किताब में ऐसे 31 कानूनों को जिक्र किया है जो भारत में प्रकाशन के कारोबार पर किसी न किसी रूप में लागू होते हैं।[102] इसके अलावा प्रेस परिषद के दिशा-निर्देशों की भी एक पूरी लिस्ट है। समय-समय पर हाईकोर्ट और सुप्रीम कोर्ट से आए आदेश भी मीडिया पर लागू होते हैं। 2010 में कोलकाता में एक पत्रिका के संपादक स्वपन दासगुप्ता की न्यायिक हिरासत में मौत हो गई। माओवादी समर्थक होने के आरोप में गिरफ्तार किए जाने के बाद उनके खिलाफ गैरकानूनी गतिविधि निरोधक अधिनियम लगाया गया था। उनके लेखन को देशद्रोह माना गया जबकि उनकी पत्रिका का आर.एन.आई. नंबर भी था और ये पत्रिका कानूनी तरीके से चल रही थी।

आजाद भारत में मीडिया को नियंत्रित करने की सरकार की ओर से सबसे गंभीर कोशिश इमरजेंसी के दौरान हुई थी, जब अखबारों पर सेंसरशिप लागू कर दी गई थी। उस समय अखबार में सिर्फ वही छप सकता था, जो सरकार द्वारा नियुक्त सेंसर को उचित लगता था। सेंसरशिप भी 'देशहित' में ही लगाई गई थी। उस समय लगभग सभी अखबार सेंसर होकर ही छप रहे थे और विरोध के स्वर काफी कम थे। लेकिन विरोध के स्वर खत्म नहीं हो गए थे और प्रतिरोध के उन स्वरों ने

इमरजेंसी के खिलाफ माहौल बनाने में बड़ी भूमिका निभाई। इससे पहले और इसके बाद भारत में अखबारों पर कभी घोषित सेंसरशिप नहीं रही। हालांकि राजीव गांधी के प्रधानमंत्री रहने के दौरान मानहानि निरोधक कानून लाने की कोशिश की गई और बिहार तथा तमिलनाडु की सरकारों ने प्रेस को काबू में करने के लिए कानून बनाने की कोशिश की, लेकिन इनमें से कोई भी कोशिश कामयाब नहीं हो सकी।

सेंसरशिप कई तरीके से काम कर सकती है और सरकारें जरूरत और माहौल देखकर उन्हें घोषित या अघोषित रूप से लागू करती हैं। यूनेस्को द्वारा स्थापित मैकब्राइड कमीशन की रिपोर्ट में सेंसरशिप के कई रूपों की चर्चा की गई है।[103] मिसाल के तौर पर सेंसरशिप का एक रूप ये है कि कुछ भी छापने या प्रसारित करने से पहले उसे सरकार द्वारा स्थापित सेंसर को मंजूरी के लिए सौंपा जाए। सेंसर की मंजूरी या काट-छांट के बाद ही कोई सामग्री छापी या प्रसारित की जाए। कई बार छपी हुई सामग्री को सेंसर अधिकारी देखकर, मंजूर या नामंजूर करता है तो कभी वितरित की गई सामग्री को जब्त करके भी सेंसरशिप लागू की जाती है। कई बार सरकार ये बता देती है कि खास विषयों का कवरेज किस तरह से किया जाए। सरकार मीडिया को यह निर्देश दे सकती है कि खास घटनाओं औप विषयों पर कुछ भी न छापा जाए। सरकार किसी प्रेस या प्रसारण सुविधा को जब्त करके भी सेंसरशिप लागू कर सकती है। सरकार प्रतिबंधित साहित्य या प्रकाशन की सूची भी जारी कर सकती है।

मीडिया में विज्ञापन राज

लेकिन 1990 के बाद दूसरे तरह का नियंत्रण मीडिया पर बहुत तेजी से लागू हुआ और देखते ही देखते उसने मीडिया को अपनी आगोश में ले लिया। यह नियंत्रण सेंसरशिप की शक्ल में नहीं है, लेकिन सेंसरशिप की तुलना में इसका असर कहीं ज्यादा और गहरा है। इसे लागू करने के लिए पुलिस के डंडे या कानून के भय का सहारा नहीं लेना पड़ता है। अमूमन सभी मीडिया संस्थान खुद ही इस नियंत्रण को अपने ऊपर ओढ़ लेते हैं। एडवर्ड एस. हरमन और रॉबर्ट डब्ल्यू. मैकचेस्नी ने इस परिघटना को सेल्फ सेंसरशिप कहा है।[104] यह व्यवस्था बिना किसी प्रत्यक्ष डर या भय के काम करती है। मीडिया की आर्थिक प्रक्रिया ऐसा बंदोबस्त कर देती है कि विरोधी स्वरों के लिए गुंजाइश कम और कई बार खत्म हो जाती है और मीडिया यथास्थितिवाद का पोषक और संरक्षक बनकर इलीट यानी आभिजात्य वर्ग के हितों को पूरा करने लगता है।

यह नियंत्रण बाजार का है और इसका सबसे प्रमुख औजार है विज्ञापन। सरकार ने जब कभी मीडिया को नियंत्रित करने की कोशिश की तो मीडिया के बाहर और भीतर अक्सर उसका विरोध हुआ। मीडिया के एक हिस्से के साथ ही राजनीतिक दलों और लोक स्वातंत्र्य संगठनों ने इमरजेंसी और मीडिया सेंसरशिप का विरोध किया। राज्य सरकारों ने भी जब-जब मीडिया को नियंत्रित करने की कोशिश की, लोगों ने, मीडियाकर्मियों ने और मीडिया ने उसका विरोध किया। लेकिन जब बाजार ने मीडिया को अपने कब्जे में ले लिया तो सब बेहद चुपचाप हो गया और ऐसा लगा कि सब आम सहमति से हो गया। इंदिरा गांधी अखबारों का मुंह लंबे समय के लिए बंद नहीं कर पाईं, लेकिन आजकल अखबार और टी.वी. चैनल कई मुद्दों पर अपना मुंह बंद रखते हैं और ऐसा करने के लिए सरकार उन्हें नहीं धमकाती। विज्ञापनदाता जो चाहते हैं, उसके खिलाफ लिखना मुख्यधारा के किसी अखबार के लिए आसान नहीं है।

अखबारों में विज्ञापनों के बढ़ते महत्त्व और कंटेंट पर उसके असर के बारे में प्रेस परिषद के चेयरमैन जस्टिस जी.एन.रे. ने भी चिंता जताई है। उनका मानना है कि प्रेस के लिए विज्ञापन आमदनी का मुख्य स्रोत बन गए हैं। महानगरों में तो प्रेस की कुल आमदनी का 70 से 80 प्रतिशत विज्ञापनों से आ रहा है। इस वजह से अखबारों में विज्ञापन ज्यादा ही जगह घेरने लगे हैं। समाचार और विज्ञापन का अनुपात लगातार विज्ञापनों के पक्ष में झुक रहा है। समाचार-पत्रों की नीति और विचारों पर विज्ञापनों का दखल, जितना लगता है, उससे ज्यादा हो चुका है। ग्राहकों को लुभाने के लिए दिए जा रहे विज्ञापनों में तेजी से बढ़ोतरी के साथ अखबारों की आमदनी जोरदार होती है। इस वजह से अखबारों में पन्ने बढ़े हैं, दूसरी ओर अखबारों की कीमत घटी है। अखबारों का सर्कुलेशन बढ़ा है और खासकर महानगरों के अखबारों का मुनाफा भी कई गुना बढ़ा है।[105]

इस समय जबकि अखबार जिंदा रहने से लेकर मुनाफे के लिए विज्ञापनों पर बुरी तरह निर्भर हैं, विज्ञापन बंद करने की धमकी से बड़ा सेंसरशिप कुछ भी नहीं है। इससे न बचा जा सका है, न ही इसके विरोध की कोई परंपरा बन पाई है। अखबार और चैनल चलाना अब इतना बड़ा बिजनेस है कि छोटे बिजनेसमैन के लिए इस खेल में टिक पाना मुश्किल है। कोई भी बड़ा खिलाड़ी प्राइस वार के जरिए छोटे खिलाड़ी का गला घोंट सकता है। बड़े खिलाड़ी के लिए यह कर पाना आसान है, क्योंकि जो जितना बड़ा खिलाड़ी है, विज्ञापन से उसकी आमदनी उतनी ज्यादा है और बिक्री से मिले पैसे पर उसकी निर्भरता उतनी ही कम है। इस कारण वह अपनी कीमत कम रखकर भी ज्यादा कमाई कर सकता है। वह अखबार मुफ्त में बेचकर भी कमाई कर सकता है। जब कोई अखबार के साथ में कोई बुकलेट,

पत्रिका या बड़ा-सा परिशिष्ट मुफ्त बांटता है तो इसका अर्थशास्त्र विज्ञापन से ही चलता है।

बाजार के इन दबावों की वजह से मीडिया का निष्पक्ष और निरपेक्ष रह पाना मुमकिन नहीं है। अखबार या चैनल अगर अपने संचालन के लिए खरीदार से मिले पैसे पर निर्भर हो तो वह ज्यादा स्वतंत्रता से काम कर सकता है। ऐसी स्थिति में उसके मुख्य खरीदार विज्ञापनदाता नहीं, पाठक और दर्शक होंगे और बाजार के नियमों की वजह से उसे खरीदार को वाजिब कीमत पर अच्छा उत्पाद देना होगा। मीडिया के संदर्भ में इसे निष्पक्ष और सच्ची समाचार देने की मजबूरी भी कह सकते हैं क्योंकि पाठक इसकी मांग करता है या कम-से-कम इसकी इच्छा तो रखता है। मिसाल के तौर पर अगर किसी अखबार को निकालने और चलाने के खर्च का बड़ा हिस्सा पाठकों से आता है तो उसकी सामग्री तय करते समय पाठकों की रुचि ही नहीं, उनके हितों का भी ध्यान रखना होगा। लेकिन जैसे ही मीडिया का कारोबार लगभग पूरी तरह (परंजय गुहा ठाकुरता की राय में खास मीडिया संगठनों के कुल राजस्व का 90 प्रतिशत तक विज्ञापनों से आ रहा है[106]) विज्ञापनों पर निर्भर हो जाता है, उसकी कंटेंट तैयार करने की स्वायत्तता पर पाबंदियां लग जाती हैं। कई बार विज्ञापनदाता मामूली सी आलोचना से नाराज होकर तमाम विज्ञापन रोक लेते हैं। जरूरी नहीं है कि ऐसा सिर्फ आलोचनात्मक खबरें छापने या दिखाने के लिए किया गया हो। कई बार किसी कंपनी के वित्तीय नतीजे और बाजार में कंपनी के कामकाज को कमजोर माने जाने की खबर पर भी ऐसी कार्रवाई की जाती है।[107] विनीता कोहली का कहना है कि–

> *इसका मतलब है कि समाचार-पत्रों में संपादकीय विभाग और विज्ञापन विभाग के बीच उपस्थित चीन की दीवार में और भी दरारें पड़ रही हैं। कई अखबारों में तो ये दीवारें हैं ही नहीं। कुछ जगहों पर ये टूटने वाली हैं तो कुछ जगहों पर यह दीवार मजबूत और असरदार है। विज्ञापनों पर अतिशय निर्भरता ने सिर्फ इस विभाजक रेखा को धुंधला नहीं बनाया है बल्कि अब सिर्फ यह बहस बची है कि विज्ञापन और संपादकीय लेखन में कितना घालमेल होना चाहिए। ऐसा करना सही है या गलत, इस बात पर अब चर्चा नहीं होती। अगर साफ तौर पर बता दिया जाए कि कोई सामग्री स्पॉन्सर्ड फीचर है या ऐडवर्टोरियल है तो गलत नहीं है, लेकिन जब यह सब पाठकों को बताए बगैर किया जाता है, और इसके लिए विज्ञापनदाता से पैसे लिये जाते हैं तो यह पाठकों के भरोसे को तोड़ने वाला काम है।*

कई विश्लेषक कहने लगे हैं कि खबरों में की जा रही इस तरह की मिलावट मीडिया इंडस्ट्री के लिए ठीक है और लंबी अवधि में यह विज्ञापनदाताओं के लिए

भी फायदेमंद नहीं रहेगा। यह सोने के अंडे के लालच में मुर्गी को मारने वाली हरकत है। कोई भी उद्योग थोड़े समय के फायदे के लिए अपने उत्पाद को खराब नहीं करता। खासकर अपने किसी ऐसे उत्पाद के साथ कोई कंपनी छेड़छाड़ नहीं करती, या क्वालिटी के साथ समझौता नहीं करती, जो ग्राहक की आदत में शामिल हो। लोग अखबार, पत्रिकाएं, चैनल आदत के मुताबिक देखते हैं। पत्रकारिता के लिए समाचार और विज्ञापन का घालमेल किस हद तक खतरनाक हो सकता है इस बारे में पत्रकार सुरेंद्र किशोर की टिप्पणी गौरतलब है। हालांकि यह टिप्पणी लोकसभा चुनाव 2009 के दौरान कुछ अखबारों द्वारा समाचार के स्पेस को विज्ञापनों से भरने यानी पेड न्यूज के संदर्भ में है :

"यदि मीडिया की ताकत ही नहीं रहेगी तो कोई अखबार मालिक किसी सरकार को किसी तरह प्रभावित नहीं कर सकेगा। फिर उसे अखबार निकालने का क्या फायदा मिलेगा। यदि साख नष्ट हो गई तो कौन सा सत्ताधारी नेता, अफसर या फिर व्यापारी मीडिया की परवाह करेगा। इसलिए व्यावहारिक दृष्टि से देखा जाए तो अखबार के संचालकों के हक में है कि छोटे-मोटे आर्थिक लाभ के लिए पैकेज पत्रकारिता को बढ़ावा न दें।"[108]

सुरेंद्र किशोर दरअसल भारतीय पत्रकारिता को एक नई बीमारी पैकेज पत्रकारिता या पेड न्यूज से बचने की नसीहत देते हुए अखबार निकालने के पीछे भारतीय मीडिया उद्योग-व्यवसाय के अलावा बाकी हितों और स्वार्थों की चर्चा भी यहां कर रहे हैं। वे नहीं चाहते कि मीडिया अपनी साख इस हद तक गंवा दे कि उसकी हैसियत की खत्म हो जाए क्योंकि अगर मीडिया की साख ही नहीं बचेगी, तो मीडिया के जरिए वे स्वार्थ पूरे नहीं हो पाएंगे, जिसके लिए कोई व्यवसायी मीडिया कारोबार शुरू करता है। अखबार मालिकों द्वारा सरकार को प्रभावित करने वाली उनकी बात के मायने गंभीर हैं। सुरेंद्र किशोर पेड न्यूज का विरोध इस आधार पर नहीं कर रहे हैं कि यह अनैतिक है या पत्रकारिता और लोकतंत्र को इससे कोई नुकसान होगा, वे एक व्यावहारिक पक्ष लेते हैं और बताते हैं कि ऐसा करना मीडिया मालिकों के हित में भी नहीं होगा।

कितना बड़ा है विज्ञापन का धंधा

भारत में मीडिया और मनोरंजन व्यवसाय के विकास के पीछे मुख्य ताकत विज्ञापनों से मिले पैसे की ही है। 2006-2008 के बीच का समय भारतीय विज्ञापन बाजार में तेज विकास का दौर रहा। इस दौरान विज्ञापनों से होने वाली आमदनी में हर साल औसतन 17.1 प्रतिशत की दर से बढ़ोतरी हुई।[109] 2009 में भारतीय विज्ञापन

कारोबार 22,000 करोड़ रुपए का हो गया। वैश्विक मंदी और भारत पर उसके असर की वजह से 2008 के मुकाबले 2009 में विज्ञापन कारोबार में मामूली (0.4%) की गिरावट आई। लेकिन 2009-2014 के दौरान विज्ञापन कारोबार की औसत सालाना विकास दर 14 प्रतिशत से ज्यादा होने का अनुमान है। आर्थिक माहौल के बदलने से विज्ञापनों से होने वाली आदमनी पर असर जरूर पड़ा है लेकिन विज्ञापन कारोबार के बढ़ने की दर जीडीपी विकास दर के किसी भी अनुमान से ज्यादा है।

मीडिया के अलग-अलग माध्यमों की बात करें तो प्रिंट माध्यम के विज्ञापन का बाजार 2009 में 10,300 करोड़ रुपए का था जिसके 2014 में बढ़कर 17,640 करोड़ रुपए हो जाने का अनुमान है। यानी अगले कुछ वर्षों में प्रिंट के विज्ञापनों का कारोबार सालाना 11.4 प्रतिशत की औसत रफ्तार से बढ़ेगा। वहीं, टी.वी. विज्ञापनों का बाजार 2009 में 8,800 करोड़ रुपए था जिसके 2014 में बढ़कर 18,150 करोड़ रुपए तक पहुंचने का अनुमान है।[110] प्रतिशत के हिसाब से सालाना बढ़ोतरी का आंकड़ा 15.6 प्रतिशत का रहेगा। बढ़ोतरी का सिलसिला वैश्विक आर्थिक मंदी के कारण विज्ञापन बाजार में आई शिथिलता के बावजूद है। के.पी.एम.जी. और प्राइस वाटरहाउस कूपर्स जैसी विश्लेषक कंपनियों का अनुमान है कि भारत में विज्ञापन बाजार पर मंदी का साया जल्द ही छंट जाएगा। चीन और भारत दोनों देशों के बारे में अनुमान है कि विश्व में विज्ञापनों का बाजार इन देशों में सबसे तेजी से बढ़ेगा।

ऐडेक्स इंडिया की रिपोर्ट के एक्सचेंज फॉर मीडिया में छपे विश्लेषण के मुताबिक 2009 में प्रिंट को सबसे ज्यादा विज्ञापन शिक्षा क्षेत्र से मिले। इसके बाद सेवा क्षेत्र और बैंकिंग फाइनेंस सेक्टर की नंबर है। किसी एक कंपनी की बात करें तो सबसे ज्यादा विज्ञापन टाटा मोटर्स ने दिए। इसके बाद एलजी, मारुति सुजुकी, प्लानमैन कंसल्टेंट, स्टेट बैंक, सैमसंग, बी.एस.एन.एल., स्वास्थ्य और परिवार कल्याण मंत्रालय और जनरल मोटर्स ने दिए। इसी दौरान ऑटो कंपनियों का विज्ञापन 7 प्रतिशत बढ़ गया। प्रिंट माध्यम को मिले कुल विज्ञापनों में 95 प्रतिशत अखबारों के हिस्से आए, जबकि 5 प्रतिशत विज्ञापन पत्रिकाओं को मिले।[111]

2009 टेलीविजन विज्ञापनों की दृष्टि से अच्छा साल रहा।[112] ऐडेक्स इंडिया का इंडिया टेलीविजन डॉट का जो विश्लेषण किया है उसके मुताबिक 2008 के मुकाबले 2009 में टी.वी. विज्ञापनों में 31 प्रतिशत की बढ़ोतरी हुई। टी.वी. पर सबसे ज्यादा विज्ञापन खाने-पीने के सामानों के आए। इस श्रेणी में भी सबसे ज्यादा विज्ञापन कोल्ड ड्रिंक्स के थे, जिनमें कोका कोला का ब्रांड टी.वी. पर सबसे ज्यादा दिखा। कंपनियों की बात करें तो टी.वी. पर सबसे ज्यादा विज्ञापन हिंदुस्तान यूनिलीवर

के उत्पाद के दिखाए गए और जिस नए ब्रांड को टी.वी. पर सबसे ज्यादा दिखाया गया, वह था—पॉण्डस व्हाइट ब्यूटी।

जिसका पैसा, उसका कंटेंट

मीडिया और विज्ञापन से आने वाले पैसे का रोचक संबंध है। कोई अखबार आज इसलिए सफल नहीं कहलाता कि वह बहुत सारे लोगों तक पहुंचता है। अगर कोई अखबार ढेर सारे लोगों तक पहुंचता है और उसे पर्याप्त विज्ञापन नहीं मिलते तो इसका मतलब है कि वह जल्द ही तबाह हो सकता है। घाटा कम करने के लिए उसे अपना सर्कुलेशन कम करना होगा, वरना वह हर दिन होने वाले घाटे के बोझ से दब जाएगा। अखबारों के कंटेंट पर नियंत्रण रखने का इस समय का सबसे शक्तिशाली माध्यम विज्ञापन ही है। किसी अखबार या मीडिया उत्पाद को अगर ज्यादा विज्ञापन मिलते हैं तो वह अपनी कीमत कम रख सकता है और ज्यादा से ज्यादा पेज की सामग्री दे सकता है। वह अपने स्तंभ लेखकों को और काम करने वाले कर्मियों को बेहतर तनख्वाह दे सकता है। ज्यादा विज्ञापन पाने वाले प्रकाशनों में पाठकों को सजी-धजी चमकीली सामग्री मिल सकती है, लेकिन विज्ञापन और कंटेंट का पूरा गणित समाज के इलीट के पक्ष में बुरी तरह से झुका हुआ है।

जब अखबार विज्ञापनों से मिले पैसे से नहीं चलते थे, तो उनकी आमदनी का मुख्य स्रोत बिक्री से मिलने वाली रकम थी। लेकिन जब आमदनी में विज्ञापनों से आने वाले पैसे का अनुपात बढ़ा तो वे अखबार घाटे में रहे, जो विज्ञापनदाताओं की पसंद नहीं थे। अखबारों को विज्ञापन सिर्फ इसलिए नहीं मिलता कि उसे ढेर सारे लोग पढ़ते हैं। यह बात अब कहीं ज्यादा महत्त्वपूर्ण हो गई कि अखबार को पढ़ता कौन है। चैनलों के संदर्भ में देखें तो ज्यादा महत्त्वपूर्ण हो गया कि किस आय वर्ग के लोग चैनल को ज्यादा देखते हैं। ऐसी स्थिति कई बार आती है कि किसी अखबार का सर्कुलेशन कम है, या किसी चैनल के दर्शक कम हैं, लेकिन उसे ज्यादा बिकने या दिखने वाले मीडिया उत्पाद के मुकाबले ज्यादा विज्ञापन मिलता है। इस वजह से आई.आर.एस. या टैम जब पाठकों या दर्शकों की संख्या के बारे में आंकड़े देता है, तो साथ में यह भी बताता है कि किस वर्ग के दर्शक क्या देखते या पढ़ते हैं और किसी अखबार या चैनल को किस वर्ग के दर्शक ज्यादा या कम देखते-पढ़ते हैं।

अखबार या चैनल भी अब अपना प्रचार करते हुए इस बात पर ज्यादा जोर देते हैं कि समाज के समृद्ध वर्गों में वह कितना लोकप्रिय है। मिसाल के तौर पर *अमर उजाला* का एक विज्ञापन कहता है कि वह उत्तर प्रदेश का नंबर एक अखबार है। इस बात के समर्थन में विज्ञापन में तर्क दिया गया है कि "इंडियन रीडरशिप सर्वे

की नवीनतम रिपोर्ट के अनुसार 60,001 से 80,000 मासिक घरेलू आय वर्ग में *अमर उजाला* उत्तर प्रदेश की नंबर-1 पसंद है।"[113] सभी अखबार और चैनल विज्ञापनदाताओं तक पहुंचने के क्रम में उन्हें यही बताने की कोशिश करते हैं कि उच्च आय वर्ग में उनकी कितनी पहुंच है। मिसाल के तौर पर *दैनिक जागरण* ने एक मार्केटिंग वेबसाइट पर दिए अपने विज्ञापन में बताया कि 19.6 लाख क़ारोबारी और उद्यमी इस अखबार को पढ़ते हैं, इसलिए यह अखबार मंदी से बेअसर (रिसेशन प्रूफ) है।

कुछ मीडिया विश्लेषकों का मानना है कि अब मीडिया का काम सूचना या खबर देना नहीं बल्कि समृद्ध पाठकों और दर्शकों को विज्ञापनदाताओं तक पहुंचाना हो गया है।[114] अगर बच्चे खरीदारी से जुड़े फैसले कम करते हैं तो उनके बारे में कार्यक्रम कम होंगे। इसी तर्क के आधार पर गांवों के लोगों के लिए कार्यक्रम कम बनेंगे या नहीं बनेंगे क्योंकि उनकी खरीदारी की क्षमता कम है। दलितों, आदिवासियों और मुसलमानों की अपेक्षाकृत कम क्रय क्षमता उनके लिए मीडिया में जगह कम होने का कारण बन जाती है। शहरी मध्य और उच्च वर्ग का मीडिया कार्यक्रमों में वर्चस्व को इसी तर्क के आधार पर समझा जा सकता है। यानी दर्शकों की संख्या से ज्यादा महत्त्वपूर्ण है, उनकी खरीदारी की क्षमता। किसी उत्पाद को जब आम जनता के लिए बनाया और बेचा जाता है उस समय तो सर्कुलेशन और टी.आर.पी. का महत्त्व होता है, लेकिन लक्जरी या प्रीमियम (महंगे) उत्पाद की मार्केटिंग करते वक्त ये नहीं देखा जाता कि कोई विज्ञापन कितने लोगों तक पहुंच रहा है, बल्कि इससे ज्यादा महत्त्वपूर्ण ये होता है कि वह विज्ञापन किन लोगों तक पहुंच रहा है।[115]६इस मायने में अंग्रेजी के अखबार और चैनलों को हिंदी और भारतीय भाषा के चैनलों और अखबारों के मुकाबले बढ़त हासिल है। हिंदी और इंग्लिश के मीडिया उत्पादों की विज्ञापनों से होने वाली आमदनी में फर्क का भी अर्थशास्त्र यही है।

यही वजह है कि विज्ञापन के बाजार में हिंदी का एक पाठक जितने रुपए में बिकता है, उसकी तुलना में अंग्रेजी का एक पाठक नौ गुनी कीमत में बिकता है। अन्य भारतीय भाषाओं के पाठकों के मुकाबले अंग्रेजी के पाठकों की हैसियत विज्ञापन बाजार में 13.4 गुना आंकी जाती है। इस वजह से अंग्रेजी के प्रकाशन अपेक्षाकृत कम बिकने के बावजूद भारतीय भाषाओं के प्रकाशनों से ज्यादा कमाई कर ले जाते हैं।[116] हिंदी के विज्ञापनों में स्थानीय विज्ञापनों का अनुपात ज्यादा होता है। *दैनिक भास्कर* को छापने वाली कंपनी डी.बी. कॉर्प ने बताया है कि विज्ञापनों से होने वाली उसकी कुल आमदनी में बड़ा हिस्सा स्थानीय स्तर पर मिले विज्ञापनों से आता है। मिसाल के तौर पर 31 मार्च, 2009 को खत्म हुए कारोबारी साल में

(अनकॉनसोलिडेटेड नतीजों के मुताबिक) कंपनी की कुल विज्ञापन आमदनी में 60.4 प्रतिशत स्थानीय स्तर पर मिले विज्ञापनों का था, जबकि राष्ट्रीय स्तर पर मिले विज्ञापनों से 39.6 प्रतिशत आए।[117] *दैनिक जागरण* की विज्ञापनों से होने वाली आमदनी में भी स्थानीय विज्ञापनों का हिस्सा लगभग दो-तिहाई है।

विज्ञापनदाताओं के दबाव और विज्ञापन पाने के प्रलोभन की वजह से मीडिया हर कीमत पर देश और समाज के समृद्ध तबके को अपने साथ जोड़कर रखना चाहता है। इसलिए वह उन खबरों से परहेज करता है, जो गरीबों के बारे में हों या गरीबों के हित में हों। इसका नतीजा यह होता है कि वे समुदाय भी मीडिया से गायब हो जाते हैं, जो गरीब हैं।[118] भारत के संदर्भ में देखें तो मीडिया में दलित, आदिवासी, पिछड़े, मुसलमान आदि के कम कवरेज की व्याख्या इस आधार पर की जा सकती है। अमूमन सभी धर्मों के त्योहारों पर परिशिष्ट लाने वाले अखबार और विशेष कार्यक्रम बनाने वाले चैनल आदिवासियों के किसी त्योहारों पर चुप्पी साध लेते हैं जबकि देश में आदिवासियों की संख्या अच्छी-खासी (8.2%) है।[119] सिख और ईसाइयों के त्योहारों को मीडिया उनकी आबादी के अनुपात की तुलना में कई गुना ज्यादा कवरेज देता है और इसकी व्याख्या भी संभवतः यही हो सकती है कि ये समुदाय अपेक्षाकृत समृद्ध और शहरी हैं।

इस तरह मीडिया एक ऐसा बाजार में है जिसमें खरीदार किंग नहीं है। हो सकता है कि लाखों लोग किसी खास अखबार को पढ़ते हों या चैनल देखते हों, लेकिन लाखों लोगों की पसंद होने के बावजूद उनका धंधा पिट सकता है, अगर वह विज्ञापनदाताओं की पसंद नहीं हो। इस तरह मीडिया पूरी तरह से बाजार के नियमों से चलने वाला उत्पाद नहीं है। मीडिया के साथ सबसे अजीब बात है कि अगर परंपरागत कोई मीडिया उत्पाद किसी समाज के इलीट यानी आभिजात्य वर्ग की पसंद है तो इस बात की पूरी संभावना है कि वह आम लोगों के घरों में भी घुस जाएगा। इलीट के पसंदीदा होने की वजह से जब किसी मीडिया उत्पाद को विज्ञापनों के रूप में भारी आमदनी होती है, तो वह अपना कवर प्राइस (कीमत) कम रखने के लिए बेहतर स्थिति में होता है। साथ ही वह अपने उत्पाद को सुंदर और भारी-भरकम बनाने पर ज्यादा खर्च कर पाता है। इस तरह ऐसा उत्पाद आम लोगों के बाजार के भी बड़े हिस्से पर कब्जा करने की स्थिति में होता है।

एडवर्ड एस. हरमन और नोम चोमस्की ने अपनी चर्चित किताब *मैन्यूफैक्चरिंग कंसेंट* में ब्रिटेन के मीडिया के सहारे इस प्रवृत्ति का विश्लेषण किया है :

> *''प्रेस विज्ञापनों के आने के बाद से मजदूरों और रेडिकल विचारों के मीडिया की हालत खराब हुई है। उनके दर्शकों को कम पैसे वाला माना जाता है और यह विज्ञापनदाताओं के फैसले को हमेशा प्रभावित करता*

है।...इसी बात ने दूसरे विश्वयुद्ध के बाद सोशल डेमोक्रेट प्रेस को बुरी तरह प्रभावित किया। 1960 से 1967 के बीच डेली हेराल्ड, न्यूज क्रोनिकल और संडे सिटीजन या तो तबाह हो गए या फिर मुख्यधारा के मीडिया में मिल गए, जबकि इन तीन अखबारों की दैनिक रीडरशिप कुल मिलाकर 93 लाख थी। जेम्स करेन बताते हैं कि डेली हेराल्ड जिस साल बंद हुआ उस साल उसकी औसत दैनिक रीडरशिप 47 लाख थी, जो द टाइम्स, फाइनेंशियल टाइम्स और गार्डियन की मिलीजुली रीडरशिप से लगभग दो गुनी थी।"

ज्यादा पढ़े जाने और ज्यादा सम्मानित माने जाने के बावजूद *डेली हेराल्ड, न्यूज क्रॉनिकल* और *संडे सिटिजन* जैसे अखबारों को मरना पड़ा क्योंकि उन्हें विज्ञापन नहीं मिल रहे थे। प्रगतिशील होने की छवि उनके और विज्ञापनदाताओं के बीच आ गई। अपेक्षाकृत कम बिकने के बावजूद *द टाइम्स* और *फाइनेंशियल एक्सप्रेस* न सिर्फ बाजार में बने रहे बल्कि उनका कारोबार भी लगातार बढ़ता चला गया।

मीडिया की अर्थव्यवस्था ऐसी है कि किसी अखबार को अगर भरपूर विज्ञापन मिले तो उसे मुफ्त में बांटकर भी कोई मीडिया संस्थान मुनाफा कमा सकता है। अखबारों की अर्थव्यवस्था में विज्ञापनों का योगदान इस हद तक बढ़ गया है कि दुनिया के विकसित देशों में अखबार मुफ्त भी बांटे जाने लगे हैं। मिसाल के तौर पर लंदन में दैनिक अखबार *मेट्रो* को मुफ्त बांटा जाता है। वहां के अंडरग्राउंड रेलवे स्टेशनों में इसका वितरण किया जाता है। इसी तरह सिंगापुर में *टुडे* नाम का अखबार मुफ्त बांटा जाता है और ये अखबार मुनाफा कमा रहा है। वही विज्ञापन कम मिलने पर अखबार महंगे हो जाते हैं। इसका उदाहरण पाकिस्तान और बांग्लादेश के अखबार हैं जिनकी कीमत 6 रुपए से भी ज्यादा है।[120]

भारत के संदर्भ में कीमत, सर्कुलेशन और विज्ञापन का गणित कई तरह से काम करता दिखता है। मिसाल के तौर पर बिहार इस देश के सबसे गरीब राज्यों में से एक है और वहां के लोगों की खरीदने की क्षमता काफी कम है। लेकिन देश में जिन प्रदेशों में अखबारों की कीमत सबसे ज्यादा है, उसमें बिहार प्रमुख है। पटना में सबसे ज्यादा बिकने वाला हिंदी का अखबार *हिंदुस्तान* और अंग्रेजी का अखबार *हिंदुस्तान टाइम्स* प्रतिदिन 4 रुपए में बिकता है। रविवार को इन अखबारों की कीमत एक रुपए बढ़ जाती है। बिहार में अखबारों की कीमत ज्यादा होने की वजह है कि वहां के अखबारों को महानगरों के अखबारों की तुलना में कम विज्ञापन मिलते हैं, इस वजह से उनके उत्पादन खर्च की भरपाई विज्ञापनों से अपेक्षाकृत कम हो पाती है।

ऐसा इसलिए है क्योंकि बिहार में मध्यवर्ग की संख्या काफी कम है,

औद्योगिकीरण की रफ्तार सुस्त है और विदेशी पूंजी का निवेश वहां लगभग नहीं हुआ हैं। इस वजह से उस प्रदेश में विज्ञापन पर खर्च करने के लिए कंपनियां तैयार नहीं है। बिहार में सबसे बड़ी विज्ञापनदाता वहां की प्रदेश सरकार है। विज्ञापन कम होने की वजह से वहां के अखबारों के पास कीमत यानी कवर प्राइस ज्यादा रखने का कोई विकल्प नहीं है। वहां के अखबार अपेक्षाकृत कम पन्नों के भी हैं। इनके मुकाबले दिल्ली और मुंबई जैसे शहरों के खासकर अंग्रेजी के अखबारों को देखें तो वे बिहार के हिंदी अखबारों की तुलना में आधी या उससे भी कम कीमत पर बिकते हैं और उनमें रंगीन पन्ने ज्यादा होते हैं और कुल पन्नों की संख्या भी ज्यादा होती है। इस तरह कह सकते हैं कि विज्ञापनदाताओं की नजर में बिहार के एक पाठक की तुलना में दिल्ली या मुंबई के एक पाठक का आर्थिक वजन कई गुना ज्यादा है।

विज्ञापनों के गणित की वजह से ही देश के ज्यादातर बड़े मीडिया ग्रुप उर्दू भाषा का प्रकाशन नहीं चलाते। 90 के दशक में *इंडिया टुडे* ने कई भारतीय भाषाओं में *इंडिया टुडे* लॉञ्च किया। लेकिन उर्दू का *इंडिया टुडे* लॉञ्च नहीं किया गया। ऐसा नहीं है कि उर्दू की पत्रिका को बिकने में कोई समस्या थी बल्कि यह फैसला इसलिए किया गया क्योंकि विज्ञापन की संभावनाओं के बारे में किए गए अध्ययन से पता चला कि उर्दू भाषा के प्रकाशन को खैनी, पान मसाला जैसे सस्ते विज्ञापन ही मिल पाएंगे। इसी तरह *रविवार* जैसी पत्रिका को इस बात का खामियाजा उठाना पड़ा कि उसका सबसे ज्यादा सर्कुलेशन बिहार जैसे गरीब प्रदेश में था।

विज्ञापनदाता के हाथ में स्टीयरिंग व्हील

अखबारों के अर्थशास्त्र को समझने के लिए जरूरी है कि इनके राजस्व के स्रोतों को समझा जाए। अखबारों की आय का मुख्य स्रोत वह पैसा नहीं है जो पाठक अखबार या पत्रिका पर लिखी कीमत के बदले चुकाते हैं। इनकी आमदनी का सबसे बड़ा स्रोत आमतौर पर विज्ञापनों से होने वाली आमदनी है। इस गणित को समझने के लिए *दैनिक भास्कर* अखबार समूह की कंपनी डी.बी. कॉर्प के एक दस्तावेज को यहां आधार सामग्री के तौर पर लिया गया है। इस कंपनी ने 2009 में अपना आई.पी.ओ. (यानी शेयर बाजार में उतरना) लाया था। शेयर बाजार में उतरने से पहले इसने ड्राफ्ट रेड हेयरिंग प्रोस्पेक्टस जमा किया था। प्रोस्पेक्टस में 31 मार्च, 2009 को खत्म हुए साल में कंपनी की आमदनी का कंसोलिडिटेड ब्योरा दिया गया है। इसमें बताया गया कि कंपनी को बिक्री से 215.86 करोड़ रुपए की आमदनी हुई। इवेंट मैनेजमेंट से 7.5 करोड़ और विज्ञापनों से 725.56 करोड़ रुपए

आए जबकि अन्य आमदनी 11.99 करोड़ रही। इस साल कंपनी की कुल आमदनी 960.98 करोड़ रुपए थी। इस आंकड़े को अगर प्रतिशत में देखें तो कंपनी को विज्ञापन से 75.50 प्रतिशत आमदनी हुई जबकि बिक्री से हुई कुल आमदनी 22.46 प्रतिशत ही थी। बिक्री के आंकड़े में स्टैंड पर होने वाली बिक्री, हॉकरों के जरिए होने वाली बिक्री, कंपनी द्वारा सीधे ग्राहक के घर पर जाने वाली बिक्री और होटलों, एयरलाइंस आदि को की जाने वाली थोक बिक्री यानी हर तरह की बिक्री शामिल है।[121] डी.बी. कॉर्प ने जानकारी दी कि वह विज्ञापन स्पेस को विज्ञापन एजेंसियों के साथ ही सीधे ग्राहकों को भी बेचती है। मार्च 2009 में कंपनी का कारोबारी नाता 1,549 मान्यता प्राप्त गैर 2,715 गैर मान्यता प्राप्त विज्ञापन एजेंसियों के साथ था और कंपनी ने कारोबारी साल 2008-09 में 2,51,442 विज्ञापनदाताओं के विज्ञापन छापे।[122]

इसी तरह *जागरण* के आमदनी के स्रोतों को भी देख सकते हैं। जागरण प्रकाशन के राजस्व का बड़ा हिस्सा विज्ञापनों से आता है। मार्च 2009 में खत्म हुए साल में *दैनिक जागरण* की कुल आमदनी में विज्ञापनों का हिस्सा 72.12% है। जबकि एक साल पहले यह आंकड़ा 71.91% था।[123]

इस आंकड़े को हम प्रिंट समाचार माध्यमों के लिए प्रतिनिधि आंकड़ा मान सकते हैं जो थोड़े बहुत फेरबदल के साथ अमूमन सभी अखबार समूहों पर लागू होता है। अखबार की आमदनी का सबसे बड़ा और लगभग दो-तिहाई आमदनी का स्रोत विज्ञापन अखबार के कंटेंट को प्रभावित नहीं करेगा, यह मानना उचित नहीं होगा। मीडिया और मनोरंजन कारोबार का अध्ययन करने वालों को लगता है कि भारत में विज्ञापन की पूरी संभावनाओं का इस्तेमाल नहीं हुआ है। विज्ञापन बाजार का विस्तार अभी उतना नहीं हुआ है जितना कि कई और देशों में हो चुका है। भारत में विज्ञापन का कुल धंधा सकल घरेलू उत्पाद यानी जी.डी.पी. का 0.41 प्रतिशत है जबकि विकसित देशों में यह अनुपात 0.9 प्रतिशत तक है।[124] चीन में कुल विज्ञापन जी.डी.पी. का 0.75 प्रतिशत हैं। जाहिर है कि भारत में विज्ञापन बाजार के और बड़ा होने की पूरी सभावना है। भारत इस मामले में चीन या पश्चिमी देशों से पीछे है, लेकिन भारत भी उसी दिशा में दौड़ रहा है, जहां बाकी विकसित देश पहुंचे हैं।

पाठक और दर्शक के लिए इसका मतलब है कि मीडिया इंडस्ट्री में उसकी हैसियत और कम होने वाली है और संपादकीय सामग्री पर विज्ञापनदाताओं का दबाव और बढ़ने वाला है। मीडिया देश को जगाने, लोगों की समस्याएं मिटाने और समाज को बेहतर बनाने आदि के मायामोह से मुक्त होकर पूंजी और लाभ की रेस में दौड़ रहा है। सभी मीडिया हाउस बैलेंस शीट को दुरुस्त करने, कारोबार फैलाने और

मुनाफा बढ़ाने में जुटे हैं। इसके लिए रणनीतियां बनाई और बदली जा रही हैं। अखबार को ऐसा बनाने की कोशिश की जा रही है, ताकि समृद्ध लोग उसे पढ़ें और इस बात को देखकर विज्ञापन कंपनियां अखबारों की झोली भर दें। अखबार को शहरी युवावर्ग की इच्छाओं और आकांक्षाओं से जोड़ने की कोशिशें चल रही हैं। अखबारों का मुख्य जोर युवाओं और महिलाओं पर है, जो खरीदारी के फैसलों में महत्त्वपूर्ण भूमिका निभाते हैं। वे इसके लिए ज्यादातर अखबारों ने अपने कंटेंट में बदलाव किए हैं। ऐसी खबरें और फीचर ज्यादा छापते हैं, जिनका फोकस समृद्ध वर्ग पर होता है।

संपादकीय सामग्री और संपादकीय विभाग पर विज्ञापनदाताओं के दबाव के असर को सबसे ज्यादा अखबारों के परिशिष्टों में देखा जा सकता है। परिशिष्ट अब अखबारों में बेहद आम हो गए हैं। कुछ अखबार तो हर दिन एक परिशिष्ट देने लगे हैं। इस रणनीति का एक मकसद पाठकों को वह सामग्री अखबार में ही उपलब्ध कराना होता है, जिसके लिए वे कई बार पत्रिकाओं की तरफ जाते हैं। परिशिष्ट में रंगों से लेकर साज सज्जा और ले-आउट के अमूमन वे सभी प्रयोग हो रहे हैं, जो पहले सिर्फ पत्रिकाओं में मिलते थे। इन परिशिष्टों में कैसी संपादकीय सामग्री जाएगी, यह अक्सर विज्ञापनदाता तय करते हैं। संपादकीय विभाग खुद ही विज्ञापनदाताओं की इच्छाओं का ध्यान रखता है। कई बार तो विज्ञापनदाता ही संपादकीय सामग्री का सुझाव देते हैं और छपने वाली सामग्री की निगरानी भी करते हैं। ऐसी मिसालें भी हैं कि विज्ञापनदाता कंपनी विज्ञापन के साथ ही संपादकीय सामग्री और तस्वीरें भी भेज देती हैं। विज्ञापनदाता कई बार अपने उत्पादों के बारे में लेख छापने की मांग भी करते हैं।[125] वे चाहते हैं कि किसी उत्पाद के बारे में अखबार का रिपोर्टर समाचार की तरह लिखे क्योंकि जब कोई सामग्री अखबार के रिपोर्टर की तरफ से या संपादकीय विभाग की ओर से पेश की जाती है तो उसकी विश्वसनीयता बढ़ जाती है या कहें कि उसमें अखबार की विश्वसनीयता जुड़ जाती है।

परिशिष्टों में संपादकीय सामग्री को कितनी जगह मिलेगी, यह विज्ञापनों से तय होता है। परिशिष्ट कितने पेज का छपेगा, यह भी विज्ञापनों की संख्या और उसके आकार से तय होता है। समाचार-पत्र के जिस हिस्से में लगभग सारी चीजें विज्ञापनदाता या उनकी इच्छा से तय होता है, वह पाठकों तक संपादकीय सामग्री की शक्ल में पहुंचता है। बिरले ही कभी कोई अखबार परिशिष्ट के किसी कोने में स्पॉन्सर्ड फीचर या कनेक्ट फीचर या ऐसा ही कुछ लिख देते हैं। इसके लिए सीधे तौर पर विज्ञापन फीचर लिखा जा सकता है, लेकिन ऐसा करते ही विज्ञापनदाताओं के लिए इसका महत्त्व कम हो जाएगा।

कुछ अखबारों ने तो नया पाठक वर्ग बनाने और अखबार को युवाओं की रुचि के अनुकूल बनाने के लिए भाषा के भी प्रयोग किए हैं और उस भाषा का इस्तेमाल करने की कोशिश की है जो शहरी समृद्ध युवा वर्ग बोलता है। कई अखबारों में अंग्रेजी शब्दों का इस्तेमाल बढ़ा है। मुश्किल, संस्कृतनिष्ठ, देसी और उर्दू/फारसी के शब्दों का प्रयोग काफी कम हो गया है। भाषा में बदलाव के पीछे किसी तरह के विचारधारात्मक सोच की जगह बाजार का दबाव और बाजार में टिके रहने की रणनीति ही है। अखबारों का रंगीन होना भी पाठकों से कहीं ज्यादा विज्ञापन की जरूरत की वजह से हुआ है। विज्ञापनदाताओं की जरूरत के हिसाब से अखबार और पत्रिकाएं ग्लॉसी यानी चिकने पन्ने भी छापती हैं। विज्ञापनदाताओं की जरूरत को पूरा करने के लिए मीडिया किसी भी हद तक जाने को तैयार है। टाइम्स ऑफ इंडिया ने तो फरवरी 2010 में अखबार के एक हिस्से को कार के आकार में काट कर पेश किया, जो जर्मन कार कंपनी फॉक्स वैगन के विज्ञापन का हिस्सा था। अखबार के मास्ट हेड यानी मुखपृष्ठ के भी ऊपर विज्ञापन दिखाने और विज्ञापन के चारों ओर संपादकीय सामग्री लगाने जैसे प्रयोग पुराने पड़ चुके हैं। अखबार के पहले पन्ने पर पूरे पेज का विज्ञापन छापना आम चलन है। इसके अलावा अखबारों के आकार को लेकर भी प्रयोग हो रहे हैं, जिसके पीछे विज्ञापनदाताओं की जरूरत ही मुख्य कारण है। मेट्रो नाउ, मिंट और मेल टुडे ने छोटा फॉर्मेट अपनाया है। कई मीडिया हाउस मुख्य अखबार तो बड़े आकार (ब्रॉडशीट) में छाप रहे हैं, लेकिन परिशिष्ट के लिए छोटा फॉर्मेट अपनाते हैं। इस बदलाव का लक्ष्य भी विज्ञापनदाताओं की जरूरतों को बेहतर ढंग से पूरा करना है।

अखबार अपने कंटेंट को भी लगातार विज्ञापनदाताओं की जरूरत और इच्छा के मुताबिक ढाल रहे हैं। कोई विज्ञापनदाता कह सकता है कि किसी खास अखबार में किसी राजनीतिक विचारधारा का कवरेज बहुत ज्यादा है, इसलिए उसे विज्ञापन नहीं दिया जाएगा और इस बात के पूरे आसार हैं कि अखबार का प्रबंधन कंटेंट बदलने की विज्ञापनदाता की बात मान लेगा। अगर कई विज्ञापनदाता ऐसा संकेत दें कि अखबार में युवाओं से जुड़ी चटपटी सामग्री ज्यादा होनी चाहिए तो भी अखबार इस मांग को पूरा करने की कोशिश करेंगे। इसी तरह किसी अखबार के वैचारिक तेवर की वजह से भी उसे विज्ञापन नहीं मिल सकते हैं और बाजार में टिके रहने और कारोबार आगे बढ़ाने के लिए वह अपना तेवर बदलने को मजबूर हो सकता है।

दुनिया के सबसे बड़े कॉरपोरेट विज्ञापनदाताओं में से एक प्रॉक्टर ऐंड गैंबल तो खुले तौर पर उन कार्यक्रमों की विचारधारा पर नियंत्रण करता है, जिसमें उसके विज्ञापन चलते हैं। कंपनी ने 1965 में अमेरिका में फेडरल कम्युनिकेशंस कमीशन

में हुई सुनवाई (भारत में मीडिया पर विज्ञापन के असर को जानने के लिए कभी कोई सुनवाई नहीं हुई) के दौरान ये कहा कि विज्ञापन एजेंसियों को वह इस बारे में स्पष्ट दिशानिर्देश देती है। इसके मुताबिक, टी.वी. कार्यक्रम लेखकों को इस बात का ध्यान रखना चाहिए कि ऐसा कुछ न दिखाया जाए, जिससे लोगों के मनोबल पर बुरा असर पड़े। फौजियों को खलनायक या अपराधी की तरह न दिखाया जाए। कार्यक्रम में ऐसा कुछ न हो, जिसमें कारोबार को निर्मम, निष्ठुर गतिविधि बताया गया हो। मंत्रियों, पुजारियों और दूसरे सकारात्मक सामाजिक व्यक्तित्वों को खलनायक, अपराधी या असामाजिक तत्व के तौर पर नहीं दिखाया जाना चाहिए।[126]६इसी तरह एयर कनाडा ने 1978 में अखबारों को सूचना भेजी कि अगर उन्होंने एयर कनाडा के विमान के दुर्घनाग्रस्त होने या हाइजैक होने की खबर छापी तो उनके विज्ञापन रोक दिए जाएंगे। यही नहीं, जिस पेज पर एयर कनाडा का विज्ञापन छपा हो उसके आगे-पीछे किसी और एयरलाइंस के विमान के दुर्घनाग्रस्त होने या हाइजैक की खबर नहीं होनी चाहिए।[127] एयर कनाडा और प्रॉक्टर ऐंड गैंबल के विज्ञापन कोड इस बात का प्रमाण हैं कि किस तरह से कंपनियां मीडिया की संपादकीय सामग्री को नियंत्रित करती हैं।

हालांकि विज्ञापनदाताओं के हितों को ध्यान रखने का काम ज्यादातर मीडिया संस्थान अपनी मर्जी से (सेल्फ सेंसरशिप) कर डालते हैं और बिरले ही कभी इसके लिए धमकी देने आदि की नौबत आती है। मीडिया ऐसा कोई कार्यक्रम नहीं दिखाएगा, जो उसके विज्ञापनदाताओं के हितों के सीधे खिलाफ जाता हो, या जिसकी वजह से विज्ञापनदाताओं के नाराज होने का खतरा हो। मीडिया विश्लेषक हरमन और मैकचेस्नी ने लिखा है कि अपना स्वार्थ मीडिया को ऐसा करने से रोकता है।[128]

इसका मतलब है कि कोई आर्थिक या सामाजिक नीति या विचार अगर किसी कंपनी के कारोबारी हितों के खिलाफ है तो वह मीडिया को ऐसी नीति या विचार के खिलाफ अभियान चलाने को कह सकता है। विज्ञापन की शक्ल में उसके पास एक ऐसा हथियार है, जिसके जरिए कोई कंपनी मीडिया में अपनी बात मनवाने की स्थिति में होती है। अगर कई या ज्यादातर कंपनियों की राय किसी मामले (मिसाल के तौर पर भारत में आर्थिक उदारीकरण या विस्थापन या खुदरा कारोबार में बड़ी कंपनियां का प्रवेश) में एक जैसी हो, तो मीडिया में इस राय के खिलाफ कुछ भी छपने या दिखाए जाने की संभावना लगभग खत्म हो जाती है। इस तरह किसी बाजार में कई मीडिया उत्पाद हो सकते हैं, लेकिन विज्ञापनदाताओं के दबाव की वजह से सभी जगह एक ही तरह की राय आ सकती है। कारोबारी हितों को लेकर कॉरपोरेट जगत की आम राय, मीडिया की राय की शक्ल में दर्शकों और पाठकों तक

पहुंचती है और कई बार लोगों का नजरिया इसी तरीके से बनाया या बदला जाता है। इस तरह बनी आम राय देश के ज्यादातर लोगों के हितों के खिलाफ हो सकती है, लेकिन पाठकों और दर्शकों तक किसी वैकल्पिक राय के न पहुंच पाने के कारण ये देश की आम राय बन सकती है।

मिसाल के तौर पर उदारीकरण को ही लें। मुमकिन है कि उदारीकरण से इस देश के ज्यादातर लोगों का भला न हो रहा हो। लेकिन विज्ञापनदाता और कॉरपोरेट मीडिया का हित उदारीकरण से जुड़े होने के कारण पूरा मीडिया साल दर साल यह बता रहा है कि उदारीकरण की वजह से देश किस तरह तेजी से तरक्की कर रहा है और किस तरह से यह लोगों के हित में है। इसके विपक्ष के तर्क मीडिया में लगभग अनुपस्थित हैं। मीडिया में एक ही तरह का विचार आम राय की शक्ल में आने की वजह से मुमकिन है कि देश के ज्यादातर लोग भी इसी तरह से सोचने लगें।

ये समझना कठिन नहीं है कि किसी भी लोकतंत्र के लिए इस तरह की 'आम राय' कितनी खतरनाक है।

मीडिया कारोबार : गंदा है पर धंधा है

"बाजार में आपका इतना दबदबा होना चाहिए कि लोग आपके साथ सौदा करने को मजबूर हो जाए। इस बात को लेकर काफी बहस होती है कि कंटेंट (अंतर्वस्तु) सबसे महत्त्वपूर्ण है या वितरण का तंत्र। लेकिन सबसे बड़ी बात है कि किसका बिजनेस कितना बड़ा है। अगर आप अपनी उत्पादन लागत को कम करना चाहते हैं तो आपको उत्पादन का आधार बड़ा करना होगा। इस तरह आप अपने प्रतियोगियों को मात दे पाएंगे और बेहतर कार्यक्रम और दूसरे ऐसेट (परिसंपत्तियां) खरीद पाएंगे।"

—पीटर चेरमिन, अध्यक्ष, न्यूजकॉर्प[129]

दुनिया के सबसे बड़े मीडिया संगठनों में एक न्यूजकॉर्प के अध्यक्ष जो बात ग्लोबल मीडिया के लिए कह रहे हैं, वह आज भारतीय मीडिया के लिए भी सच है। भारत में मीडिया को लेकर खास तरह का पवित्रताबोध रहा है। इसकी जड़ें भारत की आजादी के आंदोलन के समय की पत्रकारिता की परंपरा में ढूंढ़ी जा सकती हैं। इसे लोकतंत्र का चौथा खंभा, लोकतंत्र का प्रहरी, विचार और अभिव्यक्ति की स्वतंत्रता का प्रतीक, कमजोर की आवाज आदि मेडल दिए जाते रहे हैं। ऐसे में मीडिया के लिए पीटर चेरमिन जिस तरह धंधे की भाषा का इस्तेमाल कर रहे हैं, वह बहुत लोगों को नागवार गुजर सकती है।

भारत में मीडिया कारोबार के आकार और उसकी प्रकृति, मीडिया की अंतर्वस्तु पर उसके असर, मीडिया स्वामित्व और एक ही मीडिया संगठनों के अलग-अलग और कई माध्यमों में उत्पाद बेचने (क्रॉस मीडिया ओनरशिप) जैसे सवालों पर चर्चा कम हुई है। अब जबकि पेड न्यूज का सवाल मीडिया विमर्श के केंद्र में आ गया है तो मीडिया को लेकर उठे सवालों के जवाब मीडिया व्यवसाय के दायरे में भी तलाशे जाने की जरूरत है। मीडिया संगठन चलाने वाले जो फैसले करते हैं, उनमें से ज्यादातर के निर्धारण में संसाधनों और वित्तीय मामलों की कमोबेस भूमिका होती ही है।[130] पेड न्यूज को मीडिया संगठनों के बेईमान हो जाने, पत्रकारों की नैतिकता खत्म हो जाने, नेताओं के भ्रष्ट हो जाने जैसे सरलीकृत फॉर्मूले से बाहर भी देखा जाना

चाहिए। मीडिया को समझने और उसे विश्लेषित करने में कई पुराने औजार आज कारगर नहीं रह गए हैं। कई पुरानी बहसों के संदर्भ भी बदल गए हैं। पेड न्यूज को अलग-थलग समस्या न मानकर मीडिया की बाकी प्रवृत्तियों के साथ जोड़कर देखा जाना चाहिए।

मीडिया मिशन है या व्यवसाय

पत्रकारिता के विद्यार्थी, शोधार्थी और शिक्षक अब भी इस बारे में चर्चा-गोष्ठी आदि करते हैं कि मीडिया का सामाजिक संदर्भ क्या है, पत्रकारिता मिशन के रास्ते से किस तरह भटक गई है और क्या उसे फिर से रास्ते पर लाया जा सकता है। लेकिन कॉरपोरेट मीडिया के अंदर अब कोई नहीं पूछता कि मीडिया मिशन है या कारोबार। मीडिया की मुख्यधारा यही मानती है कि मीडिया किसी भी और कारोबार की तरह ही है और इस कारोबार में भी उत्पाद बनाने से लेकर बेचने तक में बाजार के सभी नियम लागू होंगे। इस मायने में समाचार-पत्र, न्यूज चैनल का कारोबार साबुन, टूथपेस्ट या आफ्टर शेव लोशन के बाजार की तरह बताया जा रहा है। पैकेजिंग से लेकर ब्रांडिंग और सेल्स तक के मामले में बाकी प्रोडक्ट और मीडिया उत्पाद के बीच फर्क की बात कई लोग नहीं मानते हैं। उनकी राय में मीडिया कंपनी भी किसी भी और कंपनी की तरह है, जिसकी कामयाबी और नाकामयाबी बैलेंस शीट और आमदनी तथा मुनाफे जैसे कारोबारी मानकों से तय होती है। इसलिए मीडिया संगठनों पर नीति और नैतिकता के मानदंड उसी सीमा तक लागू होते हैं, जितना कि किसी और व्यवसाय पर।

लेकिन क्या पत्रकारिता का कोई सामाजिक संदर्भ नहीं है, समाज और देश के प्रति उसकी कोई भूमिका नहीं है, क्या वह बाकी किसी भी दूसरे व्यवसाय की तरह एक व्यवसाय है, जिसे लाभ-हानि के गणित के आधार पर चलाया जाता है या चलाया जाना चाहिए? यानी क्या बाजार के नियम पूरी तरह से मीडिया पर लागू होते हैं? क्या समाचार-पत्र और साबुन में कोई फर्क नहीं है? क्या मीडिया व्यवसाय को किसी भी दूसरे व्यवसाय की तरह चलाया जा सकता है बल्कि क्या मीडिया व्यवसाय को किसी भी और व्यवसाय की तरह चलाने दिया जाना चाहिए? देश में मीडिया कैसा होगा और किसके लिए होगा, जैसे सवालों के जवाब मीडिया अर्थशास्त्र की पेचीदा बैलेंस शीट में ही छिपे हैं। इसलिए कंटेंट को लेकर मची हाय-तौबा के बीच जानना जरूरी है कि भारतीय मीडिया का अर्थशास्त्र क्या है और उस पर हावी आर्थिक सवाल कैसे हैं। साथ ही खासकर राष्ट्रीय कहे जाने वाले मीडिया में गांवों की विदाई, पिछड़े इलाकों की और गरीबों की अनुपस्थिति, निम्नमर्गीय और मध्यवर्गीय चिंताओं को दरकिनार कर महत्त्वपूर्ण होते इलीट और ऐसी ही तमाम प्रवृत्तियों को मीडिया के

अर्थशास्त्र के जरिए समझा जा सकता है।

पल में मिशन, पल में व्यवसाय

इस चर्चा को आगे बढ़ाने से पहले एक महत्त्वपूर्ण खबर पर नजर डालिए, जो इस बहस में एक रोचक मोड़ साबित हो सकती है। देश के सबसे बड़े और प्रमुख आर्थिक अखबार इकोनॉमिक टाइम्स ने 19 फरवरी, 2010 को एक खबर छापी। इस खबर का सार है कि दुनिया भर में अखबारी कागज की कीमत बढ़ रही है। अगस्त 2009 में जिस कागज की कीमत प्रति टन 464 डॉलर थी, उसकी कीमत जनवरी में बढ़कर 582 डॉलर प्रति टन हो चुकी है। खबर का एक हिस्सा बताता है कि कीमतों में उछाल किस तरह भारतीय अखबार उद्योग को प्रभावित कर रही है। खबर का आखिरी पैरा मौजूदा चर्चा के लिए महत्त्वपूर्ण है। उसमें लिखा गया है कि–

> ''प्रकाशक इस बात पर जोर दे रहे हैं कि दूसरे उद्योगों के उलट समाचार-पत्रों का समाज के प्रति एक कर्तव्य है और उन्हें देश के विवेक का प्रहरी माना जाता है। लोगों के विचार व्यक्त करने की आजादी की रक्षा में अगुआ भूमिका में होने का उस पर दायित्व है और किसी भी जीवित लोकतंत्र का यह अमूल्य अंग है। कहना न होगा कि अगर इस उद्योग का विकास बाधित होता है तो भविष्य अंधकारम य हो जाएगा। अब देखना है कि क्या सरकार भी ऐसा ही मानती है और न्यूज प्रिंट के आयात पर शुल्क में दी गई छूट को जारी रखकर प्रकाशकों को समर्थन देती है या नहीं, ताकि वे न सिर्फ बचे रहें बल्कि आगे तरक्की भी करें।''[131]

वहीं मिडडे इन्फोमीडिया के मैनेजिंग डायरेक्टर मनजीत घोषाल ने केंद्रीय बजट (2010-11) से पहले एक मार्केटिंग वेबसाइट से कहा कि मीडिया को राष्ट्र का चौथा खंभा माना जाता है, लेकिन सरकार इसे किसी भी और कारोबार की तरह देखती है। उन्होंने मांग की कि सरकार को बाजार की दरों के हिसाब से डी.ए.वी.पी. विज्ञापनों के रेट तय करने चाहिए। *बिजनेस स्टैंडर्ड* अखबार के प्रेसीडेंट अकिला उरानकर ने भी सरकारी विज्ञापनों की दरों को बाजार भाव के बराबर लाने की मांग की।[132]

यह समझना मुश्किल नहीं है कि समाचार-पत्र मालिक बेशक अपने अखबारों को और समाचार चैनल मालिक अपने चैनलों को कारोबार की तरह चलाते हैं, लेकिन सरकार से सुविधाएँ मांगते समय वे नहीं मानते कि समाचार का कारोबार किसी और कारोबार की तरह है। वे अपने कारोबार को चलाते समय किसी भी और कारोबार

को मिलने वाली छूट और सुविधाओं का तो इस्तेमाल करना चाहते हैं लेकिन साथ ही इस नाते वे सरकार से कुछ विशेष छूट चाहते हैं कि वे देश और जनता के प्रति एक जिम्मेदारी का निर्वाह कर रहे हैं और वे 'लोकतंत्र का अमूल्य अंग'' या ''लोकतंत्र का चौथा खंभा'' हैं। केंद्रीय बजट 2010-11 के पहले इकोनॉमिक टाइम्स और दूसरे मीडिया समूह सरकार को मीडिया की इसी भूमिका की याद दिला रहे हैं और इस जिम्मेदारी के निर्वहन के बदले विशेष छूट की मांग कर रहे हैं। गौर करने की बात है कि साबुन निर्माता इस नाते सरकार से किसी विशेष छूट की उम्मीद नहीं कर सकते कि वे देश के लोगों को साफ-सुथरा रखने में अपनी भूमिका निभाते हैं और इस वजह से लोग बीमारियों से बचे रहते हैं, इसलिए साबुन उद्योग के लिए विशेष छूट मिलनी चाहिए। न ही, टी.वी. बनाने वाली कंपनियां इस नाते सरकार से छूट मांगती हैं कि वो लोगों का मनोरंजन करके उन्हें खुश रखती हैं। जाहिर है कि मीडिया कंपनियां अखबार और समाचार चैनलों को किसी भी और प्रोडक्ट की तरह चलाने की छूट चाहती हैं और ऐसा करते हुए किसी भी सामाजिक या राष्ट्रीय भूमिका का बोझ उठाने को तैयार नहीं हैं लेकिने सामाजिक और राष्ट्रीय उत्तरदायित्व के नाम पर वे सरकार से छूट और फायदे जरूर चाहती हैं।

यही अंतर्विरोध दरअसल भारतीय समाचार-पत्रों के अंतर्वस्तु और छपने और दिखाई जाने वाली सामग्री में आए बदलाव को लेकर चल रही बहस का मूल है। अगर अखबार या चैनल चलाना शुद्ध व्यवसाय है तो फिर उस पर कारोबार के सभी नियम उसी तरह लागू होने चाहिए जैसे कि बाकी उद्योगों पर लागू होते हैं। ऐसी हालत में समाचार-पत्र उद्योग के लिए इसे एक अलग तरह का उपक्रम मानकर उसके लिए विशेष छूट की मांग करने का कोई नैतिक आधार नहीं है। कई मीडिया हाउस यह तो कहते हैं कि वे मीडिया व्यवसाय में हैं लेकिन साथ ही वे पत्रकारिता करने के लिए मिलने वाली सुविधा और छूट का फायदा भी उठाते हैं।

मीडिया को मिलने वाली छूट और विशेषाधिकारों की कई शक्लें भी हैं। उपकरणों के आयात शुल्क में छूट, सरकारी विज्ञापन, विदेशों से कागज मंगाने की सुविधा, प्रेस या दफ्तर के लिए सस्ती दर पर जमीन, न्यूज प्रिंट का कोटा, प्रत्यक्ष विदेशी निवेश की सीमा में ढील आदि विशेषाधिकार सीधे मीडिया उद्योग को दिए जाते हैं तो मीडियाकर्मियों के लिए बेहद सस्ते दर पर सरकारी मकान, इलाज की सुविधा, यात्रा खर्च में रियायत समेत कई तरह के घोषित और अघोषित विशेषाधिकार दिए जाते हैं। इस बात को लेकर सवाल उठते रहे हैं कि पत्रकारों को सरकार की तरफ से सुविधाएं क्यों मिलनी चाहिए? पत्रकारों के लिए मकान और इलाज का प्रबंध मीडिया कंपनियां क्यों नहीं करतीं? सरकार की ओर से दी जाने वाली सुविधाएं पत्रकारिता के स्वतंत्र और निष्पक्ष तरीके से काम करने में बाधक

मानी जा सकती हैं। प्रिंट मीडिया को अखबार-पत्रिका बेचने से होने वाली आमदनी पर कोई टैक्स नहीं देना पड़ता है। और तो और विज्ञापनों से होने वाली आमदनी पर भी टैक्स नहीं लगता। अखबारों और पत्रिकाओं को तो फिर भी कुछ लोग जनहित से जोड़कर देख सकते हैं लेकिन विज्ञापनों के कारोबार में कौन सा जनहित है, इसे समझ पाना मुश्किल है। इसकी एक ही व्याख्या हो सकती है कि सरकार ये छूट इसलिए देती है, ताकि उसे अनुकूल कवरेज मिलता रहे और इस छूट को बंद करने की धमकी देकर मीडिया उद्योग को डराया जा सके और उसे काबू में रखा जा सके।

कई तरह की छूट और विशेषाधिकार मीडिया को परंपरा से हासिल हैं। मीडिया को लोकतंत्र का चौथा स्तंभ माना गया है। विचार और अभिव्यक्ति की स्वतंत्रता का इसे महत्त्वपूर्ण वाहक माना गया है। लोकतंत्र अगर चुनने की आजादी का दूसरा नाम है तो चुनने की आजादी के इस्तेमाल के लिए सूचनाओं का निर्णायक महत्त्व है। मीडिया से ये उम्मीद की जाती है कि वह विचारों और सूचनाओं के मुक्त प्रवाह को सुनिश्चित करेगा। अगर लोगों तक सही और पूरी सूचनाएं न पहुंच पाएं तो वे चुनने के अधिकार का सही ढंग से इस्तेमाल कैसे कर सकते हैं? ये सवाल उठने लगे हैं कि इन विशेषाधिकारों के बदले मीडिया से जो अपेक्षित है, क्या मीडिया उसे पूरा कर पा रहा है? मीडिया को उत्पाद मानने वाली विचारधारा मानती ही नहीं है कि मीडिया का ऐसा कोई उत्तरदायित्व भी है। मुक्त बाजार अर्थव्यवस्था में वे मीडिया को भी सभी तरह के नैतिक-सामाजिक बंधनों से मुक्त देखना चाहते हैं। हां, जब कभी कारोबार पर मुसीबत आए तो सरकार से छूट लेने में मुक्त मीडिया के विचारकों को कोई परहेज नहीं है।

कुछ लोग ऐसे भी हैं जो मीडिया को उसकी ऐतिहासिक भूमिका की याद दिलाकर उसके आचरण में बदलाव देखने की उम्मीद करते हैं। वे चाहते हैं कि मीडिया उन गौरवशाली दिनों को याद करे जब भारत के छोटे-छोटे समाचार-पत्रों ने संसाधनों की कमी के बावजूद राष्ट्रीय चेतना लाने में बड़ी भूमिका निभाई थी। स्वतंत्रता आंदोलन के दिनों में अखबारों ने संगठन और नेतृत्वकर्ता दोनों की ही भूमिका निभाई थी। लेकिन अब एक नया वक्त है और नए वक्त में मीडिया ने भी नया रूप ले लिया है। अब मीडिया हाउस अरबों रुपए के कारोबार में तब्दील हो गए हैं। इनमें भारी मात्रा में देसी-विदेशी पूंजी लगी है और कई मीडिया हाउस अब पूंजी बाजार में हैं। इनके शेयर खरीदे और बेचे जाते हैं और इनके लिए बैलेंस शीट, टॉप लाइन-बॉटम लाइन (आमदनी और मुनाफा) का महत्त्व कितना ज्यादा है, इसका अंदाजा लगाया जा सकता है।

कितना बड़ा है मीडिया और मनोरंजन का कारोबार

भारत में मीडिया और मनोरंजन व्यवसाय का आकार 2009 में 587 अरब रुपए हो गया था।[133] भारत में यह सबसे तेजी से बढ़ते कारोबार में से एक है। दरअसल नई अर्थव्यवस्था के साथ इस कारोबार के तार जुड़े हैं और मध्यवर्ग का आकार बढ़ने के साथ ही इस कारोबार में लगातार तेजी आई है। अर्थव्यवस्था में तेजी और आबादी की संरचना में आ रहे बदलाव का फायदा भी इस उद्योग को मिला है। भारत में मीडिया और मनोरंजन व्यवसाय ने तेजी से तरक्की करने की होड़ में भारतीय अर्थव्यवस्था को भी पीछे छोड़ दिया है। हाल के वर्षों के आंकड़ों की तुलना से इसे समझा जा सकता है। 2004 से 2008 के बीच जी.डी.पी. की विकास दर 14.48 प्रतिशत रही, जबकि मीडिया और मनोरंजन व्यवसाय की विकास दर इसी दौरान 16.6 प्रतिशत रही।[134]

आर्थिक मंदी की वजह से भारतीय मीडिया और मनोरंजन व्यवसाय को एक झटका तो लगा लेकिन प्राइस वाटर हाउस कूपर्स ने अनुमान लगाया है कि इस मंदी से उबरने में उसे देर नहीं लगेगी। इस रिपोर्ट के मुताबिक 2009 से 2013 के बीच भारतीय मीडिया और मनोरंजन व्यवसाय में सालाना 11 प्रतिशत की बढ़ोतरी होगी। जबकि इसी दौरान विश्व स्तर पर यह कारोबार 2.7 प्रतिशत की दर से ही बढ़ेगा। दुनिया के ज्यादातर विकसित देशों में जब मीडिया ठहराव का शिकार है तब भारतीय मीडिया इंडस्ट्री में तेजी से विकास के संकेत हैं। विज्ञापन के बाजार में भी ऐसा ही रुझान रहने का अनुमान लगाया गया है।[135]

मीडिया-मनोरंजन में जब दुनिया भर में सुस्ती है तब भारत में इस कारोबार को लेकर इतनी गुलाबी तस्वीर खींचने का आधार क्या है? के.पी.एम.जी. और प्राइस वाटर हाउस कूपर्स दोनों का ही मानना है कि भारत में अर्थव्यवस्था अब भी विकास के रास्ते पर है, जबकि दुनिया के ज्यादातर विकसित देश अर्थव्यवस्था में ठहराव से जूझ रहे हैं। मीडिया और मनोरंजन उद्योग को लेकर सकारात्मक भविष्य देखने के पीछे दूसरा आधार यह है कि भारत में युवाओं की आबादी बहुत अधिक है और यह आबादी मीडिया-मनोरंजन कारोबार के लिए महत्त्वपूर्ण उपभोक्ता है। देश की 70 प्रतिशत आबादी 35 साल से कम उम्र की है।[136] कंसल्टेंसी फर्मों को लगता है कि उत्पादक आयु वर्ग वाली इतनी बड़ी आबादी भारत में मीडिया और मनोरंजन उद्योग की रफ्तार को थमने नहीं देगी। शहरीकरण की तेज होती रफ्तार से भी मीडिया और मनोरंजन कारोबार को काफी उम्मीदें हैं। भारतीय शहरी गरीबी पर यू.एन.डी.पी. की रिपोर्ट के हवाले से पी.डब्ल्यू.सी. ने कहा है कि अभी तो भारत में सिर्फ 28 प्रतिशत आबादी शहरों में रहती है, लेकिन 2030 तक शहरी और कस्बाई आबादी देश की

कुल आबादी का 41 प्रतिशत हो जाएगी।[137]

भारत में अभी मीडिया का पूरा विस्तार भी नहीं हुआ हैं। जो लोग मीडिया व्यवसाय के लिए खरीदार हो सकते हैं, वे भी अभी मीडिया की पहुंच से बाहर हैं। देश में लगभग 36 करोड़ ऐसे लोग हैं जो किसी एक भाषा को समझ और पढ़ सकते हैं, लेकिन कोई भी अखबार या पत्रिका नहीं पढ़ते।[138] यानी मीडिया और खासकर प्रिंट मीडिया की तरक्की की कहानी पश्चिमी देशों में खत्म हो चुकी है या आखिरी अध्याय में है, जबकि भारत में ऐसा नहीं है। भारत में एक ऐसा वर्ग है जो मीडिया के साथ खरीदार का रिश्ता जोड़ सकता है। इस तबके पर तमाम मीडिया प्लानर्स की नजर है। भारतीय मीडिया, खासकर गैर-अंग्रेजीभाषी मीडिया में हुए विदेशी निवेश और मीडिया कंपनियों के एक के बाद एक आ रहे आई.पी.ओ. के पीछे भी एक कारण यह संभावित बाजार है।

प्रिंट मीडिया का कारोबार

अखबारों से भारत के लोगों का बेहद गहरा नाता है। छपे हुए शब्द की भारतीय जनमानस में काफी बड़ी सत्ता है। भारत में समाचार-पत्र-पत्रिकाओं के 35 करोड़ पाठक हैं। दुनिया में चंद देश ही हैं, जिनकी कुल आबादी इतनी है। भारत समाचार-पत्र-पत्रिकाओं का दुनिया में दूसरा सबसे बड़ा बाजार है। लेकिन समाचार-पत्र-पत्रिकाओं की बहुत बड़ी संख्या के कारण यह कई मायने में काफी असंगठित बाजार है। भारत में प्रिंट मीडिया के विकास की दर दुनिया के ज्यादातर विकसित देशों से तेज है। भारत में प्रिंट माध्यम में अखबारों का दबदबा है और फिक्की-के.पी.एम.जी. का अनुमान है कि आने वाले कुछ वर्षों में यह ट्रेंड बदलने वाला नहीं है। प्रिंट माध्यम के कुल राजस्व का 92 प्रतिशत अखबारों के हिस्से जाता है और बाकी 8 प्रतिशत पत्रिकाओं को मिलता है।[139]

हालांकि यह बात महत्त्वपूर्ण है कि मीडिया को मिलने वाले कुल विज्ञापनों में प्रिंट मीडिया का हिस्सा घटने का सिलसिला जारी है। पिच-मेडिसन सर्वे के मुताबिक 2008 में प्रिंट मीडिया को मिलने वाला विज्ञापन कुल विज्ञापन का 47.4 प्रतिशत रह गया जो एक साल पहले 47.9 प्रतिशत हुआ करता था। दो साल में प्रिंट मीडिया के विज्ञापनों के हिस्से में एक प्रतिशत की कमी आई है। इसकी वजह टी.वी., रेडियो और इंटरनेट के विज्ञापनों में हुई बढ़ोतरी है।[140] फिक्की-के.पी.एम.जी. की रिपोर्ट भी मिलते-जुलते नतीजे पर पहुंची है। इस रिपोर्ट के मुताबिक 2006 में विज्ञापन बाजार के 51.3 प्रतिशत पर प्रिंट मीडिया का कब्जा था, जो 2009 में घटकर 46.8 प्रतिशत रह गया है। जाहिर है नए मीडिया प्लेटफॉर्म के आने के बाद विज्ञापनों में हिस्सेदारी

बंटाने वालों की संख्या बढ़ी है और इसका नकारात्मक असर प्रिंट मीडिया पर हुआ है, लेकिन पश्चिमी देशों के बाजार के उलट भारत और चीन जैसे देशों में प्रिंट मीडिया का विकास अभी भी जारी है। यानी आने वाले दिनों में भारत में प्रिंट मीडिया का असर और उसकी ताकत बढ़ने वाली है। जो नेता अब भी चुनाव के दौरान अखबारों की अनदेखी कर रहे हैं, उनको आने वाले दिनों में अपनी राय बदलनी पड़ सकती है।

स्थानीय बाजार और भारतीय भाषा का गणित

देश की राजधानी दिल्ली और आर्थिक राजधानी मुंबई के प्रिंट माध्यम को देखकर ऐसा भ्रम हो सकता है कि भारतीय समाचार-पत्र राष्ट्रीय खबरों के बूते चलते हैं। लेकिन इन शहरों से 100 किलोमीटर दूर मीडिया का एक और चेहरा नजर आता है। यह चेहरा है स्थानीय खबरों के दबदबे का। हाल के वर्षों में अखबारों में कुल मिलाकर स्थानीय सामग्री के लिए जगह बढ़ी है। अखबार स्थानीय हुए हैं। ज्यादातर बड़े मीडिया समूहों ने बड़ी संख्या में स्थानीय संस्करण शुरू किए हैं और अखबारों के जिला संस्करण अब बेहद लोकप्रिय परिघटना है। हर जिले के लिए कई-कई पेज का कवरेज अखबार कर रहे हैं।

इसका असर कई और रूप में देखने को मिला है। जिन इलाकों में पहले छोटे और मझोले माने जाने वाले अखबार ही पहुंचते थे, वहां अब बड़े ब्रांड पहुंचने लगे हैं। स्थानीय होने की होड़ में ये अखबार पहले से जमे स्थानीय अखबारों को कड़ी टक्कर दे रहे हैं। इस वजह से छोटे शहरों और कस्बों तक में प्राइस वार जैसी परिघटनाएं देखने में आ रही हैं। नए बाजार में घुसने की कड़ी होड़ है और इस दौड़ में सफल होने के लिए मार्केटिंग के सारे तौर-तरीके आजमाए जा रहे हैं। महीनों तक मार्केट सर्वे करने के बाद अखबार निकाले जा रहे हैं। नए लॉञ्च से पहले शहरों को होर्डिंग से पाट दिया जाता है। कोई अखबार पाठकों को बाल्टी दे रहा है तो कोई रजाई तो कोई घड़ी। डिस्ट्रीब्यूटर्स और हॉकर्स के लिए भी ऑफर्स की भरमार है। कई-कई महीने तक अखबार मुफ्त में बांटे जा रहे हैं। कई अखबार ग्राहक बनाने के लिए जितने रुपए ले रहे हैं, उससे ज्यादा कीमत के तोहफे दे रहे हैं।

इस समय छोटे-बड़े सभी मीडिया हाउस की नजर तेजी से बढ़ते भारतीय बाजार के उन ठिकानों पर है, जहां अब तक विज्ञापनदाताओं की नजर नहीं थी। मझोले और छोटे शहरों में आबादी के बढ़ने की रफ्तार बड़े शहरों के मुकाबले तेज है। इस वजह से छोटे और मझोले शहर भविष्य के मीडिया प्लान में महत्त्वपूर्ण

हो गए हैं। एक और बात ध्यान देने की है कि इन इलाकों में खासकर भारतीय भाषा के अखबारों का दबदबा है।[141] शहरों के अलावा गावों में भी साक्षरता बढ़ी है। देश की 69 प्रतिशत आबादी गांवों में रहती है और देश की साक्षरता दर 73 प्रतिशत तक पहुंचने की वजह से गांव भी मीडिया के लिए एक बड़ा बाजार बन सकता है। गांवों में मध्य और उच्च आय वर्ग के लोगों की बढ़ती संख्या की वजह से प्रति व्यक्ति उपभोग भी बढ़ा है। के.पी.एम.जी. ने अपनी रिपोर्ट में राष्ट्रीय सांख्यिकी संगठन के हवाले से कहा है कि 2005-06 में ग्रामीण इलाकों में प्रति व्यक्ति उपभोग में 12 प्रतिशत की बढ़ोतरी हुई जबकि इसी दौरान शहरों में प्रति व्यक्ति उपभोग 9.8 प्रतिशत ही बढ़ा।[142] प्रिंट मीडिया की पहुंच की बात करें तो शहरों में इसकी पहुंच 57 प्रतिशत है जबकि गांवों में प्रिंट मीडिया की पहुंच अभी 30 प्रतिशत ही है। के.पी.एम.जी. का मानना है कि जिस मार्केट में बढ़ने की संभावना ज्यादा है, वह ग्रामीण मार्केट है।

इस समय भारतीय मीडिया में सर्कुलेशन और रेवेन्यू मॉडल में एक बड़ी विसंगति है। विज्ञापनों का आधार माल और सेवाओं की खपत को माना जाता है। लंबे समय तक मान्यता रही कि उच्च और मध्यवर्ग की बड़ी संख्या की वजह से महानगरों में माल और सेवाओं की खपत काफी ज्यादा होती है। महानगरों से छपने और वहां बिकने वाले प्रकाशनों को ज्यादा और महंगे विज्ञापन इसी कारण और इसी तर्क के आधार पर मिलते हैं। लेकिन नेशनल काउंसिल फॉर एप्लाएड इकोनॉमिक रिसर्च (एन.सी.ए.आई.आर.) के एक अध्ययन से यह बात सामने आई कि देश के छह महानगर उत्पाद और सेवाओं का 30 प्रतिशत इस्तेमाल करते हैं जबकि विज्ञापनों पर खर्च की जाने वाली कुल रकम का 60 प्रतिशत इन महानगरों में खर्च होता है। अभी तक ऐसा चलता रहा है। लेकिन टीयर-2 और टीयर-3 शहरों में तेजी से हो रहे विकास को देखते हुए किसी भी विज्ञापनदाता के लिए सिर्फ महानगरों पर इतना संसाधन केंद्रित करना संभव नहीं रह जाएगा। ऐसे में पी.डब्ल्यू.सी. और के.पी.एम.जी. जैसे कंसल्टेंट्स को लगता है कि जो प्रकाशन छोटे और मझोले शहरों में मजबूत उपस्थिति के साथ होंगे, उनमें विज्ञापनों का प्रवाह देर-सबेर बढ़ेगा, क्योंकि इन शहरों की न सिर्फ आबादी बल्कि वहां रह रहे लोगों की खर्च करने की क्षमता भी बढ़ रही है। विज्ञापनदाता लंबे समय तक इस बाजार की अनदेखी नहीं कर पाएंगे। एन.सी.ए.आई.आर. के आंकड़े बताते हैं कि छोटे और मझोले शहरों में मध्य और उच्च आय वर्ग के लोगों की कुल संख्या बड़े शहरों में उच्च और मध्य आयवर्ग वालों की संख्या से दोगुनी है।[143]

विज्ञापनदाताओं के लिए स्थानीय अखबारों की कुछ समय तक अनदेखी करना तो शायद संभव हो, लेकिन राजनीतिक दलों के लिए ऐसा करना मुमकिन नहीं है।

कस्बों और गांवों तक फैले अपने जनाधार और वोटरों तक पहुंचने के लिए स्थानीय अखबार उनके सामने महत्त्वपूर्ण माध्यम के तौर पर मौजूद हैं। कोई एक भी दल या नेता अगर इस माध्यम का इस्तेमाल करने लगता है कि तो बाकी दलों और नेताओं के लिए भी ऐसा करने की मजबूरी हो जाती है। पेड न्यूज की सबसे ज्यादा शिकायतें अगर स्थानीय स्तर पर प्रकाशित होने वाले भारतीय भाषा के अखबारों को लेकर आईं, तो इसके मूल में इन अखबारों की व्यापक पहुंच ही है।

सर्कुलेशन के राजा, पर बाजार के नहीं

भारतीय मीडिया उद्योग में पाठकों की संख्या और विज्ञापन का सीधा रिश्ता नहीं है। अगर रिश्ता सीधा होता तो विज्ञापनों का काफी बड़ा हिस्सा हिंदी और भारतीय भाषा के अखबारों के हिस्से आता। भारत में लगभग 62,000 अखबार छपते हैं। उनमें से 92 प्रतिशत हिंदी और भारतीय भाषाओं के हैं।[144] लेकिन जब विज्ञापनों की बारी आती है तो अंग्रेजी प्रकाशनों की बढ़त साफ नजर आती है। सरकार भी विज्ञापन देते समय अंग्रेजी पत्र-पत्रिकाओं को सर्कुलेशन की तुलना में काफी ज्यादा विज्ञापन देती है। केंद्र सरकार के प्रावधानों के मुताबिक अखबारों को दिए जाने वाले विज्ञापनों का 30 प्रतिशत अंग्रेजी के प्रकाशनों को दिया जाता है, जबकि हिंदी और अन्य भारतीय भाषाओं का हिस्सा 35-35 प्रतिशत है।[145]

आई.आर.एस. यानी इंडियन रीडरशिप सर्वे 2009, राउंड-2 ने एक बार फिर यह बात साबित कर दी कि भारतीय प्रिंट मीडिया में संख्या की दृष्टि से भारतीय भाषा के प्रकाशनों का बोलबाला है। यह बोलबाला अखबारों में भी है और पत्रिकाओं में भी। इस मामले में आई.आर.एस. 2009 का दूसरा राउंड छह महीने पहले हुए राउंड से कोई अलग कहानी नहीं कहता। ज्यादातर प्रकाशनों ने रैंकिंग लिस्ट में अपनी पुरानी स्थिति को कायम रखा है।

देश के सबसे ज्यादा पढ़े जाने वाले 10 अखबारों में अंग्रेजी का कोई अखबार नहीं है। टॉप 20 लिस्ट में सिर्फ टाइम्स ऑफ इंडिया है, जिसे 11वां स्थान हासिल है। देश में सबसे ज्यादा पढ़े जाने वाले चार अखबारों में से सभी—*दैनिक जागरण, दैनिक भास्कर, अमर उजाला* और *हिंदुस्तान*—हिंदी के हैं। इसके अलावा टॉप 20 लिस्ट में दो और हिंदी अखबार हैं, *राजस्थान पत्रिका* और *पंजाब केसरी*। टॉप 20 में तीन अखबार *लोकमत, सकाल* और *पुण्य नगरी* मराठी के हैं। *डेली तंती, दिनाकरन* और *दिनामलार* तमिल अखबार हैं। सबसे ज्यादा बिकने वाले अखबारों में *इनाडू* और *साक्षी* तेलुगु के हैं और *मलयाला मनोरमा* तथा *मातृभूमि* मलयालम भाषा के हैं। इस लिस्ट में बांग्ला का *आनंद बाजार पत्रिका*, अंग्रेजी का *टाइम्स ऑफ इंडिया*, गुजराती

का *गुजरात समाचार* और कर्नाटक का *विजय कर्नाटक* भी है। पत्रिकाओं में भी 66.3 लाख की रीडरशिप के साथ *सरस सलिल* पहले नंबर पर कायम है।

आई.आर.एस. का सर्वे एक बार फिर बताता है कि भारतीय प्रिंट मीडिया में जब पढ़ने वालों की संख्या की बात हो तो भारतीय भाषाओं का जवाब नहीं है। संख्या का फर्क इतना ज्यादा है कि देश के सबसे ज्यादा पढ़े जाने वाले अखबार *दैनिक जागरण* को पढ़ने वालों की संख्या (5,47,91,000) अंग्रेजी के सबसे बड़े अखबार *टाइम्स ऑफ इंडिया* के पाठकों की कुल संख्या (1,35,32,000) से लगभग चार गुना है।[146] टॉप 20 की लिस्ट में सिर्फ एक नया अखबार है *साक्षी*। आंध्र प्रदेश के पूर्व मुख्यमंत्री वाई.एस. राजशेखर रेड्डी के बेटे जगन मोहन रेड्डी का अखबार 2008 में लॉन्च हुआ और आई.आर.एस. 2009, राउंड-2 के मुताबिक इसके पाठकों की संख्या सवा करोड़ से ज्यादा है। इस सर्वे में *साक्षी* को पाठकों की संख्या की दृष्टि से देश का 13वें नंबर का अखबार माना गया। इस अखबार की वजह से तेलुगु भाषा के समाचार पढ़ने वालों की कुल संख्या में भी खासी बढ़ोतरी हुई। इस तरह पता चलता है कि हिंदी के समाचार-पत्रों की पाठक संख्या अंग्रेजी समाचार-पत्रों के पाठकों की तुलना में लगभग चार गुना है।[147]

सर्कुलेशन और पाठक संख्या के आंकड़े बताते हैं कि प्रिंट मीडिया में हिंदी और दूसरी भारतीय भाषाओं के प्रकाशनों का दबदबा है। लेकिन जब बात विज्ञापन और राजस्व की होती है तो गणित उलट जाता है। फर्क सिर्फ विज्ञापन दरों में नहीं है। कई तरह के विज्ञापन, जो अक्सर महंगे भी होते हैं, हिंदी या भारतीय भाषाओं के प्रकाशनों को नहीं मिलते। हिंदी समाचार-पत्र उद्योग हालांकि इस उम्मीद में है कि आने वाले समय में विज्ञापन दर और राजस्व को लेकर अंग्रेजी और हिंदी का फर्क कम होगा। लेकिन अब भी फासला इतना बड़ा है कि इसे पूरा होने में लंबा समय लग सकता है और पक्के तौर पर यह भी नहीं कहा जा सकता कि एक दिन ऐसा आएगा जब हिंदी और अंग्रेजी के समाचार-पत्र की विज्ञापन दर समान हो जाएगी। यह भारतीय प्रिंट मीडिया की एक ऐसी समस्या है, जो कई और समस्याओं की वजह बनती है। पेड न्यूज की समस्या अगर भारतीय भाषा के प्रेस में ज्यादा गंभीरता से नजर आ रही है, तो इसकी एक वजह मीडिया और विज्ञापनों से जुड़ा अर्थशास्त्र भी है, जो भारतीय भाषाओं के प्रकाशनों के खिलाफ झुका हुआ है।

बाजार की चुनौतियां और मीडिया की रणनीति

पिछले दो दशकों में यानी उदारीकरण के बाद के दौर में मीडिया के सामने एक

नया अवसर (जो कई मायने में नई तरह की चुनौती भी है।) आया है। मीडिया व्यवसाय में पैसे का महत्त्व बढ़ने और बड़े पैमाने पर निवेश की जरूरत महसूस होने के साथ ही मीडिया कंपनियों ने कई रास्ते चुने हैं। कई मीडिया कंपनियों ने विदेशी कंपनियों को हिस्सेदारी बेची है तो कुछ ने पूंजी बाजार से पैसा उठाने की रणनीति अपनाई है। ऐसे भी मीडिया हाउस हैं जिन्होंने दोनों ही रणनीतियों पर काम किया। 2008-09 में समाचार और समसामयिक विषयों के क्षेत्र में काम करने वाली कंपनियों में प्रत्यक्ष विदेशी निवेश के 15 प्रस्तावों को केंद्र सरकार ने मंजूरी दी।[148] कंपनियों ने कर्ज के जरिए भी काफी पैसा जुटाया। मीडिया में कंसोलिडेशन (यानी बड़े खिलाड़ियों का वर्चस्व बढ़ना) का दौर चल रहा है। ऐसे में छोटे खिलाड़ियों के लिए बाजार में टिकना कठिन हो रहा है।

जिन मीडिया हाउस के पास ढेर सारे उत्पाद हैं, उनके लिए संचालन भी सस्ता है और मार्केटिंग भी आसान है। विज्ञापनों के लिए भी तरह-तरह के पैकेज देने में ऐसे मीडिया हाउस बेहतर स्थिति में हैं। मिसाल के तौर पर, कोई कंपनी एक चैनल चलाती है तो उसके लिए संचालन खर्च काफी ज्यादा होगा। उसके मुकाबले कई चैनल एक साथ चलाने वाली कंपनियों को कई फायदे हैं। मिसाल के तौर पर, उसका काम एक ही दफ्तर से चलता है, उसके रिपोर्टर का लाया हुए एक समाचार कई चैनलों पर चल सकता है, एक ही फुटेज कई जगह काम आता है, एक ही लाइब्रेरी सभी चैनलों की जरूरत पूरी करती है। एंकर और रिपोर्टर्स का पूल बनाकर भी कंपनियां खर्च घटाती हैं। समाचार और टी.वी. एजेंसियों के साथ पैकेज डील करने में भी उन्हें आसानी होती है। ये तो चंद तरीके हैं, जिसके जरिए बड़े मीडिया समूह अपने खर्च को सीमित कर पाते हैं और संसाधनों और मैनपावर का ज्यादा इस्तेमाल कर पाते हैं। विज्ञापन जुटाने के लिए भी कई चैनल वाले मीडिया समूहों को आसानी होती है और वे विज्ञापनों का पैकेज डील कर पाते हैं। अगर कोई मीडिया हाउस एक साथ टेलीविजन, प्रिंट और इंटरनेट के कारोबार में है, तो वे ऐसे मीडिया हाउस के मुकाबले बेहतर स्थिति में हैं, जो सिर्फ एक ही तरह के मीडिया कारोबार में हैं। हर तरह का विज्ञापन मंच उपलब्ध कराने वाले मीडिया समूहों के लिए विज्ञापन बाजार ज्यादा अनुकूल होता है। विज्ञापन देने वालों के लिए यह किसी मॉल की तरह है, जहां ग्राहक (विज्ञापनदाता) को एक साथ हर तरह का सामान मिल जाता है। बाजार और मीडिया कारोबार का पूरा तंत्र छोटे मीडिया समूहों और इस व्यवसाय में नए आने वालों के खिलाफ झुका हुआ है।

जब बड़ा होना बाजार की जरूरत हो, तो पैसा जुटाने का महत्त्व समझा जा सकता है। पूंजी बाजार से पैसा उठाने में प्रिंट और टी.वी. दोनों तरह की मीडिया

कंपनियां हैं (हालांकि ऐसी मीडिया कंपनियां भी हैं जो एक साथ दोनों तरह का कारोबार करती हैं)। मीडिया कंपनियों का बिजनेस और उनका आकार लगातार बढ़ा है। फरवरी 2010 के तीसरे हफ्ते के आखिर में शेयर बाजार के आंकड़ों को देखें तो सन टी.वी. का मार्केट कैपिटलाइजेशन (बाजार पूंजीकरण) 14,665 करोड़ रुपए था। एक समय था जब मुख्यरूप से कोई और कारोबार करने वाली बड़ी कंपनियां मीडिया भी चलाती थीं। भारत में आजादी के बाद भी कई साल तक यही चलन रहा। भारतीय प्रेस को आजादी के बाद के शुरुआती वर्षों में इसी वजह से *जूट और स्टील प्रेस* कहा गया। लेकिन अब सिर्फ मीडिया या मुख्य रूप से मीडिया का कारोबार करने वाली कंपनियां काफी बड़ी हो गई हैं। मीडिया कंपनियां अब अरबों का कारोबार कर रही हैं।

अंदाजा लगाया जा सकता है कि जब मीडिया कंपनियों पर इतने बड़े दांव लगे हों तो उन पर बाजार के कितने तरह के दबाव हो सकते हैं। इस पूंजीकरण में प्रमोटर के साथ ही देशी-विदेशी वित्तीय संस्थाओं, म्युचुअल फंड और छोटे-बड़े व्यक्तिगत निवेशकों का भी हिस्सा होता है। हर कारोबारी दिन इन कंपनियों के शेयर खरीदे और बेचे जाते हैं। कंपनी की आर्थिक सेहत समेत कई और कारणों से इनकी कीमत चढ़ती-गिरती है। अगर कोई कंपनी किसी तिमाही में या किसी साल में अच्छा कारोबारी नतीजा न दे तो उसके शेयर के भाव इस वजह से नीचे गिर सकते हैं और जिनका भी पैसा इन कंपनियों में लगा है, उनकी जेब हल्की हो सकती है। किसी कंपनी के अच्छे कारोबारी नतीजे देख उस कंपनी के शेयर चढ़ भी जाते हैं। चैनलों की टी.आर.पी. या अखबारों के सर्कुलेशन और विज्ञापन आमदनी समेत कई पहलू हो सकते हैं, जिनसे इन कंपनियों के शेयर चढ़ या गिर सकते हैं।

फरवरी 2010 के तीसरे हफ्ते के आखिर में कुछ और मीडिया कंपनियों पर नजर डालें तो डी.बी. कॉर्प (*दैनिक भास्कर* समूह की कंपनी) का बाजार पूंजीकरण 4,191 करोड़ रुपए था तो जागरण प्रकाशन का 3,611 करोड़ रुपए, डेक्कन क्रोनिकल का 3,606 करोड़ रुपए, एच.टी. मीडिया का 3,408 करोड़ रुपए, आई.बी.एन.-18 का 1,879 करोड़ रुपए, यू.टी.वी. का 1,659 करोड़ रुपए और एन.डी.टी.वी. का 792 करोड़ रुपए था। जाहिर है कि मीडिया अब बहुत बड़ा कारोबार बन चुका है और इसमें लाखों लोगों का करोड़ों-अरबों रुपया लगा है। जो मीडिया हाउस शेयर बाजार में लिस्टेड नहीं हैं, उनके ऊपर भी हिस्सेदारों की तरफ से कमाने का भारी दबाव है।

दिग्गजों का बोलबाला, नए की नो-एंट्री

मीडिया मोनोपोली नामक चर्चित किताब के लेखक और पुलित्जर पुरस्कार विजेता

बेन बैग्डिकियान के मुताबिक आधुनिक लोकतंत्र में राजनीति और विचार के क्षेत्र में विविधता होनी चाहिए ताकि लोग उनके बीच चुनाव कर सकें। इसके लिए जरूरी है कि लोगों तक समाचार, साहित्य, मनोरंजन और लोकसंस्कृति अलग-अलग और प्रतिस्पर्धी स्रोतों के जरिए पहुंचे।[149] मीडिया में विविधता के महत्त्व को यह बात जोरदार तरीके से रेखांकित करती है। विविधता और प्रतिस्पर्धा की बुनियादी शर्त है कि नए कारोबारियों के लिए मीडिया स्थापित करना मुश्किल नहीं होना चाहिए। लेकिन दुनिया के कई और देशों की तरह ही भारत में भी मीडिया बाजार प्रतिस्पर्धी नहीं है। इसकी सबसे बड़ी वजह ये है कि मीडिया का अर्थशास्त्र बड़े खिलाड़ियों के पक्ष में झुका हुआ है। अखबार और चैनल शुरू करने का खर्च काफी ज्यादा है लेकिन जैसे-जैसे कोई मीडिया उत्पाद ज्यादा लोगों तक पहुंचता है, खर्च घटता चला जाता है। मिसाल के तौर पर अखबार में पहली कॉपी के बाद छापी गई हर कॉपी के साथ अखबार की औसत लागत घटती चली जाती है। इसके अलावा एक मीडिया समूह जब कई अलग-अलग उत्पाद निकालता है, तो भी उसके उत्पादों की औसत लागत घट जाती है।[150]

देश के सबसे ज्यादा बिकने वाले सभी अखबार बड़े मीडिया समूहों के हाथों में हैं। पिछले कुछेक दशकों में अस्तित्व में आए किसी मीडिया समूह का अखबार टॉप 10 की लिस्ट में नहीं है। मीडिया में यह प्रवृत्ति विश्वव्यापी है। खासकर अखबारों के कारोबार में किसी नए खिलाड़ी के लिए जगह बना पाना बेहद मुश्किल और लगभग नामुमकिन है। कहने को देश में कोई भी चाहे तो अपना अखबार चला सकता है। पहली नजर में लग सकता है कि प्रकाशन शुरू करना मुश्किल काम नहीं है। लेकिन अखबार उद्योग की अर्थव्यवस्था ऐसी है कि किसी भी अखबार को जमने के लिए यानी बिना घाटे की हालत में पहुंचने में दो साल तक का समय लग जाता है।[151] इस दौरान उसका सर्कुलेशन जितना ज्यादा होगा, उसका घाटा उतना ही बड़ा होगा, क्योंकि शुरुआती समय में विज्ञापन मिलना आसान नहीं होता। घाटा कम करने के लिए अखबार का प्रबंधन प्रिंट ऑर्डर कम रखना चाहेगा। लेकिन प्रिंट ऑर्डर छोटा है और अखबार ज्यादा लोगों तक नहीं पहुंच रहा है तो उसे इस वजह से पर्याप्त संख्या में और अच्छी दर वाले विज्ञापन नहीं मिल पाएंगे।

ऐसे में कोई भी अखबार व्यावसायिक रूप से सफल हो पाए, इसके लिए अखबार मालिक को कम-से-कम शुरुआती दो साल तक भारी घाटा उठाने के लिए तैयार होना चाहिए। नए खिलाड़ियों के लिए मीडिया कारोबार में आना इस कदर मुश्किल है कि कुछ मीडिया विश्लेषक इसे एक अदृश्य सेंसरशिप करार देते हैं क्योंकि जिन सामाजिक समूहों के पास सीमित पैसा है, वे प्रतियोगिता में शामिल नहीं हो सकते।[152] भारतीय संदर्भ में देखें तो ग्रामीणों, दलितों, आदिवासियों, पिछड़ी जातियों

और मुस्लिमों के हित की बात करने वाला मीडिया शायद इसलिए भी मौजूद नहीं है क्योंकि ये समुदाय आर्थिक रूप से अपेक्षाकृत कमजोर हैं।

बड़े मीडिया हाउस किसी नए अखबार के रास्ते में कई तरह की मुसीबतें खड़ी कर सकते हैं। वे ज्यादा वेतन देकर नए अखबार के कर्मियों को तोड़ सकते हैं। डिस्ट्रीब्यूटर्स पर इस बात के लिए दबाव डाल सकते हैं कि वे नया अखबार न उठाएं। बड़े और आर्थिक रूप से ताकतवर मीडिया समूहों के हाथ में सबसे घातक हथियार है प्राइस वार। यानी कीमत कम करके दूसरे अखबार को भी कीमत कम करने के लिए बाध्य करना। इस खेल में जिस अखबार का धैर्य पहले चूका, उसका खेल बिगड़ सकता है, खत्म हो सकता है। प्राइस वार में टिकने का धैर्य उसी के पास ज्यादा होता है, जिसके पास विज्ञापन का ज्यादा पैसा होता है और जिसकी जेब भारी होती है। जो अखबार अपनी आमदनी के लिए सर्कुलेशन के पैसे पर कम निर्भर है, वह प्राइस वार में जीतने के लिए बेहतर हालत में होता है क्योंकि वह कीमत को न्यूनतम स्तर पर ले जाने के बाद भी विज्ञापन से मिलने वाले पैसे की वजह से पन्ने बढ़ा सकता है, पाठकों और हॉकरों के लिए लुभावने स्कीम चला सकता है और तोहफे बांटने का खर्चा उठा सकता है।

प्राइस वार का दर्द सिर्फ छोटे या नए शुरू होने वाले अखबारों को नहीं उठाना पड़ता है। बड़े-बड़े मीडिया हाउस की हालत प्राइस वार में खराब हो जाती है। देश के सबसे बड़े और प्रतिष्ठित अंग्रेजी अखबारों में से एक *द हिंदू* को चलाने वाली कंपनी कस्तूरी ऐंड संस के एम.डी. एन. मुरली से जानिए कि यह खेल कितना खतरनाक है :

> *भारत के सबसे बड़े अंग्रेजी अखबार ने कुछ साल पहले खास मार्केट में एक प्राइस वार शुरू किया। इस वजह से विज्ञापन और सर्कुलेशन से होने वाली आमदनी का संतुलन और बिगड़ गया। एक और खतरनाक बात है कि जो जीतता है, वह सारा माल ले जाता है। ज्यादातर मार्केट में पहले नंबर का और कुछ मार्केट में पहले और दूसरे नंबर के अखबार विज्ञापन की लगभग सारी मलाई बटोर ले जाते हैं। बाकी खिलाड़ियों के हिस्से छाछ ही आती है।*[153]

भारतीय प्रेस परिषद की राय में भी प्राइस वार एक खतरनाक प्रवृत्ति है। पत्रकारों के लिए दिशानिर्देश जारी करते हुए परिषद ने प्राइस वार की आलोचना की है। परिषद की राय में :

> *हालांकि समाचार-पत्रों को विधिसम्मत तरीकों से अपनी वित्तीय स्थिति को बेहतर बनाने का हक है, लेकिन प्रेस को खुल्लमखुल्ला व्यावसायिकता और प्रतिद्वंद्वी अखबारों के साथ ऐसी गलाकाट कारोबारी होड़ में शामिल होने*

से बचना चाहिए, जो उच्च पेशेवर मानदंडों के खिलाफ हो और सुरुचिपूर्ण न हो।...अखबारों के बीच एक दूसरे का बाजार हड़पने के लिए जो प्राइस वार/कारोबारी होड़ चल रही है वह गलत कारोबारी व्यवहार में तब्दील होती जा रही है और यह पत्रकारीय मूल्यों के खिलाफ है। ये सवाल कि कीमत की होड़ कब अनैतिक हो जाती है, यह अलग-अलग मामलों पर निर्भर है।[154]

ऐसे में कोई भी समझ सकता है कि भारत में मीडिया का लोकतंत्र कितना खोखला है। यह खेल सही मायने में बाजार के नियमों के मुताबिक भी नहीं चल रहा है। मुक्त बाजार का कायदा है कि किसी नए खिलाड़ी के आने की न सिर्फ छूट होनी चाहिए, बल्कि उसे कामयाब होने का भी पर्याप्त मौका होना चाहिए। तभी सही मायने में प्रतियोगिता हो सकती है। लेकिन खासकर प्रिंट मीडिया के बाजार में नए खिलाड़ियो के लिए कामयाबी की गुंजाइश बेहद कम है। पुराने खिलाड़ियों में भी जिनकी जेब हल्की है, वे इस खेल में लंबे समय तक टिक नहीं सकते। बड़े मीडिया समूह लगातार नए क्षेत्रों (मीडिया कारोबार की भाषा में क्षेत्रों को मार्केट कहा जाता है) में अपना विस्तार कर रहे हैं और आक्रामक रणनीति (प्राइस वार, गिफ्ट और आक्रामक मार्केटिंग आदि) के जरिए वित्तीय रूप से अपेक्षाकृत कमजोर अखबारों के लिए मुसीबत खड़ी कर रहे हैं।

ऐसे में पाठकों के पास चुनने के लिए मीडिया उद्योग में सीमित विकल्प हैं और खासकर महानगरों में उपलब्ध विकल्पों में भी ज्यादातर बड़े मीडिया समूहों के उत्पाद हैं। पाठकों के नजरिए से देखा जाए तो मीडिया के बाजार में अखबार और चैनल तो कई हैं लेकिन सही मायने में सूचना, समाचार और विचार के क्षेत्र में चुनने की आजादी बेहद सीमित है। पाठकों या दर्शकों के लिए कई अखबार या चैनल के होने का मतलब अक्सर एक जैसे कई अखबार या एक जैसे कई चैनल होता है। अखबारों और चैनलों के बीच आपस में कंटेंट शेयरिंग की वजह से भी मीडिया में एकरूपता बढ़ी है। अखबार लेख ही नहीं संपादकीय भी शेयर करने लगे हैं। मिसाल के तौर पर लोकमत अपना आर्थिक पन्ना *इकोनॉमिक टाइम्स* से लेता है। उसी तरह *दैनिक भास्कर* ने भी *पायोनियर* के साथ कंटेंट के बंटवारे का समझौता किया था। कई अखबार विदेशी अखबारों के पन्ने जस का तस छापते हैं।

हाल के वर्षों में अखबार अपना कारोबार बढ़ाने और खर्च घटाने के नए नए तरीके ढूंढ़ रहे हैं। इनमें एक है इक्विटी बार्टर डील। ब्रांड प्रमोशन के लिए मीडिया कंपनियां इसका इस्तेमाल करती हैं। इस सिस्टम का मतलब है कि दो या अधिक मीडिया कंपनियां अपने ब्रांड को प्रमोट करने के लिए एक दूसरे के मंच का इस्तेमाल करती हैं। ये मीडिया कंपनियां अलग-अलग तरह के माध्यमों में हो सकती हैं। मिसाल के तौर

पर प्रिंट की एक कंपनी किसी टी.वी. न्यूज कंपनी के साथ ऐसा करार कर सकती है कि दोनों एक दूसरे के मंच पर अपने विज्ञापन दिखाएंगे। इस तरह के करार में अक्सर पैसे का नहीं, एक दूसरे के विज्ञापन छापकर या दिखाकर ही लेन-देन होता है।

बाजार, मीडिया की कारोबारी संरचना और कंटेंट

मीडिया का इलीट चरित्र अब एक ऐसा तथ्य है, जिसे मीडिया संगठन भी नहीं छिपाते। सभी अखबार और चैनल अपने विज्ञापन ब्रोश्योर में बताने की कोशिश करते हैं कि समाज के समृद्ध तबके (एस.ई.सी.ए. यानी सोशियो इकोनॉमिक क्लास-ए) में वे कितने लोकप्रिय हैं। मीडिया के इलीट के पक्ष में झुकाव और यथास्थितिवादी होने की व्याख्या चोमस्की, हरमन, मैकचेस्नी और मिलीबैंड समेत कई विश्लेषकों ने की है। वर्तमान मीडिया विमर्श का यह एक महत्त्वपूर्ण पहलू रहा है। लंदन विश्वविद्यालय में संचार के प्रोफेसर जेम्स करेन ने मीडिया के यथास्थितिवादी होने के लिए जिन 11 कारणों का जिक्र किया है, उनमें से सात कारण ऐसे हैं जिनका मीडिया के कारोबार और कारोबारी ढांचे से लेना-देना है।[155] इन कारणों में वे मीडिया उद्योग में घुसने के लिए ढेर सारे पैसे की जरूरत का जिक्र करते हैं। उनकी राय में महंगा कारोबार होने की वजह में किसी भी गैर-इलीट समूह के लिए मीडिया कारोबार शुरू करना मुश्किल होता है, और यह बात मीडिया की विविधता में बाधक है।

मीडिया में केंद्रीकरण की बढ़ती प्रवृत्ति भी उसके यथास्थितिवादी चरित्र को मजबूत कर रही है। बड़े मीडिया समूहों के बीच अब कई तरह के गठबंधन सामने आ रहे हैं। *टाइम्स ऑफ इंडिया* और *हिंदुस्तान टाइम्स* ने मिलकर दिल्ली में *मेट्रो नाउ* नाम का टेबलॉयड साइज का अखबार चलाया (जो अब बंद हो चुका है)। ज़ी और भास्कर ग्रुप मिलकर मुंबई में *डी.एन.ए.* नाम का अखबार चला रहे हैं। *दैनिक जागरण* और टी.वी. 18 ग्रुप के बीच टी.वी. चैनल चलाने का करार हुआ और इन दोनों समूहों ने मिलकर हिंदी में बिजनेस अखबार निकालने का भी करार किया। कई मीडिया हाउस आपस में कंटेंट शेयर कर रहे हैं। कुछ बड़े मीडिया समूहों के हाथ में मीडिया कंटेंट बनाने से लेकर वितरित करने का काम सिमटता जा रहा है और यह काम राष्ट्रीय और अंतरराष्ट्रीय दोनों स्तरों पर हो रहा है। बड़े कॉरपोरेट समूह सरकार के साथ भी हाथ मिलाकर चलते हैं ताकि कायदे-कानूनों को लेकर उनके कारोबार में कोई बाधा न आए। इस तरह कई हित एक साथ मिल गए हैं, जो मीडिया के उपभोक्ताओं और प्रकारांतर में जनता की चुनने की आजादी को सीमित करता

है। मीडिया करोबार की प्रकृति ऐसी है कि लोगों तक सूचनाएं, समाचार और विचार चंद मीडिया समूह ही पहुंचा रहे हैं और ये मीडिया समूह काफी बड़े हैं।

मीडिया समूहों का कॉरपोरेट स्वामित्व भी मीडिया की दिशा को निर्धारित कर रहा है। इसके अलावा मीडिया कंपनियों ने अपने बोर्ड में बड़े कॉरपोरेट को भी शामिल किया है। इसका असर भी संस्थानों पर पड़ता है। जागरण प्रकाशन के बोर्ड ऑफ डायरेक्टर्स में पेंटालून रिटेल के एम.डी. किशोर बियानी, मैक्डॉनल्ड इंडिया के एम.डी. विक्रम बख्शी, लोडस्टार यूनिवर्सल इंडिया के सी.ई.ओ. शशिधर सिन्हा, मिर्जा इंटरनेशनल के एम.डी. राशिद मिर्जा और रीयल एस्टेट केंसल्टेंसी फर्म जे.एल.एल. मेघराज के चेयरमैन अनुज पुरी शामिल हैं।[156] एच.टी. मीडिया के बोर्ड ऑफ डायरेक्टर्स में अर्न्सट ऐंड यंग इंडिया के पूर्व चेयरमैन के एन मेमानी, आई.टी.सी. लिमिटेड के चेयरमैन वाई.सी. देवेश्वर, पूर्व ब्यूरोक्रेट और अब जे.डी. यू. के सांसद एन.के. सिंह भी हैं।[157] टी.वी. टुडे के बोर्ड में भारती एंटरप्राइज के ज्वाएंट एम.डी. राजन भारती मित्तल और अनिका इंटरनेशनल के एम.डी. अनिल विग शामिल हैं।[158] डी.बी. कॉर्प के बोर्ड ऑफ डायरेक्टर्स में पीरामल एंटरप्राइज ग्रुप के प्रमुख अजय पीरामल शामिल हैं।[159] इन कॉरपोरेट के शेयरधारक और बड़े अधिकारी जिस वर्ग से आते हैं, उसका हित यथास्थिति को बनाए रखने में होता है। मीडिया संस्थान की नीतियां बनाने से लेकर महत्त्वपूर्ण पदों पर नियुक्तियां करने और लोगों को हटाने जैसे तरीकों से वे मीडिया की दिशा तय करते हैं।

इसके अलावा मीडिया इंडस्ट्री में बड़े पैमाने पर उत्पादन की जरूरत ने भी मीडिया की दिशा तय करने में महत्त्वपूर्ण भूमिका निभाई है। इस वजह से कोई भी मीडिया समूह ऐसा उत्पाद बनाने की कोशिश करता है जो ज्यादा से ज्यादा लोगों को पसंद आए। वह इस बात का भी ध्यान रखता है कि उनके ग्राहकों का कोई बड़ा समूह नाराज न हो जाए। मीडिया इंडस्ट्री के लिए सभी ग्राहक बराबर नहीं होते। ग्राहकों के समृद्ध तबकों को आकर्षित करने के लिए भी मीडिया खास तरह की सामग्री देने की कोशिश करता है। और इन सबके ऊपर विज्ञापनों की जरूरत और विज्ञापनदाताओं का दबाव तो है ही। जनसंपर्क पर सरकार और कंपनियों द्वारा किया गया खर्च भी मीडिया को यथास्थितिवादी बनने की ओर धकेलता है।

जेम्स करेन की व्याख्या हालांकि भारत के संदर्भ में नहीं है (मीडिया आलोचना के ये पहलू अमेरिका से लिये गए हैं), लेकिन 21वीं सदी के पहले दशक के बीत जाने के बाद भारतीय मीडिया को लेकर भी ये बातें सही साबित होती हैं। हालांकि करेन नहीं मानते कि मीडिया पर असर डालने वाली सारी चीजें उसे इलीट होने को मजबूर करती हैं। वे ऐसा प्रतिपक्ष भी देखते हैं जो मीडिया के जनपक्षीय होने की दिशा में ले जा सकता है लेकिन दूसरी बहस है।[160]

मीडिया के उद्योग बन जाने की प्रक्रिया का अलग-अलग पक्षों के लिए अलग-अलग मायने हैं।

मीडिया मालिक : मीडिया के उद्योग बनने और इस कारोबार में लगातार बढ़ोतरी होने से सबसे फायदे में यही समूह रहा है। विज्ञापनों से होने वाली आमदनी काफी तेजी से बढ़ी है और मीडिया समूह निरंतर बड़े होते चले गए हैं। लेकिन छोटे मीडिया समूहों के लिए यह बुरा दौर है। मीडिया कारोबार में जिसकी जेब हल्की है, उसके बढ़ने तो क्या बचने की उम्मीद भी कम है। गलाकाट प्राइस वार ने बाजार से कई खिलाड़ियों को बाहर कर दिया है। मीडिया का देश के अंदर और विदेशों तक में विस्तार हुआ है। चंद समूहों का विश्व के मीडिया बाजार में वर्चस्व बढ़ता जा रहा है। यह चलन भारत में भी है। भारत में मीडिया समूहों में शेयर बाजार से रुपए उठाने और विदेशी निवेश लाने के लिए अपनी हिस्सेदारी बेचने का चलन बढ़ा है।

विज्ञापनदाता : मीडिया कारोबार में अब सबसे प्रभावशाली विज्ञापनदाता ही हैं। वे न सिर्फ मीडिया की आमदनी के सबसे बड़े स्रोत हैं बल्कि मीडिया के कंटेंट के निर्धारण में भी निर्णायक भूमिका निभाते हैं। मीडिया समूह ऐसा कुछ भी करने से बचने की कोशिश करते हैं, जो विज्ञापनदाताओं के हितों के खिलाफ हो। ऐसा कोई बड़ा मीडिया उत्पाद बाजार में टिक नहीं सकता, जिसे विज्ञापनदाताओं से पैसे न मिलें। मीडिया समूहों की कुल आमदनी में विज्ञापनों से होने वाली आमदनी का हिस्सा बढ़ते चले जाने (90 प्रतिशत तक पहुंच जाने) का एक असर यह भी हुआ है कि मीडिया उत्पादों की कीमत कम हुई है, अखबारों के पन्ने बढ़े हैं, छपाई सुंदर हुई है, लेकिन वे दर्शकों और पाठकों के हितों को पूरा करें, यह जरूरी नहीं रह गया है। विज्ञापनदाताओं ने मीडिया कारोबार को दर्शकों और पाठकों से आजाद कर दिया है।

पाठक और दर्शक : इस व्यवसाय से जुड़ा सबसे उपेक्षित तबका है मीडिया उत्पादों का ग्राहक यानी पाठक और दर्शक। मीडिया की दशा-दिशा और सामग्री तय करने में उसका पक्ष अब बेहद कमजोर हो चुका है। वह क्या पढ़ना या देखना चाहता है, यह मीडिया हाउस और विज्ञापनदाता मिलकर तय कर देते हैं। कहने को तो दर्शक और पाठक मीडिया उत्पादों का ग्राहक है लेकिन मीडिया इंडस्ट्री में वह बिकने योग्य माल भी है, जिसे विज्ञापनदाता खरीदते है। विज्ञापन के खेल में अखबार या चैनल के लिए हर पाठक की हैसियत भी बराबर नहीं हैं। मीडिया उन पाठकों या दर्शकों के हितों का ज्यादा ध्यान रखने की कोशिश करता है जो शहरी हैं, अमीर हैं और ज्यादा खर्च करने में समर्थ हैं।

संपादक और पत्रकार : समाचार माध्यमों की कारोबारी प्रक्रिया में एक और

पक्ष है जो कमजोर पड़ा है। वह है संपादक नाम की संस्था। अखबारों की दिशा तय करने में एक समय निर्णायक भूमिका निभाने वाले संपादकों की हैसियत अब बेहद कमजोर हो चुकी है। अखबारों में ब्रांड मैनेजर या बिजनेस हेड नाम का एक नया पद आ गया है जो संपादकीय सामग्री के निर्धारण में संपादकों का दिशा-निर्देशन करता है। जिन अखबारों में मालिक संपादक हैं, वहां यह बात साफ तौर पर नजर नहीं आती, लेकिन उन संस्थानों में भी मालिक का प्रबंधन वाला पक्ष संपादक वाले पक्ष पर हावी रहता है। यानी अखबार से जुड़ा कोई फैसला अखबार के व्यावसायिक हितों से प्रभावित होगा, इसकी संभावना ज्यादा है। साथ ही मीडिया समूहों में सांगठनिक ढांचा भी अब ऐसा बनाया जा रहा है, जिसमें पत्रकारों की अलग हैसियत खत्म कर दी गई है। पत्रकारों को भी विज्ञापन, सर्कुलेशन, डिस्ट्रीब्यूशन, मानव संसाधन और दूसरे विभागों की तरह ही एक्जिक्यूटिव और मैनेजर श्रेणी के पद दिए जाते हैं। इस वजह से विज्ञापन विभाग का चीफ मैनेजर अब संपादकीय विभाग के सीनियर मैनेजर स्तर के अधिकारी के ऊपर हो गया है। ब्रांड मैनेजर का दर्जा संपादक के दर्जे से ऊपर होने के कारण संपादकीय सामग्री के निर्धारण में भी उसकी बात का वजन ज्यादा होता है।

सरकार : 21वीं सदी के मीडिया में सरकार की भूमिका कम हुई है। विज्ञापनों से होने वाली कुल आमदनी में सरकारी विज्ञापनों का हिस्सा कम हुआ है। न्यूज प्रिंट के लिए भी अखबार अब सरकार पर कम निर्भर हैं। कारोबार बढ़ने और कई मीडिया हाउस में विदेशी निवेश आने की वजह से उनकी आर्थिक स्थिति इतनी मजबूत हो चुकी है कि वे आर्थिक रूप से सरकार पर कम निर्भर हैं। मीडिया कई बार सरकार का पक्ष लेता हुआ दिखता है तो यह डर की वजह से नहीं बल्कि आपसी हितों की रक्षा के अघोषित समझौते और साझा हितों की वजह से होता है। 1977 के बाद मीडिया पर सेंसरशिप लगाने की कोई कोशिश नहीं की गई है।

बिजनेस पत्रकारिता : धंधे की खबरें और खबरों का धंधा

"शेयर बाजार में निवेश करते समय वेब साइट और दूसरे माध्यमों के जरिए दी जाने वाली निवेश सलाह को लेकर सतर्क रहें। फौरन कमाने और रातों रात अमीर बनाने का सपना दिखाने वाली सूचनाओं के झांसे में न आएं।"

–सिक्युरिटीज ऐंड एक्सचेंज बोर्ड ऑफ इंडिया (सेबी)

सेबी का गठन संसद में पारित कानून के तहत हुआ है और शेयर और प्रतिभूति बाजार से जुड़े मसलों के नियमन के लिए यह संस्था उत्तरदायी है। सेबी पर शेयर मार्केट के नियमन के साथ ही निवेशकों के हितों की रक्षा का भी दायित्व है। इसी दायित्व के तहत सेबी ने 10 फरवरी, 2010 को निवेशकों को सतर्क करने के लिए कुछ हिदायतें जारी की हैं। सेबी ने कहा है कि हाल के दिनों में निवेश सलाह देने वाली वेबसाइटों की बाढ़ आई है। सेबी का मानना है कि वेब, टी.वी. या प्रिंट माध्यमों के जरिए दिए जा रहे इंट्रा डे, शॉर्ट टर्म या लॉन्ग टर्म ट्रेडिंग टिप्स के हिसाब से सौदा करना खतरनाक हो सकता है। सेबी की सलाह है कि बाजार की अफवाहों या अपुष्ट या अविश्वसनीय स्रोतों से आए समाचारों के आधार पर निवेश न करें, न ही भविष्यफल के आधार पर निवेश के फैसले करें। सेबी की राय है कि निवेशकों को सतर्कता बरतनी चाहिए और समझना चाहिए कि अखबारों या चैनलों पर दी जा रही सलाह का यह मतलब नहीं है कि यह उस अखबार या चैनल की राय है।[161]

सेबी के पास लगातार शिकायतें पहुंच रही हैं कि मीडिया बाजार को प्रभावित करने वाली खबरें लगातार छाप और दिखा रहा है। सेबी भी खासकर बिजनेस अखबारों और चैनलों की लंबे समय तक मॉनिटरिंग के बाद इस नतीजे पर पहुंचा है कि मीडिया को शेयर बाजार में खुलकर खेलने की इजाजत नहीं दी जा सकती है। चूंकि सेबी के पास मीडिया को रेगुलेट करने का कोई अधिकार नहीं है इसलिए मीडिया के लिए वह कोई दिशा-निर्देश जारी नहीं कर सकता। लेकिन उसने अपनी ओर से निवेशकों को आगाह कर दिया है कि मीडिया में छपी और दिखाई गई खबरों के आधार पर निवेश के फैसले न करें।

सेबी की इस पहल से समझा जा सकता है कि मीडिया, खासकर बिजनेस पत्रकारिता को लेकर किस तरह की समस्याएं पैदा हो गई हैं। खास तरह की खबरों का शेयर बाजार पर असर पड़ता है, इस तथ्य को सभी जानते हैं। किसी कंपनी के बारे में सकारात्मक खबर उस कंपनी के शेयर पर अच्छा असर दिखा सकती है। मिसाल के तौर पर जब कोई अखबार या चैनल बताता है कि किसी कंस्ट्रक्शन कंपनी को 1000 करोड़ का ठेका मिल सकता है, तो खबर उस कंपनी के शेयर भाव को प्रभावित कर सकती है। वैसे ही किसी कंपनी के बारे में अगर यह छपता है या दिखाया जाता है कि उसके टॉप मैनेजमेंट के लोग कंपनी छोड़ सकते हैं तो कंपनी के शेयर के भाव पर इसका नकारात्मक असर हो सकता है।

पूर्व सेबी चीफ एम. दामोदरन ने 2009 में दिल्ली में आयोजित एक गोष्ठी में मीडिया और बिजनेस के रिश्तों के बारे में काफी महत्त्वपूर्ण टिप्पणी की। गोष्ठी दिल्ली के इंडिया इंटरनेशनल सेंटर में फाउंडेशन फॉर मीडिया प्रोफेशनल्स ने आयोजित की। गोष्ठी का विषय था–*'ब्लरिंग द लाइन बिटवीन न्यूज ऐंड ऐड्स'*। दामोदरन ने कहा कि खासकर बिजनेस मीडिया को ज्यादा पारदर्शिता से काम करना चाहिए। उन्होंने प्रस्ताव रखा था कि मीडिया संगठनों के प्रकाशित किए जाने वाले समाचारों में अगर अपना स्वार्थ हो तो उसका साफ तौर पर खुलासा किया जाना चाहिए। लेकिन मीडिया की आजादी के नाम पर इस प्रस्ताव का विरोध किया गया। जब दामोदरन यूनिट ट्रस्ट ऑफ इंडिया के चेयरमैन थे तब उन्होंने ऐसी फर्जी खबरें देखी थीं, जिनमें कहा गया था कि यूनिट ट्रस्ट ऑफ इंडिया यानी यू.टी.आई. सिगरेट कंपनी आई.टी.सी. में अपनी हिस्सेदारी कंपनी के सबसे बड़े शेयर होल्डर ब्रिटिश टोबैको कंपनी बी.ए.टी. को बेचने वाली है। बी.ए.टी. काफी समय से आई.टी.सी. पर नियंत्रण कायम करने की कोशिश में लगी थी। जांच के बाद पता चला कि जहां यह खबर छपी, उस अखबार के संबंधित ब्रोकरिंग फर्म से कारोबारी रिश्ते थे, जिसने इस खबर के छपने के बाद आई.टी.सी. के शेयर बेचे थे।

शेयर बाजार या बिजनेस से ज़ुड़ा समाचार उस वक्त तक निर्दोष समाचार है, जब तक कि उसके जरिए कोई स्वार्थ साधने की कोशिश न की जा रही हो। लेकिन कई बार ऐसा हो सकता है कि जिस कंपनी के बारे में खबरें छापी या दिखाई जा रही हों, उस कंपनी के शेयरों में रिपोर्टर या मीडिया संस्थान की कोई पोजीशन (शेयर खरीदने या बेचने की) हो। ऐसी हालत में खबर सिर्फ खबर नहीं रह जाती। उस खबर को दिखाकर या रोककर पैसे बनाए जा सकते हैं। नीति कहती है कि ऐसे मामलों में अगर खबर बताई भी जाए तो साथ में इस बात का खुलासा (डिसक्लोजर) होना चाहिए कि संबंधित कंपनी या बिजनेस में पत्रकार या मीडिया हाउस की पोजीशन है। अगर इसका पालन नहीं किया जाता है तो वह मीडिया संस्थान न सिर्फ पत्रकारीय

नैतिकता का उल्लंघन करता है बल्कि देश के कानून को भी तोड़ता है और सेबी को अधिकार है कि ऐसे मामलों में जांच करके सजा सुनाए। मीडिया में सूचनाएं देने में पारदर्शिता न बरतने के मामलों की जांच का पूरा अधिकार सेबी को है।

कई मीडिया हाउस हाल के वर्षों में शेयर बाजार में उतर चुके हैं और अपनी ही कंपनी के बारे में ये समाचार माध्यम खबरें छापते हैं। ऐसी खबरों का कंपनियों के शेयर मूल्यों पर असर हो सकता है, इसलिए बेहद जरूरी है कि खबरों के साथ आवश्यक खुलासा यानी डिसक्लोजर किया जाए और बताया जाए कि इस खबर को आम खबरों की तरह न देखा जाए क्योंकि इसमें कंपनी के हित जुड़े हैं। लेकिन भारत में अभी तक ऐसी परंपरा नहीं बन पाई है। साथ ही कई मीडिया समूह मीडिया के अलावा भी कई और कारोबार चलाते हैं। इन हितों को वे मीडिया के जरिए आगे न बढ़ाएं, इसके लिए कोई दिशा-निर्देश नहीं है।

इसी तरह कई बार आर्थिक समाचार लिखने या दिखाने वालों को किसी कंपनी या सेक्टर के बारे में ऐसी खबर बाकी लोगों से पहले मिल जाती है, जिसे दिखाने या छापने से शेयरों की कीमत पर असर पड़ता है। ऐसी सूचनाओं और खबरों को बिजनेस पत्रकारिता की भाषा में 'मार्केट मूविंग' खबरें कहते हैं। मिसाल के तौर पर किसी पत्रकार को जानकारी मिल सकती है कि कल या आने वाले समय में या कुछ घंटों बाद सरकार इस बात की घोषणा करने वाली है कि विदेश से चीनी मंगाई जाएगी, ताकि कीमतों पर काबू पाया जा सके। इस खबर का स्वाभाविक नतीजा हो सकता है कि चीनी बनाने वाली कंपनियों के शेयरों के भाव नीचे जाएं या किसी रिपोर्टर को जानकारी मिल सकती है कि सरकार किसी उद्योग के लिए राहत पैकेज लाने वाली है। ऐसी खबर उस उद्योग से जुड़ी कंपनियों के शेयरों को ऊपर ले जा सकती है या फिर किसी रिपोर्टर को खबर मिल सकती है कि किसी खास कंपनी पर राजस्व खुफिया विभाग या इनकम टैक्स का छापा पड़ा है, तो इस खबर के प्रसारण के बाद उस कंपनी के शेयर के भाव नीचे जा सकते हैं। एक स्थिति यह भी हो सकती है कि बाजार को प्रभावित करने वाली इन खबरों के आधार पर कोई पत्रकार शेयर बाजार में सौदे करे या सौदे करने के लिए टिप्स दे। ऐसी हालत में यह इनसाइडर ट्रेडिंग के अपराध के दायरे में आता है, लेकिन इसे साबित करना इतना कठिन है कि इसीलिए अक्सर इनकी अनदेखी कर दी जाती है। इनसे बचने के लिए कारोबारी चैनलों और मीडिया समूहों ने अपनी आचार संहिताएं बनाई हैं, ताकि ऐसे कदाचार को रोका जा सके।[162] लेकिन इसे सुनिश्चित करने का कोई तरीका नहीं है कि इन आचार संहिताओं का पालन हो रहा है।

बिजनेस की खबरें देने के अलावा बिजनेस चैनल और अखबार निवेश सलाहकारों के जरिए भी निवेश सलाह देते हैं। सेबी ने निवेश सलाहकारों को रेगुलेट

करने के लिए 2007 में एक कंसल्टेशन पेपर (विचार-पत्र) जारी किया था। यह कंसल्टेशन पेपर सेबी की वेबसाइट पर उपलब्ध हैं।[163] इस कंसल्टेशन पेपर में बताया गया है कि बड़ी संख्या में ऐसे निवेश सलाहकार हैं जो सेबी में पंजीकृत न होने के बावजूद लोगों को निवेश के बारे में बताते हैं। ऐसे निवेश सलाहकार टेलीविजन, समाचार-पत्रों, रेडियो, इंटरनेट और मोबाइल फोन पर निवेश की सलाह देते हैं। सेबी का मानना है कि अगर कोई निवेश सलाहकार निजी तौर पर किसी को निवेश की सलाह देता है तो उनके विनियमन के लिए निजी क्षेत्र में ही एक रेगुलेटरी संस्था होनी चाहिए। उसी संस्था को रेगुलेशन, पंजीकरण और आचरण के बारे में दिशा-निर्देश जारी करने चाहिए। लेकिन सेबी की खास चिंता उन निवेश सलाहकारों को लेकर है जो मीडिया के जरिए निवेश सलाह देते हैं। सेबी का कहना है कि इलेक्ट्रॉनिक और प्रिंट मीडिया के जरिए निवेश सलाहों का दुरुपयोग भी हो रहा है। सेबी को ऐसे कुछ निवेश सलाहकारों के खिलाफ कार्रवाई करनी पड़ी है जो मीडिया के गलत इस्तेमाल के दोषी पाए गए। सेबी में पंजीकृत ऐसे तमाम लोगों के लिए जरूरी है कि वे प्रतिभूतियों को खरीदने या बेचने के बारे में अपनी, अपने परिवार के सदस्यों और नियोक्ता की पोजीशन का खुलासा करेंगे।

सेबी ने अपने कंसल्टेशन पेपर में लिखा है—एक ऐसा विचार भी है कि पत्रकार या मीडियाकर्मी या ऐसे तमाम लोग जो सेबी में पंजीकृत नहीं हैं और जो मीडिया मंचों पर निवेश संबंधी सलाह देते हैं, उन्हें पंजीकृत किया जाए, उन पर आचार संहिता लागू की जाए, उनके लिए निवेश संबंधी हितों का खुलासा करने की शर्त लगाई जाए। हालांकि इस कंसल्टेशन पेपर में यह भी कहा गया है कि इसे प्रेस की आजादी का उल्लंघन माना जा सकता है और इसे संविधान के विरुद्ध ठहराया जा सकता है।

प्राइम डाटाबेस के चेयरमैन और एम.डी. पृथ्वी हल्दिया ने मीडिया और शेयर बाजार के बारे में सेबी को 2006 में एक रिपोर्ट सौंपी थी। हल्दिया के मुताबिक सेबी ने मीडिया समूहों के साथ कई बैठकें भी कीं। लेकिन मीडिया को रेगुलेट करना आसान नहीं है। हल्दिया के मुताबिक कहना मुश्किल है कि इस गड़बड़ी को रोकने के लिए पर्याप्त कदम उठाए गए हैं क्योंकि टी.वी. पर हर दिन डिसक्लोजर (हितों का खुलासा किए जाने) के दिशा-निर्देशों का उल्लंघन होता दिखता है।[164]

पत्रकारिता का बिजनेस

निवेशकों को सतर्क करने संबंधी सेबी की प्रेस विज्ञप्ति और मीडिया में निवेश सलाह को लेकर गड़बड़ी की सेबी की आशंका दरअसल उस गंभीर बीमारी की ओर संकेत

है, जिसके बारे में चर्चा बेहद दबी जुबान में होती है। खुद सेबी भी आश्वस्त नहीं है कि अगर वह मीडियाकर्मियों को रेगुलेट करने की कोशिश करती है तो यह कानूनी और संवैधानिक दृष्टि से सही होगा या नहीं। दरअसल इस तरह की चर्चा जब कभी चलती है, मीडिया और मीडियाकर्मियों का एक हिस्सा इसे विचार और अभिव्यक्ति की स्वतंत्रता पर हमला करने की कोशिश करार देता है। इस वजह से मीडिया में भ्रष्टाचार और अनैतिकता को खत्म करने की कोशिशें कामयाब नहीं हो पातीं।

खासकर बिजनेस मीडिया में किस तरह पत्रकारिता और मीडिया हाउस के कारोबार के बीच की सीमा रेखा धुंधली होती जा रही है इसका एक उदाहरण *आउटलुक* मनी की संपादक मोनिका हेलन की पत्रिका से विदाई है। *आउटलुक* मनी के संपादक पद से इस्तीफा देते हुए मोनिका हेलन ने अपने सहयोगियों को एक ई-मेल भेजा। यह मेल 14 जनवरी, 2009 का है। इसमें उन्होंने अपने इस्तीफे के कारणों की जानकारी दी है और कहा है कि संपादन और प्रबंधन के हितों के बीच टकराव बढ़ता जा रहा था और मेरी पेशेवर नैतिकता मुझे इस काम में बने रहने से रोक रही थी। इसे और स्पष्ट करते हुए उन्होंने लिखा है—

> "*आउटलुक* मनी अवार्ड का इस्तेमाल समूह के विज्ञापनों के लक्ष्य को पूरा करने के लिए किया जा रहा है। हम सब उस बैठक में शामिल थे जिसमें कहा गया था कि पुरस्कार की दौड़ में आगे न होने के बावजूद एल.आई. सी. को पुरस्कार मिलना चाहिए क्योंकि यह एक बड़ी कंपनी है और पत्रिका के कई पाठकों के पास एल.आई.सी. की पॉलिसी है। बाद में समूह के संपादक की ओर से मिले एक ई-मेल में मुझे कहा गया कि चिंता की बात है कि एल.आई.सी. ने *आउटलुक* समूह को सारे विज्ञापन बंद कर दिए हैं। मैं इसे विज्ञापन और संपादकीय सामग्री के बीच हितों के टकराव के रूप में देखती हूं। खासकर इसलिए भी क्योंकि संपादकीय विभाग ने इस अवार्ड को देश का सबसे निष्पक्ष अवार्ड बनाने के लिए ईमानदारी से काम किया है और हमने इस प्रक्रिया में सी.सी.आई.एल. के डॉ. आर.एच. पारीख और एन.एस.ई. के रवि नारायण जैसे प्रमुख मार्केट प्रोफेशनल्स को जोड़ा है।...अब संपादकीय विभाग में प्रबंधन की दखलंदाजी हो रही है। हमें कहा जा रहा है कि हम अपनी स्टोरी प्रकाशक से पास कराएं और अपने स्टॉक पिक्स को *आउटलुक* प्रॉफिट के पास मंजूरी के लिए भेजें।...मुझे लगता है कि *आउटलुक* समूह किसी ऐसे संपादक के साथ खुश रहेगा जो ज्यादा झुकने को तैयार हो। मैं वह शख्स नहीं हूं।"[165]

पिछले लोकसभा चुनाव और उसके बाद हुए विधानसभा चुनावों में पेड न्यूज

को लेकर काफी शोर रहा है। लेकिन मीडिया और कॉरपोरेट हितों के बीच के अंतर्संबंधों और बिजनेस पत्रकारिता के पेड न्यूज को लेकर काफी धुंध है। कोई खबर कहां तक जनसंपर्क है और कब खबर है, यह जानने का पाठकों या दर्शकों के पास कोई जरिया नहीं है क्योंकि बिजनेस मीडिया उन्हें अक्सर यह नहीं बताता है। अगर कोई कंपनी शेयर बाजार में उतर रही है और अपने आई.पी.ओ. को लोकप्रिय बनाने के लिए उसका करोड़ों का विज्ञापन बजट है तो ऐसे में सवाल उठता है कि जिन मीडिया समूहों तक करोड़ों का बजट पहुंच रहा है क्या उनके लिए संभव है कि वह इस कंपनी के बारे में कोई नकारात्मक खबर छापें? इस तरह क्या आई.पी.ओ. का विज्ञापन बजट इस बात की गारंटी नहीं करता कि मीडिया में उस कंपनी के बारे में सिर्फ या ज्यादातर सकारात्मक खबरें आएं?

इस बात को कभी साबित नहीं किया जा सकता कि किसी मीडिया हाउस ने किसी कंपनी के आई.पी.ओ. के बारे में कुछ भी नकारात्मक क्यों नहीं छापा, या सिर्फ नकारात्मक खबर क्यों छापी। इसके बारे में सिर्फ अनुमान लगाए जा सकते हैं। किसी कंपनी के आई.पी.ओ. के दौरान अगर कोई चैनल या अखबार उस कंपनी के प्रमोटर्स के बारे में फीचर दिखाता या छापता है, तो इसके पीछे के मकसद को समझना मुश्किल नहीं है। साथ ही विज्ञापन देने वाली कंपनी के कवरेज की दिशा का भी अंदाजा लगाया जा सकता है। आई.पी.ओ. के साथ इतना बड़ा विज्ञापन बजट जुड़ा होता है कि इसे इस्तेमाल करके कंपनियां कवरेज को अपने पक्ष में झुकाने में सक्षम हो जाती हैं। साथ ही वह नकारात्मक प्रचार या खबरों को भी इस पैसे का इस्तेमाल करके रोक सकती है। समझा जा सकता है कि अगर मीडिया में किसी आई.पी.ओ. के बारे में निष्पक्ष समीक्षा न आए तो निवेशकों के लिए उसमें पैसा लगाने के बारे में फैसला करना कितना मुश्किल होगा।

हर दिन बिजनेस चैनल और समाचार-पत्रों में विश्लेषक या वित्तीय जानकार शेयर खरीदने-बेचने के बारे में सलाह देते हैं। ऐसा करते हुए कई बार वे बताना जरूरी नहीं मानते कि किसी खास कंपनी के शेयरों में उनका कोई हित है या नहीं। इसके अलावा कई बार वे आधे-अधूरे डिसक्लोजर देकर रस्म अदायगी कर देते हैं। मिसाल के तौर पर किसी कार्यक्रम के अंत में जब एंकर विश्लेषक से पूछता है कि क्या आप कोई डिसक्लोजर देना (खुलासा करना) चाहेंगे तो एनालिस्ट बताता है कि जिन शेयरों के बारे में मैंने बात की, उनमें मेरी या मेरे क्लाएंट की पोजीशन हो सकती है। ये पूरा डिसक्लोजर नहीं है। इसका विस्तारित ब्योरा होना जरूरी है, तभी दर्शक समझ पाएगा कि एनालिस्ट का कोई कॉनफ्लिक्ट ऑफ इंटरेस्ट (हितों का टकराव) है या नहीं। साथ ही डिसक्लोजर के बारे में कार्यक्रम के अंत में नहीं शुरुआत में ही बताया जाना चाहिए क्योंकि खासकर डे ट्रेडिंग करने वाले खरीद-बिक्री का फैसला मिनटों

में करते हैं। दर्शकों के सामने साफ होना चाहिए कि वह जिस विश्लेषक की सलाह सुन रहा है, वह भरोसा करने योग्य है या नहीं। यह एक बेहद नाजुक मसला है और इस बारे में ज्यादा पारदर्शिता होनी चाहिए। कई बार कंपनियों और सेक्टर के बारे में खुद एंकर भी बात करते हैं, लेकिन ऐसी कोई परंपरा नहीं है कि एंकर भी अपनी ओर से डिसक्लोजर (खुलासा) दें कि किसी खास कंपनी या सेक्टर में उनका, उनके परिजनों या रिश्तेदारों का कोई हित है या नहीं। इसके बिना दर्शकों के सामने वास्तविक तस्वीर नहीं होती है कि कोई एंकर किसी कंपनी या सेक्टर के बारे में बात करते हुए कहीं अपने हितों से तो संचालित नहीं हो रहा है। वैसे भी मीडिया के अंदरखाने में *एंकर इनवेस्टर्स* को लेकर चर्चाएं होती रहती हैं।

मीडिया नेट और प्राइवेट ट्रीटी

चुनाव के दौरान पेड न्यूज को लेकर चर्चा तो अभी छिड़ी है लेकिन पेड कंटेंट यानी न्यूज स्पेस बेचने-खरीदने का चलन काफी पुराना है। देश के सबसे बड़े मीडिया समूह बैनेट कोलमन ऐंड कंपनी ने 2003 में पेड न्यूज कंटेंट के लिए मीडियानेट सर्विस शुरू करने का फैसला किया। इसके तहत कोई भी व्यक्ति या संस्था विज्ञापन विभाग में पैसे देकर किसी इवेंट को न्यूज की तरह कवर करवा सकता है। इसका इस्तेमाल खासकर प्रोडक्ट लॉन्च और पेज थ्री पार्टियों के कवरेज के लिए होने की बात कही गई। पेड न्यूज के ताजा विवाद की जांच के लिए बनाई गई प्रेस परिषद की समिति के सदस्य परंजय गुहा ठाकुरता का कहना है कि मीडियानेट शुरू करने का बैनेट कोलमन का फैसला हाल के वर्षों में मीडिया के सबसे चर्चित विवादों में से एक है।[166] समाचार-पत्रों, मीडिया संगठनों और मीडिया विश्लेषकों ने इसे पत्रकारीय मर्यादा के खिलाफ करार दिया। हालांकि बैनेट कोलमन का तर्क है कि ये खबरें दिल्ली टाइम्स सरीखे सप्लिमेंट (परिशिष्ट) में छपती हैं, और इन्हें हार्ड न्यूज का स्पेस नहीं कहा जा सकता। मीडियानेट के पूर्व प्रमुख के.सी. जैकब के मुताबिक चूंकि समय बदल रहा है, इसलिए मीडिया को एक उत्पाद के रूप में स्वीकार कर लिया जाना चाहिए, जिसे निवेश की जरूरत है और जिसमें पैसा लगाने वालों को मुनाफा चाहिए। यह स्वीकार करते हुए भी राष्ट्रीय महत्त्व के मुद्दों पर समझौता नहीं करना चाहिए। जैकब की राय है कि लाइफस्टाइल, फैशन और मनोरंजन के मामलों में स्पेस बेचने में कुछ भी गलत नहीं है।[167]

मीडिया नेट के अलावा मार्केटिंग की एक और पहल के लिए टाइम्स समूह

मीडिया विश्लेषकों के बीच चर्चा में रहा है। इसे प्राइवेट ट्रीटी कहा जाता है। इस योजना के तहत बैनेट कोलमन को किसी अनलिस्टेड कंपनी में हिस्सेदारी मिलती है, जिसके बदले में कंपनी अपने मीडिया उत्पाद के जरिए उस कंपनी की ब्रांडिंग करती है। ब्रांड प्रमोशन के बदले कंपनियों में हिस्सेदारी लेने की इस नीति के नैतिक पहलुओं पर काफी विवाद रहा है। इस रणनीति की वजह से बैनेट कोलमन देश में सबसे बड़े प्राइवेट इक्विटी निवेशकों में से एक है। कंपनी ने कभी नहीं कहा है कि इस तरह के सौदों के बदले में कंपनी को समाचार स्पेस में जगह दी जाती है, या उनके पक्ष में खबरें छापी जाती हैं या उनके खिलाफ खबरों को रोका जाता है। लेकिन जिन कंपनियों के साथ किसी मीडिया कंपनी का लाभ-हानि का रिश्ता हो, उनके हितों का खयाल रखने से वह मीडिया कंपनी खुद को कैसे रोक सकती है? कई बार कंपनियां आई.पी.ओ. लाने से पहले विज्ञापनों का खर्च बचाने के लिए प्राइवेट ट्रीटी की शरण में आ सकती हैं।

भारत में बड़े मीडिया समूहों की एक खासियत यह भी है कि कुछेक को छोड़कर लगभग सभी मीडिया समूहों का कोई और कारोबार भी है। दूसरे प्रेस आयोग के लिए किए गए एक सर्वेक्षण में भारतीय लोक प्रशासन संस्थान (आई.आई.पी.ए.) ने पाया कि भारतीय प्रेस को चलाने वाले संस्थानों के व्यावसायिक हित सीमेंट, जूट, इस्पात, जहाजरानी, एल्युमिनियम, रसायन, भवन निर्माण, कृषि रसायन, कपड़ा, परिवहन, होटल, इलेक्ट्रॉनिक्स, फिल्म, वित्त आदि अनेक उद्योगों और बड़ी व्यापारिक गतिविधियों से जुड़े हैं।[168] ध्यान दें कि यह रिपोर्ट लगभग 25 साल पहले यानी उदारीकरण के दौर से पहले की है। अब तो उन क्षेत्रों की संख्या काफी बढ़ गई है, जहां मीडिया समूहों के हित सीधे जुड़े हैं। मैकब्राइड कमीशन ने भी अपनी रिपोर्ट में लिखा है कि मीडिया स्वामित्व के वित्तीय, व्यावसायिक और औद्योगिक हित मीडिया को उन तथ्यों को प्रकाशित करने से रोक सकते हैं, जो उनके हितों के खिलाफ हों।[169]

इसके अलावा प्राइवेट ट्रीटी की अवधारणा भी अमल में आ चुकी है, जो किसी मीडिया समूह को एक साथ कई कंपनियों से जोड़ देती है। कोई कह सकता है कि किसी और कारोबार से हित जुड़े होने के बावजूद एक मीडिया समूह उस कारोबार या उस सेक्टर के खिलाफ खबरें छाप या दिखा सकता है या आलोचनात्मक समीक्षा कर सकता है। सिद्धांत के तौर पर ऐसा मुमकिन है, लेकिन व्यवहार में ऐसा करना आसान नहीं होगा।

वित्तीय पत्रकारिता में अनैतिक आचरण को लेकर बहस पुरानी है। प्रेस परिषद ने 1996 में वित्तीय पत्रकारिता के बारे में दिशा-निर्देश जारी किए थे। इन दिशा-निर्देशों को पढ़कर समझा जा सकता है कि प्रेस परिषद बिजनेस पत्रकारिता करने

वालों को किन बीमारियों से बचाने की कोशिश कर रहा है। इन दिशा-निर्देशों में प्रेस परिषद ने संवाददाताओं, वित्तीय पत्रकारों और अखबारों को सलाह दी है कि वे नकद या सामान के तौर पर कोई ऐसा उपहार, छूट या सुविधा न लें, जिससे वित्तीय मामलों को स्वतंत्र और निष्पक्ष तरीके से रिपोर्ट करने में अड़चन आ सकती हो।

प्रेस परिषद ने दर्ज किया है[170] कि वित्तीय पत्रकारों की बातों का लोगों के दिलो-दिमाग पर काफी असर होता है। इसलिए उनका दायित्व है कि वे किसी कंपनी के वित्तीय लेनदेन, उसकी स्थिति और संभावनाओं के बारे में संतुलित और निरपेक्ष होकर विचार रखें। पाया गया है कि कुछ कंपनियों के बारे में बहुत ज्यादा न्यूज कवरेज होता है क्योंकि उन कंपनियों ने मीडिया हाउस को विज्ञापन दिए हैं। कई बार जो कंपनियां समाचार-पत्रों या पत्रिकाओं को विज्ञापन नहीं देती हैं, उनके खिलाफ रिपोर्ट छापी जाती है। जब कोई मीडिया हाउस किसी कंपनी या प्रबंधन से किसी वजह से खुश नहीं होता है, तो कंपनी के नकारात्मक पहलुओं को उछाला जाता है। एक स्थिति वह भी होती है जब किसी कंपनी के बारे में कोई भी नकारात्मक खबर नहीं छापी जाती है। पता चला है कि कुछ कंपनियां अपने पक्ष में खबरें छपवाने के लिए बिजनेस पत्रकारों को उपहार, छूट या प्रिफरेंशियल शेयर आदि देती हैं। अभी ऐसी कोई व्यवस्था नहीं है, जिससे ऐसे गलत तौर-तरीकों के खिलाफ लोगों को जागरूक बनाया जा सके या लोगों को इसके खिलाफ बोलने के लिए सचेत किया जा सके। कॉरपोरेट सेक्टर में गोरखधंधे को लेकर प्रेस परिषद चिंतित है और वित्तीय संस्थाओं और पत्रकारों से विचार-विमर्श के बाद आर्थिक पत्रकारों के लिए एक आचार संहिता बनाई गई है, जो इस प्रकार है :

1. आर्थिक पत्रकार उपहार, लोन, यात्रा खर्च, छूट, प्रिफरेंशियल शेयर या ऐसी कोई चीज या सुविधा स्वीकार नहीं करेंगे जिसके लिए उन्हें समझौता करना पड़ता है या पड़ सकता है।
2. अगर कोई रिपोर्ट किसी कंपनी की दी हुई जानकारी पर आधारित है तो उस कंपनी का नाम रिपोर्ट में स्रोत के तौर पर प्राथमिकता के साथ आना चाहिए।
3. जब कोई कंपनी अपने प्लांट या संस्थान के दौरे का खर्च उठाती है तो दौरा करने वाले रिपोर्टर को अपनी रिपोर्ट में जरूर लिखना चाहिए कि यह प्रायोजित दौरा था और आवभगत का खर्च कंपनी ने उठाया था।
4. किसी कंपनी से जुड़ा कोई मामला उस कंपनी से पुष्टि किए बगैर नहीं छापा जाना चाहिए और ऐसी रिपोर्ट का स्रोत जरूर बताया जाना चाहिए।

5. अगर कोई रिपोर्टर किसी घोटाले का पर्दाफाश करता है या किसी अच्छे काम के बारे में रिपोर्ट लिखता है तो उसका उत्साह बढ़ाया जाना चाहिए।
6. जिस पत्रकार का किसी कंपनी में शेयर हो या हिस्सेदारी हो, उसे उस कंपनी के बारे में नहीं लिखना चाहिए।
7. रिपोर्टर को अगर कोई जानकारी पहले मिल जाती है तो उसे इसका इस्तेमाल खुद को या अपने रिश्तेदारों या मित्रों को फायदा पहुंचाने के लिए नहीं करना चाहिए।
8. किसी भी समाचार-पत्र मालिक, संपादक या पत्र से जुड़े किसी शख्स को समाचार-पत्र के साथ अपने संबंधों का इस्तेमाल अपने कारोबारी हितों को आगे बढ़ाने के लिए नहीं करना चाहिए।
9. जब कभी भी किसी विज्ञापन एजेंसी या विज्ञापनदाता की एडवर्टाइजिंग कौंसिल ऑफ इंडिया निंदा करे तो इसकी खबर प्रमुखता से छापनी चाहिए।

आर्थिक पत्रकार और आर्थिक पत्रकारिता को लेकर प्रेस परिषद की सतर्कता अनावश्यक नहीं है। लगातार शिकायतों की वजह से ही प्रेस परिषद को ऐसे दिशा-निर्देश जारी करने पड़े।

मीडिया समीक्षकों की नजर काफी समय से बिजनेस पत्रकारिता के गैर-उसूली पहलुओं पर रही है। शेयर बाजार में बहुचर्चित पिरामिड साइमीरा केस में बिजनेस दैनिक *इकॉनोमिक टाइम्स* के पत्रकार राजेश उन्नीकृष्णन के खिलाफ पहली नजर में यह आरोप सही पाया गया कि उसने सेबी के फर्जी पत्र को प्रचारित करने की साजिश में प्रमुख भूमिका निभाई। इस वजह से सेबी के 23 जुलाई, 2009 के आदेश के तहत अगले निर्देश तक उसे शेयर बाजार में किसी भी तरह का सौदा करने से प्रतिबंधित कर दिया गया।[171] इस घोटाले में जालसाजों ने एक फर्जी पत्र के जरिए बाजार में अफवाह फैलाई और कीमतों में बदलाव के जरिए 22 दिसंबर, 2008 को चंद घंटों में 20 लाख रुपए बना लिये। इस केस ने मीडिया और कॉरपोरेट घरानों के रिश्तों और पत्रकारों की भूमिका पर एक बार फिर सवाल उठाया है।[172] यह इस तरह की पहली घटना नहीं है, यह जरूर है कि इस घटना की चर्चा बहुत ज्यादा हुई और सेबी ने इस मामले में सख्त कदम उठाए।

इस प्रकरण के बाद मीडिया समीक्षक आनंद प्रधान ने दैनिक *प्रभात खबर* में अपने साप्ताहिक कॉलम में एक ऐसी टिप्पणी की जिस पर पूरे मीडिया जगत को सोचना चाहिए। उन्होंने लिखा—*सचमुच यह सोचने का समय आ गया है कि बिजनेस पत्रकारिता के साथ बुनियादी रूप से कहां गड़बड़ी है। इस सवाल का*

जवाब ढूंढ़ना इसलिए जरूरी हो गया है कि बिजनेस मीडिया के बारे में यह धारणा लगातार मजबूत होती जा रही है कि वह पूरी तरह से कॉरपोरेट जगत और बाजार का पेड चाकर बन गया है और वह वाचडॉग की भूमिका को छोड़कर पी.आर. पत्रकारिता का पर्याय बन गया है। अगर इस धारणा को समाप्त करने के लिए तत्काल गंभीर उपाय और बिजनेस पत्रकारों के लिए आचार संहिता को कड़ाई से लागू करने के प्रयास नहीं किए गए तो देश में तेजी से फल-फूल रहा बिजनेस मीडिया अपनी साख गंवा देगा। खतरे की घंटी बज चुकी है।[173]

खतरे की जिस घंटी की ओर आनंद प्रधान इशारा कर रहे हैं, वह दरअसल काफी समय से बज रही है। शेयर बाजार या दूसरे आर्थिक क्षेत्र में हो रहे तमाम बड़े घोटाले मीडिया की नाक के नीचे हो रहे हैं। हर्षद मेहता का घोटाला जब तक नहीं खुला तब तक वह मीडिया का दुलारा था। वह *बिग बुल* था, जिसकी सवारी भारतीय शेयर बाजार कर रहा था। घोटाला सामने आने से पहले तक हर्षद मेहता की चर्चा उसकी शानदार कारों, महंगी घड़ियों, शानदार फ्लैट और उसकी बिजनेस समझ की वजह से होती थी। केतन पारिख के साथ भी मीडिया ने नायकों जैसा ही सलूक किया। यहां तक कि घोटाले की पोल खुलने के बाद भी केतन पारिख और हर्षद मेहता के साथ वैसा व्यवहार नहीं किया गया जैसा कि स्टैंप घोटाले के आरोपी अब्दुल करीम तेलगी के साथ किया गया। सत्यम का घोटाला सामने आने तक रामलिंगा राजू विजनरी यानी दूरदर्शी बिजनेसमैन था, भारतीय आई.टी. क्रांति का पोस्टर ब्वॉय था। सत्यम घोटाला सामने आने से पहले तक रामलिंगा राजू के सूट और उसकी कारों की चर्चा होती थी। बिजनेस की उसकी समझदारी के सभी आर्थिक पत्रकार दीवाने थे।

क्या मुमकिन है कि ऐसे दर्जनों घोटालों में से किसी की भी हवा मीडिया को नहीं लगी? कंपनियों और उनके कारोबार पर साल दर साल नजर रखने वाले बिजनेस पत्रकारों को इन कंपनियों में होने वाली गड़बड़ियां नजर क्यों नहीं आतीं? कॉरपोरेट घोटालों को लेकर मीडिया की नजर इतनी कुंद क्यों है? यह सवाल अब पूछा जाना चाहिए। सैकड़ों कंपनियां बाजार से पैसा उठाकर, और फिर निवेशकों को चूना लगाकर भाग जाती हैं, इन्हीं कंपनियों के निवेशक कुछ समय बाद फिर से पैसा जुटाने के लिए आ जाते हैं और यह सब मीडिया की नजरों के सामने हो जाता है। किसानों की कर्ज माफी को देश का धन लुटाने की कार्रवाई बताने वाला मीडिया उस समय शोर नहीं मचाता जब कंपनियां बैंकों से लिया अरबों का कर्ज डुबा देती हैं और बैंक उन्हें नॉन परफॉर्मिंग एसेट यानी बुरा लोन बताकर अपना खाता पूरा कर लेते हैं। अपराध की खबरों को लेकर हमेशा अतिरेक का स्वर रखने वाला मीडिया आर्थिक अपराधों को लेकर काफी नरमी का रुख रखता है।

अखबार और चैनल आमतौर पर इस बात का ध्यान रखते हैं कि वे विज्ञापनदाताओं को नाराज करने वाली खबरें न छापें। प्रांजलि बंधु ने अपनी किताब *भारतीय संचार माध्यम* में ऐसी ही एक घटना का जिक्र किया है। यह घटना बिड़ला समूह के ग्वालियर रेयॉन की फैक्टरी की वजह से कालीकट के पास मावूर में चेलियार नदी में प्रदूषण से जुड़ी है। इस मुद्दे पर 1999 की शुरुआत में इंडियन एक्सप्रेस के कोझिकोड संस्करण में कुछ सनसनीखेज लेख छपे। उसके बाद बिड़ला समूह ने अखबार को विज्ञापन न देने की धमकी दी। अखबार के प्रबंधन ने संयम से काम लेने का फैसला किया और उसके बाद से उस अखबार में इस मुद्दे पर कुछ भी नहीं छपा।[174]

कंपनियों और मीडिया के बीच रिश्तों की पड़ताल से कई असहज सवाल खड़े हो सकते हैं। मिसाल के तौर पर, 2007/2008 के बाद से देश के प्रॉपर्टी बाजार में आमतौर पर मंदी या ठहराव है। यह वैश्विक रुझान के अनुसार ही है। अमेरिका में प्रॉपर्टी लोन से जुड़े सब-प्राइम (जिस लोन के लौटाए जाने की गारंटी का पक्का बंदोबस्त न किया गया हो) संकट ने दुनिया की ज्यादातर अर्थव्यवस्थाओं को अपनी चपेट में ले लिया। इसका असर भारत पर भी पड़ा। प्रॉपर्टी बाजार में मंदी को देखते हुए एम्मार एम.जी.एफ. समेत कई रियल एस्टेट कंपनियों ने आई.पी.ओ. लाने का इरादा टाल दिया या आई.पी.ओ. न लाने का फैसला कर लिया। लेकिन इन वर्षों में लगातार मीडिया में ऐसी खबरें आईं कि प्रॉपर्टी बाजार की मंदी खत्म हो गई है और तेजी का दौर लौट आया है। मीडिया में लोगों को लगातार सलाह दी गई कि प्रॉपर्टी की कीमतें फिर बढ़ने वाली हैं, इसलिए यदि घर खरीदना हो तो देर न करें। एक तरफ कंपनियां सस्ते घरों की स्कीम ला रही थीं, महंगे घरों की बिक्री लगभग थम गई थी, लोन के रेट कम होने के बावजूद बैंकों से लोन नहीं उठ रहे थे, और मीडिया खबरें दे रहा था कि प्रॉपर्टी बाजार में फिर से तेजी लौट आई है। यह साबित नहीं हो पाएगा कि इस तरह की खबरें जान-बूझकर दी जा रही थीं, इनके पीछे किसी का स्वार्थ था या फिर पत्रकार स्थिति का सही आकलन नहीं कर पा रहे थे। लेकिन इस तथ्य की अनदेखी नहीं की जा सकती कि रियल एस्टेट सेक्टर मीडिया के सबसे बड़े विज्ञापनदाताओं में से एक हैं।

इसी तरह ऑटो सेक्टर के बारे में भी ऐसी खबरें अक्सर आती हैं कि कारों की कीमत बढ़ने वाली है। कार खरीदने के इच्छुक लोगों को यह एक इशारा होता है कि अभी खरीदारी कर लें। लेकिन ऐसी कितनी खबरें छपती हैं कि कारों की कीमत घटने वाली है, जबकि हाल के वर्षों में कारों की कीमत में उथल-पुथल का दोतरफा रुझान रहा है। यानी कीमत कई बार बढ़ी है तो कई बार घटी भी है। कार की कीमत बढ़ने की संभावना वाली खबरों की क्लिपिंग लगाकर कार कंपनियां विज्ञापन बनाती

हैं और इन खबरों का दूसरे तरीके से भी इस्तेमाल करती हैं। 'बजट के बाद कारें महंगी हो सकती हैं' जैसी हेडलाइन वाली खबरें कार कंपनियों के लिए विज्ञापन अभियान का कच्चा माल होती हैं और साल दर साल ऐसे विज्ञापन दिखते हैं।

2009 में कोरबा में बन रहे स्टरलाइट कंपनी के बिजली घर की चिमनी गिरने से 40 लोगों की मौत की खबर की राष्ट्रीय मीडिया में लगभग अनुपस्थिति एक चौंकाने वाली घटना है। इस बिजलीघर की चिमनी को बनाने का ठेका चीन की एक कंपनी के पास था। न्यूज वैल्यू के लिहाज से यह एक बड़ी खबर थी। विदेशी कंपनी के शामिल होने के कारण इस खबर का महत्त्व और भी ज्यादा था। लेकिन यह खबर राष्ट्रीय मीडिया में प्रमुखता के साथ नहीं आई। चिमनी गिरने की घटना की मीडिया में अनदेखी के साथ इस तथ्य को रखकर देखें कि स्टरलाइट और उसकी मूल कंपनी वेदांता बड़े विज्ञापनदाताओं में हैं और 2009-10 में इस कंपनी के पूरे पेज के विज्ञापनों की पूरी श्रृंखला राष्ट्रीय मीडिया में आई है।

कोई कह सकता है कि विज्ञापन मिलने और खबर के न छपने या छोटी खबर छपने का क्या रिश्ता है? कोई कह सकता है कि न तो इस देश का कानून वेदांता को विज्ञापन देने से रोकता है और न अखबारों के लिए ऐसी कोई कानूनी बाध्यता है कि वे किसी खबर को जरूर छापें या उचित प्राथमिकता के साथ छापें या न छापें। कोई मीडिया हाउस चाहे तो किसी खबर को नहीं भी छाप सकता है। एक तर्क हो सकता है कि मीडिया विभिन्न स्रोतों से आई सैकड़ों खबरों में से हर खबर को तो नहीं छाप सकता। मीडिया अपने हिसाब से खबरों का महत्त्व तय करता है। इसलिए कोरबा में औद्योगिक दुर्घटना में 40 लोगों की मौत की खबर अगर प्रमुखता से नहीं छपी या चैनलों ने यह खबर नहीं दिखाई तो देश का कानून खतरे में नहीं पड़ा। लेकिन इस बात की अनदेखी मुश्किल है कि ऐसे आचरण से मीडिया की विश्वसनीयता और साख जरूर खतरे में पड़ती है और लोगों के जानने के अधिकार का उल्लंघन जरूर होता है।

टी.वी. पर कार्यक्रमों को अक्सर कोई कंपनी प्रायोजित करती है। अखबारों में भी खास विषयों पर परिशिष्ट प्रायोजित होते हैं। इन कार्यक्रमों या परिशिष्टों में संबंधित कारोबार से जुड़े विज्ञापन होते हैं। मिसाल के तौर पर टेलीविजन चैनलों में ऑटो शो को अक्सर ऑटो कंपनियां प्रायोजित करती हैं जबकि म्युचुअल फंड के बारे में बने कार्यक्रम को कई बार म्युचुअल फंड ही स्पॉन्सर होते हैं, उसी तरह ट्रेवल शो को कोई ट्रेवल या हॉस्पिटालिटी कंपनी प्रायोजित करती है। हेल्थ शो का स्पॉन्सर कोई दवा निर्माता कंपनी हो सकती है। शिक्षा या रोजगार के शो का प्रायोजक कोई शिक्षा संस्थान या कोचिंग इंस्टिट्यूट हो सकता है। यह रिश्ता इतना साफ है कि किसी चैनल, खासकर बिजनेस चैनल, के कार्यक्रमों को देखकर इसे आसानी से

समझा जा सकता है।

बिजनेस चैनलों में बजट से लेकर एक्जिम पॉलिसी (आयात-निर्यात नीति) जैसे कार्यक्रमों को कंपनियां प्रायोजित करती हैं। क्या इन कार्यक्रमों में प्रायोजक कंपनियों पर नकारात्मक टिप्पणी हो सकती है? क्या अखबार अपने प्रॉपर्टी सप्लिमेंट में उन बिल्डर के खिलाफ लिख सकते हैं, जिन्होंने परिशिष्ट के लिए विज्ञापन दिए हैं? या फिर क्या मीडिया रियल एस्टेट सेक्टर के बारे में आलोचनात्मक रुख रखकर भी रियल एस्टेट कंपनियों के विज्ञापन पाने की उम्मीद कर सकता है? किसी स्वास्थ्य कार्यक्रम की प्रायोजक कोई आर्टिफिशियल स्वीटनर कंपनी हो तो क्या उस कार्यक्रम में यह शोध प्रमुखता से आ सकता है कि आर्टिफिशियल स्वीटनर्स के कितने साइड इफेक्ट होते हैं। ऐसा अक्सर होता है कि विज्ञापनदाता किसी मीडिया समूह से पूरे विज्ञापन अभियान को वापस ले लेते हैं क्योंकि उसमें ऐसी कोई रिपोर्ट दिखाई या छापी गई हो, जिस पर उन्हें एतराज हो। 'इंडियन मीडिया बिजनेस' में वनिता कोहली लिखती हैं—जरूरी नहीं है कि विज्ञापन तभी वापस लिया जाए जब कोई खबर बिल्कुल खिलाफ छापी गई हो। ऐसा तब भी संभव है जब कंपनी के वित्तीय नतीजों की समीक्षा की गई हो और बाजार की राय में इसे कमजोर माना गया हो।[175]

सिद्धांत के तौर पर मुमकिन है कि संपादकीय सामग्री पर इस बात का कोई असर न हो कि विज्ञापन कौन दे रहा है और क्या दिखाने से विज्ञापन मिलेगा और क्या दिखाने से विज्ञापन बंद हो जाएंगे। लेकिन मीडिया कंपनियों के सामने मुनाफा कमाने का दबाव काफी ज्यादा है, खासकर शेयर बाजार में लिस्टेड मीडिया कंपनियों को हमेशा चिंता रहती है कि अगर मुनाफा घट गया तो शेयरधारक उस कंपनी के शेयर बेच डालेंगे। ऐसे दबावों के बीच जब कारोबारी जरूरत और पत्रकारिता की शुचिता के बीच किसी एक को चुनने का मौका आता है तो पलड़ा अक्सर कारोबारी जरूरत के पक्ष में झुक जाता है। प्रायोजन और परिशिष्टों में विज्ञापन का खेल खुला है और इसकी पड़ताल हो सकती है। दर्शक समझ सकता है कि जिस कंपनी ने कोई कार्यक्रम स्पॉन्सर किया है, उसके खिलाफ कार्यक्रम में कोई बात नहीं हो सकती। इस मायने में वह किसी भ्रम में नहीं होता। अगर वह सचेत ग्राहक है, तो उसके सामने भ्रम से बचने के तरीके हैं। लेकिन मीडिया और कॉरपोरेट के रिश्तों का एक अंतःपुर भी है। विचार और अभिव्यक्ति की स्वतंत्रता के लिए यह ज्यादा खतरनाक है।

अंतपुरः का यह तंत्र ज्यादा बारीकियों में काम करता है। अखबारों में अब ऐसे परिशिष्ट आ रहे हैं, जिसमें प्वाइंट साइज, टाइप फेस और डिजाइन मुख्य अखबार के समान होते हैं। कई बार तो ऐसे परिशिष्ट पुलआउट (अखबार के अलग हिस्से

के रूप में) नहीं होते बल्कि मुख्य अखबार के साथ ही आते हैं। इन परिशिष्टों पर कंपनियां खर्च इसलिए करती हैं क्योंकि इनमें लिखी बातों को पाठक अखबार का हिस्सा मानते हैं। इस सामग्री को पत्रकारिता की विश्वसनीयता हासिल होती है, जो विज्ञापनों को नहीं होती। इन परिशिष्टों के अंदर लगभग चुपके से कहीं 'एडवर्टोरियल' (यह शब्द एडवर्टाइजमेंट और एडिटोरियल को मिलाकर बनाया गया है), (Ad.) या (Advt.) या वि. लिखा रहता है। एडवर्टोरियल शब्द अपने आपमें इस बात का प्रमाण है कि किस तरह विज्ञापन और संपादकीय सामग्री के बीच की सीमा रेखा टूटी है और यह कोई अकेली घटना नहीं बल्कि एक स्थापित चलन है। कई बार इन्हें स्पेशल प्रमोशनल फीचर बताकर पेश किया जाता है। विज्ञापनदाता अपने उत्पादों के बारे में लेख और समाचार लिखे जाने की मांग करने लगे हैं और ज्यादातर अखबार उन्हें निराश नहीं करते।

बिजनेस और मीडिया के रिश्तों से जुड़े एक ऐसे ही प्रकरण का जिक्र वरिष्ठ पत्रकार और *जनसत्ता* के संपादक ओम थानवी ने किया :

"4 फरवरी को दिल्ली के एक नए हिंदी दैनिक में विश्व पुस्तक मेले पर एक पूरा पृष्ठ निकला। पुस्तक प्रेमियों ने उसे चाव से पढ़ा होगा। सामग्री क्या थी? पहले कॉलम में पहला आलेख : पुस्तकों की दुनिया में बदलाव आना स्वाभाविक है। यह बदलाव अब लाएगा पेजिस बुक स्टोर। नोएडा सेक्टर 18 के रॉयल पैलेस में स्थित पेजिस बुक स्टोर। दूसरे आलेख का शीर्षक : शैक्षिक पुस्तकों का उच्च प्रकाशन : वृंदा पब्लिकेशन। तीसरा : सफलता का पर्याय है उपकार प्रकाशन। चौथा : आकार बुक्सः पुस्तक प्रकाशन में नया आयाम। शीर्षक देखकर ही समझ में आ गया कि पैसे के बदले छापी गई सामग्री है। इसका सबूत भी पृष्ठ पर मौजूद था उन्हीं प्रकाशकों के इश्तहार जिनकी दुकानों के बारे में आलेख या चित्र खबर की शक्ल में बगैर किसी हवाले या स्रोत के प्रकाशित किए गए थे।"[176]

ओम थानवी ने मीडिया की जिस प्रवृत्ति का जिक्र किया है, वह बेहद आम है और कोई पाठक अगर सतर्क नहीं है तो उसके लिए समाचार और विज्ञापन और प्रायोजित सामग्री के बीच फर्क कर पाना मुश्किल होगा। इस बात की पूरी आशंका है कि वह विज्ञापन को समाचार मानकर पढ़े और ठगा जाए। टी.वी. चैनल भी धड़ल्ले से यह सब कर रहे हैं। खासकर बिजनेस चैनलों पर भी लगातार ऐसे कार्यक्रम आते हैं जो दरअसल प्रायोजित होते हैं, लेकिन चैनल उन्हें अपने कार्यक्रम के तौर पर पेश करते हैं। दर्शकों के पास समझने का कोई जरिया नहीं होता कि क्या विज्ञापन है और क्या समाचार। राजनीति में और खासकर चुनाव के दौरान जब ऐसा हुआ और विज्ञापन तथा प्रचार सामग्री को समाचार के तौर पर पेश किया गया, तो पेड न्यूज का हल्ला मचा। लेकिन कॉरपोरेट विज्ञापनों और प्रचार सामग्री को समाचार के तौर

पर बरसों से पेश किया जा रहा है और धड़ल्ले से किया जा रहा है। पाठकों और दर्शकों के भरोसे को इस खेल के जरिए भी तोड़ा जा रहा है। लेकिन, ऐसा लगता है कि इस तरह के पेड न्यूज को लेकर समाज से लेकर संसद और प्रेस परिषद तक में सहनशीलता ज्यादा है।

मनोरंजन का पेड न्यूज

राजनीतिक पेड न्यूज के शोर के बीच एक और तरह का क्षेत्र है जिसकी चर्चा आमतौर पर नहीं होती है। यह क्षेत्र है मनोरंजन का। 2009 में विज्ञापनों के कुल कारोबार में राजनीतिक विज्ञापन और मनोरंजन से जुड़े विज्ञापनों का हिस्सा बराबर (2%) रहा।[177] परंपरागत रूप से मनोरंजन उद्योग का बजट ज्यादा होता है, लेकिन 2009 में एक तरफ तो लोकसभा और कई राज्यों के विधानसभा चुनाव के कारण राजनीतिक विज्ञापन बढ़ गए, वहीं आर्थिक मंदी के कारण मनोरंजन उद्योग ने अपने विज्ञापन बजट में कटौती की। मनोरंजन उद्योग का भी समाचार माध्यमों के साथ कारोबारी हितों का रिश्ता है, जिसकी वजह से मनोरंजन जगत की कौन सी खबर वास्तविक है और कौन सी विज्ञापन या प्रमोशन, यह समझ पाना मुश्किल है।

मनोरंजन जगत ने मीडिया का संगठित और बड़े पैमाने पर पहली बार इस्तेमाल *कौन बनेगा करोड़पति* कार्यक्रम के प्रमोशन के लिए किया। स्टार प्लस पर दिखाए जाने वाले इस कार्यक्रम को प्रिंट और टी.वी. समाचार चैनलों के जरिए जमकर प्रचारित किया गया। इस कार्यक्रम के प्रचार के लिए देश भर के समाचार-पत्रों और टी.वी. समाचार चैनलों के प्रतिनिधियों को हवाई मार्ग से मुंबई ले जाया गया और इस कार्यक्रम के एंकर अमिताभ बच्चन ने हर किसी को एक्सक्लूसिव इंटरव्यू दिए। किसी भी अखबार या चैनल ने यह बताने की जरूरत नहीं महसूस की कि ये दौरे प्रायोजित थे। इस कार्यक्रम की सफलता से समाचार माध्यम और मनोरंजन उद्योग के बीच रिश्तों का नया दौर शुरू हुआ, जो लगातार गहरा होता चला गया।

मनोरंजन उद्योग और समाचार माध्यमों से लंबे समय से जुड़े जुगनू शारदेय का कहना है कि फिल्मों के कलाकारों के लिए अब शहर-दर-शहर घूमकर फिल्म का प्रमोशन करना एक महत्त्वपूर्ण काम हो गया है। फिल्मों की कामयाबी की कहानी अब फिल्मों के रिलीज होने के बाद नहीं बल्कि रिलीज से पहले ही लिख दी जाती है और इसमें समाचार माध्यमों की महत्त्वपूर्ण भूमिका होती है। फिल्म समीक्षकों और फिल्म निर्माताओं का भी एक तंत्र बन गया है जिसकी पड़ताल जरूरी है। कई फिल्म वितरक चैनलों पर फिल्म समीक्षक के तौर पर बात करते देखे जा सकते हैं, जबकि

वितरण के धंधे में होने के कारण उनके लिए निष्पक्ष होकर फिल्म की समीक्षा कर पाना संभव नहीं है। फिल्मी कलाकारों की छवि बनाने में भी समाचार माध्यमों का इस्तेमाल किया जाता है और फिल्म इंडस्ट्री में मीडिया और पब्लिसिटी एडवाइजर की भूमिका बढ़ी है।

अब जबकि टी.वी. 18 जैसे समूह एक साथ फिल्म निर्माण, वितरण, मनोरंजन चैनल और समाचार चैनलों के कारोबार में हैं[178] और स्टारडस्ट तथा शोटाइम जैसी फिल्मी पत्रिकाओं का प्रकाशक मैग्ना पब्लिशिंग अब अपनी एक सब्सिडियरी कंपनी के जरिए फिल्म निर्माण के कारोबार में भी है। मनोरंजन जगत से जुड़ी कोई खबर कब खबर है और कब प्रचार, यह जानने का कोई जरिया नहीं है। टेलीविजन धारावाहिकों का प्रचार टी.वी. न्यूज चैनलों पर जमकर किया जाता है और अपने ही समूह के किसी चैनल के धारावाहिक पर कार्यक्रम बनाते हुए इस तथ्य का खुलासा भी नहीं किया जाता। मिसाल के तौर पर एन.डी.टी.वी. के न्यूज चैनलों पर एन.डी.टी.वी. इमेजिन और स्टार न्यूज पर स्टार प्लस के सीरियल के बारे में प्रचार, न्यूज की शक्ल में होता है।

कुल मिलाकर, समाचार की निष्पक्षता और शुचिता पर चौतरफा हमले हो रहे हैं। राजनीतिक पेड न्यूज इसका एक आयाम भर है। पेड न्यूज पर विचार करते समय अगर सिर्फ राजनीतिक पेड न्यूज को निशाने पर रखा गया तो यह एकांगी दृष्टिकोण होगा।

भाषायी मीडिया का 'धतकरम' और *द हिंदू* का रोचक केस

पेड न्यूज और पैकेज पत्रकारिता क्या भारतीय भाषाओं के मीडिया की ही समस्या है? इस विवाद के पूरे कवरेज और विमर्श को देखें तो किसी को भी भ्रम हो सकता है कि खबरें बेचने के धंधे में विलेन भारतीय भाषाओं के अखबार और चैनल ही हैं। आंध्र प्रदेश में तेलुगु प्रेस और महाराष्ट्र में मराठी प्रेस आलोचना के घेरे में हैं। उत्तर भारत में भी हिंदी के प्रेस को लेकर सबसे ज्यादा आलोचनाएं हो रही हैं। प्रभाष जोशी ने *जनसत्ता* में इस बारे में लिखे अपने सारे उदाहरण हिंदी मीडिया से दिए हैं।[179] इससे पहले भी गुजराती प्रेस के एक हिस्से के बिक जाने की खबरें छपी हैं।[180]

यह बात किसी से छिपी नहीं है कि एक *जनसत्ता* और हिंदी की कुछ वेबसाइट को छोड़ दें तो पेड न्यूज की पूरी चर्चा इंग्लिश मीडिया में हुई। इस परिघटना को उजागर करने और इसका पर्दाफाश करने में *द हिंदू* सबसे आगे है। इसके अलावा *इंडियन एक्सप्रेस, मिंट* और *आउटलुक* मैगजीन में भी इस बारे में छिटपुट सामग्री आयी। *आउटलुक* में *दैनिक हिंदुस्तान* की पूर्व संपादक मृणाल पांडे का उद्धरण छपा कि भाषाई अखबारों की पहुंच अंग्रेजी के अखबारों से बहुत ज्यादा है, इसलिए वहां गड़बड़ियां भी ज्यादा दिखीं।[181]

पेड न्यूज के खिलाफ *द हिंदू* के पूरे अभियान में भारतीय भाषा का मीडिया प्रमुखता से आया। अखबार ने इस विषय पर अपनी संपादकीय टिप्पणी में लिखा—

> *अब शर्म की बात है कि महाराष्ट्र और आंध्र प्रदेश में न्यूज मीडिया, और उसमें भी भारतीय भाषाओं के बड़ी संख्या में बिकने वाले अखबार इस भ्रष्टाचार में खुलकर शामिल हो गए हैं। हैदराबाद में आयोजित एक मीडिया सेमिनार में एक नेता ने इस भ्रष्टाचार को राजनेताओं से पत्रकारों को की गई कैश ट्रांसफर स्कीम कहा है।*[182]

द हिंदू में इस बारे में लिखे एक बड़े आलेख में पी. साईनाथ ने एक कॉलम लेखक (छद्म नाम सी. राम पंडित) को केस स्टडी के तौर पर लिया है, जिसके संपादक ने उसे बताया कि 13 अक्टूबर (2009) तक (चुनाव खत्म होने तक) उनका कॉलम नहीं छपा सकता क्योंकि चुनाव तक उस अखबार की सभी जगह बिक गई है। संयोग से यह कॉलम लेखक एक भारतीय भाषा के अखबार में ही अपना कॉलम लिखते हैं।[183]

द हिंदू में इसी दौरान मृणाल पांडे का संपादकीय पेज पर एक लेख छपा जिसमें कहा गया–

2008 में कुछ विधानसभाओं के लिए हुए चुनाव के दौरान कई मल्टी एडीशन हिंदी अखबारों ने खास उम्मीदवारों के बारे में कभी तारीफ में तो कभी अंतर्विरोधी खबरें छापना शुरू कर दिया। इनका समाचार की दृष्टि से महत्त्व शून्य था और इन्हें इतना बढ़ा-चढ़ाकर छापने का कोई कारण नहीं था। लेकिन चुनाव के दौरान कुछ अखबारों के पहले पन्ने और ओप-एड पेज में ऐसे उम्मीदवारों की तस्वीरें छपती रहीं और उनकी जीत की भविष्यवाणियां भी की गईं।[184]

30 नवंबर को पी. साईनाथ ने *द हिंदू* में बताया कि किस तरह लोकमत और *महाराष्ट्र टाइम्स* में एक ही दिन एक ही खबर छपी। *लोकमत* की खबर विशेष संवाददाता के नाम से थी, जबकि *महाराष्ट्र टाइम्स* की उसी खबर में कोई बाईलाइन नहीं थी। खबर में महाराष्ट्र के मुख्यमंत्री अशोक चह्वाण की उपलब्धियों का वर्णन था। तीन दिन पहले यही खबर शब्दशः एक और मराठी दैनिक *पुढारी* में छपी। इसमें रिपोर्टर का नाम नीचे लिखा था।

पेड न्यूज को लेकर *द हिंदू* के पूरे अभियान में किसी भी अंग्रेजी अखबार का जिक्र न आना क्या सिर्फ संयोग था? यह कह पाना मुश्किल है। अंग्रेजी के अखबार भी खबरों को बेचने के धंधे में शामिल थे, यह बात कम-से-कम एक जगह पर प्रमुखता से आई है, जबकि ऐसे लोग भी हैं जो नहीं मानते कि सिर्फ भारतीय भाषाओं के अखबार ही इसके लिए दोषी हैं। दिल्ली के इंडिया इंटरनेशनल सेंटर में फाउंडेशन फॉर मीडिया प्रोफेशनल्स की गोष्ठी–*ब्लरिंग द लाइन बिटविन न्यूज ऐंड ऐड*–में *आउटलुक* के संपादक कृष्ण प्रसाद ने बताया कि लोकसभा चुनाव के दौरान मुंबई के एक प्रमुख अंग्रेजी अखबार ने अपने रिपोर्टरों से कहा कि वे जिन नेताओं का इंटरव्यू करते हैं, उनके पास सेल्स के लोगों को भी साथ लेकर जाएं और उन्हें नेताओं से मिलवाएं।[185] सी.एम.एस. के एन. भास्कर राव ने भी *द हिंदू* में ही लिखा है कि यह छोटे और भारतीय भाषा के अखबारों की ही समस्या नहीं है।[186]

यहां जरूरी हो जाता है कि अंग्रेजी के प्रमुख अखबार *द हिंदू* के कंटेंट की समीक्षा की जाए। देखना रोचक होगा कि *द हिंदू* जिन पत्रकारीय मूल्यों की बात करता है, उन पर वह खुद कितना खरा उतरता है। इसके लिए हमने अक्टूबर 2009 में हरियाणा के विधानसभा चुनाव को केस स्टडी के तौर पर चुना है। लेकिन इससे पहले कुछ बातें *द हिंदू* के बारे में।

द हिंदू ने अपने कारोबारी दर्शन और रणनीति को संक्षेप में इस तरह रखा है :

> *ईमानदारी से कार्य करने के चलन को आगे बढ़ाना, विश्वास, विश्वसनीयता, साख और वस्तुनिष्ठता के पत्रकारीय मूलभूत सिद्धांतों पर चलते हुए नए इलाकों और पाठकों तक पहुंचना और कवरेज में विस्तार करना, प्रकाशन और प्रिंटिंग की आधुनिकतम तकनीकों का इस्तेमाल करना, ताकि अखबार अव्वल बना रहे।*

(*द हिंदू* की प्रकाशन कंपनी कस्तूरी ऐंड संस लिमिटेड के प्रबंध निदेशक एन. मुरली के एक लेख से)[187]

द हिंदू बेहद महत्त्वपूर्ण अखबार है। यह देश का सबसे ज्यादा बिकने वाला अखबार बेशक नहीं है, लेकिन जिन अखबारों में छपी खबरों का सबसे ज्यादा असर होता है, राजकाज चलाने वाले लोग जिन अखबारों में छपी खबरों को सबसे गौर से देखते हैं और जो अखबार प्रबुद्ध लोगों का जनमत बनाने में सबसे महत्त्वपूर्ण भूमिका निभाते हैं, उनमें *द हिंदू* अग्रणी है। *द हिंदू* की छवि एक 'नोन नॉनसेंस अखबार' की है, जो पाठकों को गंभीरता से लेता है। *द हिंदू* एक मायने में गंभीर कही जाने वाली पत्रकारिता का आखिरी गढ़ भी है। बाजार के दबाव में किए जा रहे बदलावों का सबसे ज्यादा प्रतिरोध इस अखबार ने किया है।

यह देश का संभवतः आखिरी बड़ा दैनिक अखबार है, जिसने अपने मुख्य अखबार में रंगों का इस्तेमाल किया। *द हिंदू* के चेन्नई संस्करण में नवंबर 1999 में पहली बार हर दिन रंगीन छपाई का चलन शुरू हुआ जो बाद में बाकी संस्करणों पर भी लागू हुआ। यह बात ध्यान देने की है कि अखबारों का रंगीन होना उनके सुंदर होने या दिखने से कहीं ज्यादा विज्ञापनदाताओं की मांग और जरूरत की वजह से था। इसके बावजूद *द हिंदू* ने अगर रंगों को अपनाने का लोभ संवरण किया तो इससे समझा जा सकता है कि यह परंपरा से किस हद तक जुड़ा हुआ अखबार है। *द हिंदू* में कई सारी चीजें नहीं बदली हैं। लगभग एक सौ साल से इस अखबार का स्वामित्व नहीं बदला है। इस अखबार के ले-आउट और डिजाइन में भी न्यूनतम बदलाव हुए हैं। छह कॉलम से आठ कॉलम होने के विज्ञापनदाताओं के दबाव का भी इसने काफी समय तक प्रतिरोध किया। इस अखबार में एक और चीज लगभग

नहीं बदली है और वह है इसका प्रतिबद्ध पाठक वर्ग। *द हिंदू* का दावा है कि कई दक्षिण भारतीय घरों में सुबह की कॉफी के साथ जो चीज अभिन्न रूप से जुड़ी है वह है *द हिंदू*।

द हिंदू का संक्षिप्त इतिहास

द हिंदू का इतिहास काफी गौरवशाली रहा है। इसके साथ सवा सौ साल से ज्यादा की शानदार विरासत है। इसकी शुरुआत काफी छोटे स्तर पर हुई। 1878 में यह एक साप्ताहिक के तौर पर प्रकाशित होता था, बाद में यह हफ्ते में तीन दिन छपने लगा और 1889 में यह दैनिक बन गया। उस दौर में *द हिंदू* का सर्कुलेशन बमुश्किल 800 था। 1901 में इस अखबार के संस्थापकों में से एक और इसके एकमात्र स्वामी एम.वी. राघवाचेरियार ने *द हिंदू* को स्थायित्व देने और और इसे मजबूत बनाने के मकसद से 1,20,000 रुपए जुटाने की योजना बनाई। उनका इरादा लोगों के पैसे लेकर इसे पब्लिक लिमिटेड कंपनी बनाने का था, लेकिन इसमें वे असफल रहे।

1905 में अखबार के कानूनी सलाहकार कस्तूरी रंगा अय्यंगार ने 75,000 रुपए में *द हिंदू* और इसे छापने वाले नेशनल प्रेस को खरीद लिया। जब 1923 में कस्तूरी रंगा आयंगार का निधन हुआ तो उस समय *द हिंदू* का सर्कुलेशन 17,000 तक पहुंच चुका था, उसे विज्ञापनों से अच्छी आमदनी होने लगी थी और यह अखबार काफी मजबूत हो चुका था। इसके बाद *हिंदू* का संचालन एक पार्टनरशिप फर्म करती रही, जिसे कस्तूरी रंगा अय्यंगार के दो बेटे कस्तूरी श्रीनिवासन और कस्तूरी गोपालन चलाते थे। 1940 में यह एक प्राइवेट लिमिटेड कंपनी बनी और 1959 में इसे पब्लिक लिमिटेड कंपनी का रूप दिया गया। लेकिन बाद में तमाम डिबेंचर और प्रेफरेंस शेयर्स को वापस खरीदकर कस्तूरी ऐंड संस लिमिटेड पूरी तरह से परिवार संचालित कंपनी बन गई।[188]

द हिंदू का कहना है कि वह अपने मूलभूत मूल्यों से समझौता किए बगैर तरक्की करने के रास्ते को अंगीकार करती है। वह लोगों को विश्वसनीय जानकारी देने, उन्हें जागरूक बनाने, जनमत बनाने और समाज के लिए प्रहरी बनने की भूमिका निभाने के सार्वजनिक मिशन पर चलती है और साथ ही अखबार को चलाने के कारोबार को भी संचालित करती है। अखबार का दावा है कि वह इन दो परस्पर विरोधी लगने वाले विचारों के बीच बारीकी से संतुलन बनाकर चलती है। अखबार के प्रति लोगों की छवि इस बात की पुष्टि करती है कि *द हिंदू* अपने इस उद्देश्य में काफी हद तक कामयाब रहा है।

इस पृष्ठभूमि में हम इस अखबार के कवरेज का विश्लेषण करना चाहेंगे। इसके लिए केस स्टडी के तौर पर हमने हरियाणा विधानसभा के लिए 13 अक्टूबर को हुए चुनाव से पहले *द हिंदू* के कवरेज को लिया है। इस केस स्टडी को चुनने के पीछे मकसद इस बात की पड़ताल करना है कि क्या *द हिंदू* इस कवरेज में संतुलित रहा। विश्लेषण के लिए *द हिंदू* को चुनने के पीछे सोच है कि यह अखबार इसी दौरान पत्रकारीय शुचिता के लिए अभियान में अगुआ था। पेड न्यूज के चलन के खिलाफ इस अखबार में लगातार सामग्री छपी और अखबार ने संपादकीय लिखकर इस प्रवृत्ति का विरोध किया। इसलिए मान कर चल सकते हैं कि कवरेज में संतुलन बनाने को लेकर इस अखबार के लोग खासकर वरिष्ठ पदों पर मौजूद लोग सचेत होंगे और यह बात अखबार के पन्नों पर नजर आएगी।

इस अध्ययन के लिए *द हिंदू* अखबार के दिल्ली संस्करण को चुना गया। 1 अक्टूबर से 13 अक्टूबर तक इस अखबार में हरियाणा चुनाव के बारे में छपी हर तरह की खबरों और तस्वीरों का संकलन किया गया। इस बात की कोशिश की गई कि जो भी खबर किसी भी तरह से हरियाणा विधानसभा चुनाव से जुड़ती हो, उसे इस अध्ययन के दायरे में लाया जाए।

शीर्षक : अध्ययन की अवधि में *द हिंदू* में हरियाणा चुनाव को लेकर जो शीर्षक छपे वे इस तरह थे–

1. Congress manifesto promises transparency (3 clmn)
2. Mission to complete unfinished agenda : Hooda (3 clmn)
3. No takers in BJP for western music ban (1 clmn)
4. Haryana Janhit Congress promises quota (3 clmn)
5. Battle lines drawn for Haryana election (5 clmn)
6. It's advantage Congress in Haryana (4Clmn)
7. Hooda has a direct dialogue with voters (5clmn)
8. Full marks for Hooda regime : Sonia (4 clmn)
9. 'INLD adopting double standerd' (1clmn)
10. Face of Haryana has changed : Hooda (3clmn)
11. Congress expels party leader (1 clmn)
12. A proxy war in battleground Ambala (4 clmn)
13. Hooda urges people to vote judiciously (3clmn)
14. We will bring down prices : Manmohan (5 clmn)
15. 'Do not withdraw forces from J&K' (5 Clmn)
16. INLD trains guns on CEC (4 clmn)
17. Vajpayee seeks vote against lawlessness (4clmn)
18. A tough battle on the cards in Kalka, Panchkula (5clmn)

19. Uchan Kalan in for a tough contest (4 clmn)
20. Rahul on campaign trail in Haryana (5 clmn)
21. Campaign in Haryana ends today (3clmn)
22. Panchkula campaign gets a boost (2 clmn)
23. Election commission denies INLD charges (2 clmn)
24. Sonia : Congress regime has transformed Haryana (3 clmn)
25. Campaign ends for Haryana polls (6 clmn)
26. A battle royale in Adampur (4 clmn)
27. All set for Haryana assembly polls today (5 clmn)
28. Decisive edge, says congress (1 clmn)

ये हेडलाइंस कई बातें कहती हैं–

* इस चुनाव में विपक्ष की ओर से मुख्यमंत्री पद के सबसे सशक्त दावेदार ओम प्रकाश चौटाला का कहीं किसी हेडलाइंस में जिक्र तक नहीं आया है।
* मुख्य विपक्षी पार्टी इंडियन नेशनल लोकदल यानी आई.एन.एल.डी. का तीन हेडलाइनों में जिक्र तो है, लेकिन उनमें एक शीर्षक में आई.एन.एल.डी. का नाम एक कांग्रेसी नेता के बयान में आया है (5 अक्टूबर को पेज 7 में छपी खबर–'INLD adopting double standerd' कांग्रेस के सांसद दीपेंदर सिंह हुडा का बयान है जिसमें वे सतलज यमुना लिंक नहर को लेकर आई.एन.एल.डी. पर दोहरे मापदंड अपनाने का आरोप लगा रहे हैं)।
* बाकी जिन दो हेडलाइनों में आई.एन.एल.डी. का जिक्र है, वे आई.एन.एल.डी. और चुनाव आयोग के बीच आरोप-प्रत्यारोप की खबरों के बारे में हैं।
* *द हिंदू* के इस दौरान के पूरे कवरेज से कहीं पता नहीं चलता कि आई.एन.एल.डी. चुनाव क्यों लड़ रही है, उसके मुद्दे क्या हैं, उसके नेताओं के बयान क्या हैं और कांग्रेस की आलोचना वह किस आधार पर कर रही है।
* एक और विपक्षी पार्टी बीजेपी को लेकर तीन खबरें *द हिंदू* में हैं। 8 अक्टूबर को छपी खबर ('Do not withdraw forces from J&K') बीजेपी अध्यक्ष राजनाथ सिंह की चंडीगढ़ में संवाददाताओं से बातचीत के आधार पर है। इस खबर में हरियाणा आखिरी पैरे में है और राज्य को लेकर सिर्फ तीन वाक्य हैं। 8 अक्टूबर को पेज 12 में छपी खबर (Vajpayee seeks vote against lawlessness) पूर्व प्रधानमंत्री के बयान के बारे में है, जो उन्होंने राज्यों के विधानसभा चुनाव से पहले जारी किया

था। इस खबर में हरियाणा का जिक्र भर है। तीसरी खबर (No takers in BJP for western music ban) बीजेपी के अंदर वेस्टर्न म्यूजिक बैन को लेकर चल रहे झगड़े के बारे में है।

* *द हिंदू* में हरियाणा चुनाव के दौरान सिर्फ दो बार पहले पेज पर राज्य का कवरेज आया है। पहली खबर (Full marks for Hooda regime : Sonia) 5 अक्टूबर की है, जो कांग्रेस अध्यक्ष सोनिया गांधी के हरियाणा दौरे के बारे में है। जबकि दूसरी खबर (We will bring down prices : Manmohan) प्रधानमंत्री मनमोहन सिंह की कांग्रेस के समर्थन में की गई रैली से संबंधित है।
* हरियाणा के मुख्यमंत्री होने के नाते भूपेंद्र सिंह हुडा को अखबारों में ज्यादा कवरेज मिलना स्वाभाविक माना जा सकता है। लेकिन *हिंदू* के कवरेज में हुडा कुछ ज्यादा ही छाए हुए हैं। ऐसा आप ऊपर दी गई हेडलाइंस में देख सकते हैं।
* कुछ हेडलाइंस में पत्रकारीय मूल्यों और स्टैंडर्ड की अनदेखी साफ देखी जा सकती है। मिसाल के तौर पर, इन दो हेडलाइंस (It's advantage Congress in Haryana और Hooda has a direct dialogue with voters) को देखें। इन हेडलाइंस में अखबार निष्पक्ष नहीं रह पाया है। ये दोनों ही हेडलाइंस किसी के बयान से नहीं निकाले गए हैं और अगर ऐसा होता तो भी इन्हें उद्धरण चिह्नों के अंदर लिखना चाहिए।
* एक और हेडलाइन देखें–Panchkula campaign gets a boost. इसमें खबर है कि कांग्रेस के कुछ बड़े नेताओं ने पंचकूला से कांग्रेसी उम्मीदवार डी.के. बंसल के पक्ष में प्रचार किया है जिससे कांग्रेसी उम्मीदवार के प्रचार को बल मिला है।
* इसके अलावा मतदान के दिन यानी 13 अक्टूबर को छपे अखबार में कांग्रेस के किसी नेता को उद्धृत किए बगैर हेडलाइन लिखी गई कि–Decisive edge, says congress. खबर हरियाणा कांग्रेस के अनाम मीडिया मैनेजर्स के हवाले से लिखी गई है।

तस्वीरें और कैप्शन

1. अक्टूबर महीने में हरियाणा चुनाव से जुड़ी पहली तस्वीर पेज-5 पर है। 3 कॉलम की तस्वीर कांग्रेस के चुनावी घोषणा-पत्र जारी होने के मौके की है। इसमें राज्य के मुख्यमंत्री भूपेंद्र सिंह हुडा प्रेस को संबोधित करते

दिखाए गए हैं। मंच पर उनके साथ कांग्रेस के प्रदेश अध्यक्ष फूलचंद मुल्लाना और पार्टी महासचिव पृथ्वीराज चह्वाण हैं।

2. 3 अक्टूबर को पेज पांच पर दो कॉलम में एक तस्वीर आई.एन.एल.डी. प्रमुख ओम प्रकाश चौटाला की चुनावी सभा की है। *द हिंदू* ने 1 से 13 अक्टूबर के बीच किसी भी आई.एन.एल.डी. नेता की यह अकेली तस्वीर छापी है।
3. 4 अक्टूबर को पेज पांच पर भूपेंद्र सिंह हुडा की सिंगल कॉलम में एक तस्वीर है, जिसके कैप्शन से पता नहीं चलता कि यह कहां की और कब की तस्वीर है। इस तस्वीर का कैप्शन है—PEOPLE'S CHOICE? तस्वीर उस खबर के साथ लगी है, जिसका शीर्षक है—It's advantage Congress in Haryana.
4. 5 अक्टूबर को *द हिंदू* के पहले पन्ने पर छपी तस्वीर में सोनिया गांधी कांग्रेस के उम्मीदवार के लिए वोट मांग रही हैं। इस तस्वीर में हरियाणा के मुख्यमंत्री भूपेंद्र सिंह हुडा भी हैं।
5. 7 अक्टूबर को पेज सात पर अंबाला सीट के बारे में लिखी खबर के साथ कांग्रेस के उम्मीदवार विनोद शर्मा की तस्वीर है। कैप्शन है—TOUGH WARRIOR.
6. 8 अक्टूबर को पहले पन्ने पर प्रधानमंत्री मनमोहन सिंह की चुनावी सभा की तीन कॉलम में तस्वीर है। इस तस्वीर में केंद्रीय मंत्री कुमारी शैलजा और अंबाला से कांग्रेस के उम्मीदवार विनोद शर्मा भी हैं।
7. 8 अक्टूबर को ही बीजेपी अध्यक्ष राजनाथ सिंह की कुरुक्षेत्र के लाडवा में हुई रैली की तीन कॉलम में तस्वीर है।
8. 11 अक्टूबर को पेज 5 पर हरियाणा के वित्त मंत्री और ऊचांकलां से कांग्रेस के उम्मीदवार बीरेंद्र सिंह के चुनाव प्रचार की तस्वीर दो कॉलम में छपी है।
9. 11 अक्टूबर को ही उसी पेज पर तीन कॉलम में कांग्रेस महासचिव राहुल गांधी की चुनावी रैली की तस्वीर है। तस्वीर में भूपेंद्र सिंह हुडा भी हैं।
10. 11 अक्टूबर को एक तस्वीर तीन कॉलम में छपी है जो किसी खबर का हिस्सा नहीं है। इसमें हरियाणा के बिजली मंत्री और कांग्रेस के उम्मीदवार रणदीप सिंह सूरजेवाला वोट मांग रहे हैं। तस्वीर में एक बुजुर्ग महिला उन्हें आशीर्वाद दे रही है। इस खबर के ऊपर शीर्षक है—People Power.
11. 12 अक्टूबर को पेज 11 पर सोनिया गांधी की हरियाणा चुनावी रैली की

तीन कॉलम में छपी है। तस्वीर काफी लंबी (14 सेंटीमीटर) है। इस तस्वीर में भूपेंद्र सिंह हुडा भी हैं।

12. 12 अक्टूबर को एक और तस्वीर में गुड़गांव के एक निर्दलीय उम्मीदवार के लिए प्रचार करती एक्ट्रेस प्रीति झिंगियानी हैं। तस्वीर तीन कॉलम में छपी है।
13. 12 अक्टूबर को पेज पांच पर आदमपुर से जनहित कांग्रेस के उम्मीदवार कुलदीव बिश्नोई की सिंगल कॉलम में तस्वीर छपी है।
14. 13 अक्टूबर को पेज 15 पर तीन कॉलम में एक तस्वीर छपी है, जिसमें चुनावकर्मी वोटिंग मशीनों को जांच रहे हैं।

द हिंदू ने जिस तरह हरियाणा चुनाव के दौरान तस्वीरों को छापा है, वह चुनाव कवरेज के झुकाव को दिखाता है। इसमें चौटाला बनाम हुडा की तस्वीरों का अनुपात 1:5 का है। तस्वीरों में आई.एन.एल.डी. बनाम कांग्रेस का अनुपात 1:9 का है। अगर तस्वीरों को कॉलम सेंटीमीटर या वर्ग सेंटीमीटर में नापे तो अनुपात कांग्रेस के पक्ष में और ज्यादा झुक जाएगा, क्योंकि आई.एन.एल.डी. के बारे में छपी अकेली तस्वीर सिर्फ दो कॉलम में है और इसकी ऊंचाई भी सिर्फ 5.5 सेंटीमीटर है। यानी तस्वीर 11 कॉलम सेंटीमीटर में है। जबकि 12 अक्टूबर को पेज 11 पर सोनिया गांधी की हरियाणा चुनावी रैली की तीन कॉलम में छपी तस्वीर तीन कॉलम में है इसका आकार है 42 कॉलम सेंटीमीटर। 1 अक्टूबर को कांग्रेस के चुनाव घोषणा-पत्र जारी होने के समय की तस्वीर भी 24 कॉलम सेंटीमीटर में है। इतनी ही बड़ी तस्वीर सोनिया गांधी की एक और चुनावी रैली की है जो 5 अक्टूबर के अखबार में छपी। यानी कांग्रेस से जुड़ी न सिर्फ तस्वीरें ज्यादा लगाई गईं, बल्कि कांग्रेस से जुड़ी तस्वीरें कॉलम सेंटीमीटर के लिहाज से बड़ी रहीं। कैप्शन लगाने के मामले में भी *पीपल्स च्वॉइस* और *पीपल पावर* जैसे कैप्शन और हेडिंग सिर्फ कांग्रेस के बारे में ही लगाए गए हैं।

खबरों की भाषा

द हिंदू की भाषा में कांग्रेस के पक्ष में झुकाव था। अगर 4 अक्टूबर को पेज 5 पर छपी खबर इटस एडवांटेज कांग्रेस इन हरियाणा को ही लें तो पाएंगे कि *द हिंदू* के विशेष संवाददाता राजेश आहूजा की भाषा में एक खास किस्म का रुझान है। इस खबर को आप परिशिष्ट में पढ़ सकते हैं। यहां उस खबर का हिंदी अनुवाद देखें–

हरियाणा में कांग्रेस को बढ़त

राजेश आहूजा

चंडीगढ़ : अब तक मिले सभी संकेतों से ऐसा लगता है कि हरियाणा के मतदाता इस बार राजनीतिक दलों की ओर से 'विकास' और 'गैर-विकास' के बारे में लगाए जा रहे नारों से प्रभावित होने वाले नहीं हैं। 'तुलनात्मक आकलन' पर पहुंचने के लिए वे बड़े राजनेताओं के व्यक्तित्व और पिछले रिकॉर्ड को भी देख रहे हैं।

विभिन्न श्रेणी के मतदाताओं ने इस संवाददाता को बताया कि दो पूर्व मुख्यमंत्रियो और उनके कुनबे तथा वर्तमान मुख्यमंत्री के व्यक्तित्व और कामकाज के तरीके की तुलना की जा रही है।

कालका के एक स्कूल टीचर ने कहा कि पूर्व मुख्यमंत्री भजनलाल, जो अब अस्सी साल के आसपास की उम्र के हैं और जो 'दलबदल' (आया राम गया राम संस्कृति) को बढ़ावा देने के लिए मशहूर हुए, अब 'चुक गए' हैं। उनके बड़े बेटे चंद्रमोहन उर्फ चांद मुहम्मद को फिज़ा उर्फ अनुराधा बाली के साथ अशोभनीय संबंधों के कारण उपमुख्यमंत्री पद से हटा दिया गया और उन्हें कालका या पंचकूला से कांग्रेस का टिकट भी नहीं मिला। रोचक बात है कि चंद्रमोहन ने इससे पहले चार बार कालका से चुनाव जीता था। और भजनलाल के छोटे बेटे कुलदीप बिश्नोई, जिन्होंने हरियाणा जनहित कांग्रेस नाम की पार्टी बनाई है, को राजनीति का 'नया खिलाड़ी' माना जाता है। वे भी राजनीति के अखाड़े में भाग्य आजमा रहे हैं।

दूसरी ओर लोगों का कहना है कि चौटाला सरकार को लोगों ने 2005 के चुनाव में सत्ता से इसलिए हटाया (उनकी इंडियन नेशनल लोकदल को 90 में सिर्फ 9 सीटें मिली थीं) था क्योंकि प्रभावशाली जाटों समेत लोग 'आतंक राज और उन दिनों बेहद आम हो गई बदले की कार्रवाइयों से नाराज थे। बुजुर्ग लोग चौटाला और उनके पिता चौधरी देवीलाल, जिन्हें किसानों का मसीहा माना जाता था, की कार्यशैली में फर्क की भी बात करते हैं।

रोचक बात है कि पंचकूला के एक डॉक्टर ने कहा कि वर्तमान मुख्यमंत्री भूपेंद्र सिंह हुडा एक सज्जन राजनेता हैं, क्योंकि उनकी सरकार ने अपने विरोधी नेताओं से बदला लेने के लिए उनके खिलाफ केस नहीं किए। साथ ही पूर्ववर्ती मुख्यमंत्रियों की तुलना में हुडा से मिल पाना भी आसान है।

एक राजनीतिक कार्यकर्ता ने यहां कहा कि नेता, नीयत और नीति का कांग्रेस का नारा लोगों को पसंद आ रहा है, क्योंकि हुडा राज्य में चल रहे ढांचागत विकास के कामों को जारी रखने के लिए वोट मांग रहे हैं और सरकार ईमानदारी से चला रहे हैं और सबके भले का काम कर रहे हैं।

आप देख सकते हैं कि इस रिपोर्ट में यह जरूर कहा गया है कि रिपोर्टर ने मतदाताओं के अलग-अलग वर्गों से बात की, लेकिन राय लेने के लिए और नतीजे तक पहुंचने के लिए सैंपल साइज कितना बड़ा था, इसका जिक्र नहीं किया गया है। साथ ही रिपोर्टर ने नहीं बताया है कि उसने राज्य के किन जिलों से लोगों की राय ली। रिपोर्ट पढ़कर यह भी पता नहीं चलता कि इस खबर को लिखने के लिए रिपोर्टर गांवों में गया भी है या नहीं। इस रिपोर्ट में जिन दो लोगों का जिक्र है, उनमें डॉक्टर कालका का है और डॉक्टर पंचकूला का, जो चंडीगढ़ के आसपास ही हैं। इसके अलावा पूरी रिपोर्ट में *लोगों का कहना है, बुजुर्गों का कहना है, एक राजनीतिक कार्यकर्ता का कहना है,* वाले अंदाज में लोग आते हैं। रिपोर्टर यह भी नहीं बताता है कि जिस राजनीतिक कार्यकर्ता ने भूपेंद्र सिंह हुडा की तारीफ की है वह किस संगठन से जुड़ा है। खबर लिखने के बुनियादी उसूलों की इस खबर में पूरी तरह से अनदेखी कर दी गई है।

एक और खबर *अ प्रॉक्सी वार इन बैटलग्राउंड अंबाला* को लिखने का भी अंदाज ऐसा ही है। यह भी राजेश आहूजा की बाइलाइन खबर है। 7 अक्टूबर को पेज 7 पर छपी इस खबर के तीसरे पैराग्राफ में बताया गया है कि *अंबाला चुनाव क्षेत्र के झटपट किए गए दौरे से पता चलता है कि यहां के 1.5 लाख वोटर अकाली दल के, जैसा कि उनके विरोधी कहते हैं 'शक्ति प्रदर्शन' से आसानी से प्रभावित होने वाले नहीं हैं। रिपोर्ट में आगे बताया गया है कि तमाम आयु वर्ग के अलग-अलग तबकों के मतदाताओं का कहना है कि वो शहर का ''विकास'' चाहते हैं, जिसकी पिछले कई दशक से अनदेखी होती रही है। एक स्कूल शिक्षिका ने कहा, ''हमें इस बात में दिलचस्पी नहीं है कि पार्टियां किस तरह के राजनीतिक नारे उछाल रही हैं। यह सब तो नई बोतल में पुरानी शराब है।''*

उन्होंने कहा कि अंबाला के इतिहास में पहली बार विनोद शर्मा, जो हुडा सरकार में बिजली मंत्री रहे, ने इस क्षेत्र में विकास की प्रक्रिया शुरू की और सुनिश्चित किया कि इसके लिए धन की या किसी और तरह की अड़चन न आए।

एक युवा एक्जिक्यूटिव ने कहा कि कांग्रेस सरकार ने सीवेज और खराब सड़क की समस्या को ठीक करने की कोशिश की।

एक और खबर को देखें, जो चुनाव प्रचार खत्म होने बाद पूरे चुनावी माहौल को समेटते हुए लिखी गई है। खबर स्पेशल कॉरेस्पोंडेंट के नाम से है। इस खबर के दूसरे पाराग्राफ में लिखा है—

> *हालांकि चुनाव प्रचार में आमतौर पर चमक-दमक कम रही और मतदाता आमतौर पर अपनी राय बताने से परहेज कर रहे हैं, लेकिन चुनाव पर नजर रखने वालों का कहना है कि रुझान देखकर लगता है कि 2005 के चुनाव में 67 सीटें जीतने वाली कांग्रेस को इस बार भी बहुमत मिल जाएगा।*

खबर की भाषा कई तरह के सवाल खड़े करती है। चुनाव में किस पार्टी को बहुमत मिलेगा, यह बताना और वह भी चुनाव प्रचार खत्म होने के बाद और मतदान से ठीक पहले, नीति के हिसाब से ठीक कहा जाएगा या नहीं। जनमत सर्वेक्षणों के जरिए ऐसे ही नतीजे निकाले जाने को लेकर कायदे-कानून हैं। क्या किसी अखबार को यह छूट या सुविधा है कि उसका रिपोर्टर चुनाव नतीजे के बारे में मतदान से पहले ऐसी खबर लिखे? रिपोर्टर ने इस बात की भी जरूरत नहीं महसूस की थी कि पाठकों को 'चुनाव पर नजर रखने वाले' लोगों के नाम बताए, जिन्हें लगता था कि चुनाव नतीजे कैसे रहेंगे। 3 अक्टूबर को पेज 5 पर छपी राजेश आहूजा की बाइलाइन खबर *बैटल लाइन ड्रान फॉर हरियाणा इलेक्शन* में भी हरियाणा पर नजर रखने वालों के हवाले से बताया गया था कि जमीनी स्थितियां इस समय कांग्रेस के पक्ष में हैं।

एक और खबर (ऊचांकलां इन फॉर ए टफ कॉन्टेस्ट) भी काफी रोचक है और *द हिंदू* के हरियाणा चुनाव कवरेज के खास दिशा में झुकाव का एक और पहलू सामने रखती है। इस सीट से आई.एन.एल.डी. के मुख्यमंत्री पद के दावेदार ओम प्रकाश चौटाला चुनाव मैदान में थे और उनके मुकाबले कांग्रेस की ओर से हरियाणा के वित्त मंत्री वीरेंद्र सिंह मैदान में थे। इस खबर में तस्वीर में बाइलाइन है। अखिलेश कुमार की खींची हुई जो तस्वीर इस खबर के साथ है वह वीरेंद्र सिंह के चुनाव प्रचार की है। साथ ही इस रिपोर्ट में ओम प्रकाश चौटाला से बात नहीं की गई है। इसमें वीरेंद्र सिंह से संवाददाता की बातचीत का हवाला है और उन्हें उद्धृत भी किया गया है। खबर में वीरेंद्र सिंह के चुनाव प्रचार की रिपोर्टिंग भी है और बताया गया है कि वीरेंद्र सिंह का स्वागत किस तरह लोग मिठाइयों और सॉफ्ट ड्रिंक्स से कर रहे थे। रिपोर्टर और फोटोग्राफर ने इस चुनाव क्षेत्र की रिपोर्टिंग के लिए वीरेंद्र सिंह के चुनाव प्रचार को देखा, उसके साथ रहे, लेकिन पूरी रिपोर्ट पढ़कर एक बार भी ऐसा नहीं लगता कि रिपोर्टर ने ऊंचाकलां में चौटाला का चुनाव प्रचार देखा। यह बात ध्यान देने योग्य है कि *हिंदू* के रिपोर्टर ने मुख्यमंत्री पद के एक दावेदार के चुनाव क्षेत्र का दौरा किया,

चुनाव क्षेत्र का प्रोफाइल बनाया और उस नेता से बात ही नहीं कि जिसकी वजह से यह चुनाव क्षेत्र चर्चा में है। इस खबर का आखिरी पैरा बेहद रोचक है इसमें लिखा है—*चौटाला परिवार की गैर-मौजूदगी में चुनाव प्रचार पर नजर रखने वाले एक वरिष्ठ आई.एन.एल.डी. नेता ने बताया कि पूरा चौटाला परिवार मतदान के दिन यहीं जमकर बैठेगा। उन्होंने कहा कि चौटाला पहले ही 2,500 वोटों से आगे हैं और ये बढ़त और ज्यादा होने के आसार हैं।*

मुख्यमंत्री पद का राज्य का सबसे सशक्त दावेदार अपने चुनाव क्षेत्र में विरोधी कैंडिडेट के मुकाबले सिर्फ ढाई हजार वोटों से आगे है, यह बात एक आई.एन.एल.डी. के अनाम नेता के हवाले से कहलवाना रिपोर्टर के रुझान को ही दिखाता है। आई.एन.एल.डी. का कोई भी वफादार नेता पार्टी को नुकसान पहुंचाने वाली ऐसी बात नहीं कहेगा। लगता है कि इस रिपोर्ट को लिखने वाले रिपोर्टर को चौटाला का चुनाव प्रचार करने वाला कोई ऐसा नेता मिल गया होगा, जिसकी चौटाला से दुश्मनी होगी। लेकिन फिर भी सवाल रह ही जाता है कि रिपोर्टर ने ऐसे व्यक्ति की बात को आई.एन.एल.डी. के पक्ष के तौर पर क्यों रखा, जो पार्टी के मुख्यमंत्री पद के दावेदार को सिर्फ ढाई हजार वोटों से आगे होने की बात कह रहा है। क्या पूरे चुनाव क्षेत्र में चौटाला के समर्थन में बात करने वाला उन्हें आई.एन. एल.डी. का कोई और नेता नहीं मिला? रिपोर्टर ने यह भी नहीं लिखा है कि उसने इस रिपोर्ट के सिलसिले में ओम प्रकाश चौटाला से बात करने की कोई कोशिश की थी या नहीं।

द हिंदू का हरियाणा चुनाव कवरेज इस अखबार के उच्च आदर्शों और परंपरा के अनुरूप नहीं है। यह एक ऐसा अखबार है जिससे पाठकों को एक खास तरह की अपेक्षा रहती है। फिर आखिर ऐसा क्या हुआ होगा, जिसकी वजह से *द हिंदू* जैसा अखबार किसी विधानसभा चुनाव में एक पार्टी के पक्ष में इतनी बुरी तरह झुक गया? आखिर हम कैसे भूल सकते हैं कि इसी दौरान भारतीय भाषाओं के अखबारों में पेड न्यूज के चलन के खिलाफ *द हिंदू* अभियान चला रहा था।

साथ ही, हरियाणा चुनाव को लेकर *हिंदू* में जिस तरह का कवरेज आया, उसे संयोग या अपवाद मानकर खारिज नहीं किया जा सकता। आपने देखा कि कवरेज का झुकाव काफी लंबे समय तक बना रहा। इतने लंबे समय तक अखबार के महान आदर्शों के बारे में सचेत किसी बड़े पद पर बैठे शख्स की नजर इस तरह के कवरेज पर नहीं गई होगी, यह मानना आसान नहीं है। साथ ही, इस तरह के कवरेज को किसी एक रिपोर्टर के मत्थे भी नहीं मढ़ा जा सकता। अखबार में छपी तस्वीरें, तस्वीरों का आकार, कैप्शन की भाषा, शीर्षक, खबर का छोटा-बड़ा डिसप्ले, किस पेज पर खबर छपेगी इसका निर्धारण, यह सब किसी सामूहिक फैसले के तहत ही संभव है।

और अगर सब अनजाने में हो रहा था, तो इससे ज्यादा आश्चर्यजनक और दुखद क्या हो सकता है कि यह सब *द हिंदू* में हो रहा था।

यहां इस चर्चा को थोड़ा और आगे बढ़ाकर देखें कि पेड न्यूज में भी तो कोई नेता या पार्टी इस तरह के एकतरफा झुकाव वाले कवरेज के लिए ही पैसे देती है। या अखबार भी ऐसे ही कवरेज के लिए तो पैकेज बेचता है। *द हिंदू* ने जो किया वह मुमकिन है कि पैकेज पत्रकारिता या पेड न्यूज की श्रेणी में न आता हो। लेकिन पाठकों के लिए दोनों स्थितियों में फर्क नहीं रहा क्योंकि उसे पूरी खबर नहीं मिली, जिसके आधार पर वह सही और विवेकसम्मत फैसला करने की स्थिति में होता। चुनाव में किसी एक प्रमुख पार्टी को न्यूज स्पेस में लगभग ब्लैकआउट कर दिया जाना अनैतिक और गलत है।

चुनावों की रिपोर्टिंग के बारे में प्रेस परिषद के दिशा-निर्देशों में कहा गया है—"प्रेस की यह जवाबदेही है कि चुनाव और उम्मीदवारों के बारे में वह वस्तुनिष्ठ यानी ऑब्जेक्टिव रिपोर्ट देगा। समाचार-पत्रों से यह उम्मीद नहीं की जाती है कि वे गलत चुनाव अभियान या किसी उम्मीदवार या पार्टी या घटना के बारे में बढ़ा-चढ़ाकर रिपोर्ट छापेंगे।"[189] *द हिंदू* का हरियाणा चुनाव का कवरेज प्रेस परिषद के दिशा-निर्देशों पर खरा नहीं उतरता। कवरेज में झुकाव तब भी गलत है जब ऐसा पेड न्यूज की बीमारी की वजह से हो रहा हो और यह तब भी गलत है जब ऐसा किसी और कारण से हो रहा हो। पत्रकारिता की विश्वसनीयता दोनों ही स्थितियों में खंडित होती है। मीडिया में ऐसे कवरेज के बीच पाठकों के लिए लोकतंत्र में चुनने की आजादी का इस्तेमाल करना कितना कठिन हो जाता है, इसका अंदाजा लगाया जा सकता है।

यह बात भी याद रखनी चाहिए कि न्यूज का मोल हमेशा पैसे की शक्ल में चुकाया जाए, जरूरी नहीं है। सच तो यह है कि पेड न्यूज में भुगतान का तरीका कुछ भी हो सकता है। यह कोई नई बात भी नहीं है। कीमत राज्यसभा की सदस्यता की शक्ल में हो सकती है। कीमत किसी बड़े पुरस्कार या सम्मान की शक्ल में हो सकती है, किसी सरकारी समिति में सदस्यता के रूप में भी कीमत दी जा सकती है। न्यूज की कीमत प्लॉट या फ्लैट की शक्ल में हो सकती है। अगर अखबार समूह टी.वी. या एफ.एम. चैनल चलाना चाहता है तो मुमकिन है कि कीमत चैनल के लाइसेंस की शक्ल में दी जाए। कोई सरकार लंबे समय तक विज्ञापनों के बंटवारे में किसी अखबार को प्राथमिकता देकर खबरों की कीमत अदा कर सकती है। कोई सरकार अपने पी.एस.यू. यानी पब्लिक सेक्टर अंडरटेकिंग के जरिए विज्ञापनों की शक्ल में किसी मीडिया हाउस को कीमत अदा कर सकती है। इसकी इतनी शक्लें हो सकती हैं कि दरअसल पेड न्यूज के ज्यादातर भुगतान कभी पड़ताल के दायरे

में भी नहीं आ सकते, उन पर से पर्दा उठने की बात तो बहुत दूर है। और यह तब है जब हम पेड न्यूज के दायरे में सिर्फ राजनीतिक खबरों को रख रहे हैं। कॉरपोरेट और एंटरटेनमेंट सेक्टर में पेड न्यूज का कारोबार ज्यादा व्यवस्थित और संगठित हैं। इन क्षेत्रों में पेड न्यूज की अवधारणा संस्थागत रूप ले चुकी है और इसे एक हद तक संबंधित पक्षों की (पाठकों और दर्शकों को छोड़कर) स्वीकृति भी मिल चुकी है। इसलिए इस तरह के पेड न्यूज को लेकर किसी तरह का हल्ला भी नहीं मचता।

गौरतलब है कि *द हिंदू* हरियाणा का लोकप्रिय (मास सर्कुलेशन वाला) अखबार नहीं है। हरियाणा में दिल्ली से सटे गुड़गांव, फरीदाबाद और कुछ और शहरी इलाकों में इसके कुछ पाठक हैं। जाहिर है *हिंदू* में छपी खबरों के आधार पर राय बनाकर वोट डालने वाले लोग बहुत नहीं होंगे। इन खबरों के पाठक दिल्ली में ज्यादा हैं। पार्टियों के आलाकमान के लिए सबसे महत्त्वपूर्ण अखबारों में *द हिंदू* का नाम शुमार है, ऐसे में, क्या *द हिंदू* की इन खबरों का टार्गेट ऑडियंस दिल्ली में था, यानी क्या ये खबरें इसलिए लिखी जा रही थीं कि उन्हें दिल्ली में पढ़ा जाए? इन सवालों के जवाब हम शायद कभी नहीं जान पाएंगे। बेशक अगर *द हिंदू* चाहे तो इन खबरों का अध्ययन करके इस प्रवृत्ति की पड़ताल कर सकता है और इसे समय रहते रोक सकता है। यह एक ऐसी प्रवृत्ति है जो न सिर्फ एक अखबार की साख के लिए, बल्कि पूरी पत्रकारिता के लिए खतरनाक है क्योंकि खबरों की अगर विश्वसनीयता नहीं बचेगी तो फिर पत्रकारिता में कुछ नहीं बचेगा।

पेड नहीं, पर खतरनाक है यह आम सहमति

मीडिया को नियंत्रित करने और आम सहमति का निर्माण करने वाले पहलुओं—सरकारी दबाव और प्रलोभन तथा बाजार और विज्ञापन के असर—की विस्तार से चर्चा देसी और उससे कई गुना ज्यादा विदेशी विश्लेषकों ने की है। भारतीय परंपरा से एक जुमले को उधार लेकर कह सकते हैं कि मीडिया की कई विकृतियों और विचलनों की व्याख्या साम-दाम-दंड-भेद के जरिए की जा सकती है। मीडिया बिक जाता है, मीडिया पट जाता है, मीडिया डर जाता है, मीडिया घपले इसलिए करता है कि उनमें एक-दूसरे से आने निकलने की रेस लगी है। लेकिन एक और पहलू है जो मीडिया के विचलन का कारण बनता है। इसे 'सहमति का षड्यंत्र' कह सकते हैं।

सरकार भय दिखाकर या रेगुलेट करके या कॉरपोरेट कंपनियां पैसे के जोर पर जो हासिल नहीं कर पाती हैं, वह सब मीडिया कई बार खुद ही कर देता है। मिसाल के तौर पर यह पहेली किसी को परेशान कर सकती है कि पूरा मीडिया आंख मूंदकर आर्थिक उदारीकरण का समर्थन क्यों करता है। मीडिया आर्थिक उदारीकरण का समर्थन इसलिए करता है क्योंकि यह उसके कारोबारी हित में है और इस सवाल पर मीडिया में आम सहमति है। मीडिया व्यवसाय का हित उदारीकरण और दूसरी सरकारी नीतियों के साथ इस तरह जुड़ गया है कि वैकल्पिक नीतियों के लिए मीडिया में गुंजाइश खत्म सी हो गई है। मिसाल के तौर पर, हिंदुस्तान मीडिया वेंचर लिमिटेड ने अपने ड्राफ्ट रेड हेयरिंग प्रॉस्पेक्टस में कहा है कि "भारत में आर्थिक उदारीकरण और डिरेगुलेशन की नीतियां बदलती हैं तो इसका असर अर्थव्यवस्था और आर्थिक हालात पर और खासकर हमारे कारोबार पर हो सकता है।"[190] इससे समझा जा सकता है कि मीडिया में आर्थिक नीतियों को लेकर आम सहमति क्यों है। उदारीकरण की नीतियां मीडिया उद्योग के लिए नए तरह का कारोबार भी लेकर आती हैं। मिसाल के तौर पर 2010 में मीडिया की संभावनाओं के बारे में पिच-मेडिसन मीडिया ऐडवर्टाइजिंग *आउटलुक* में सैम बलसारा और अमित अग्निहोत्री ने लिखा है—"सरकार कई सावर्जनिक उपक्रमों में विनिवेश करने वाली

है। इस वजह से हर हफ्ते एक आई.पी.ओ. आने वाला है। सरकार के इस कार्यक्रम से न्यूज और बिजनेस मीडिया को पक्के तौर पर फायदा होगा।"[191] मीडिया के सामने आर्थिक उदारीकरण का समर्थन करने को अब एक और कारण मिल गया है। जब साझा कारोबारी हितों की बात हो तो मीडिया में कोई अंतर्विरोधी स्वर ढूंढ़ पाना मुश्किल होता है।

आम सहमति के षड्यंत्र को सूत्र वाक्यों में कहने की जगह वास्तविक उदाहरणों के जरिए कहना ज्यादा उपयोगी होगा, क्योंकि आम सहमति की कुछ प्रवृत्तियां विशिष्ट तौर पर भारतीय हैं और मीडिया विमर्श के पश्चिमी मॉडल उन्हें समझने में पूरी तरह कारगर नहीं हैं।

आम सहमति का षड्यंत्र : उदाहरण-1

19 नवंबर, 2009 को राजधानी दिल्ली में गन्ना किसानों ने एक बड़ी रैली की। किसान गन्ने की ज्यादा कीमत मांग रहे थे और उनका आरोप था कि केंद्र सरकार ने कीमत का जो फॉर्मूला बनाया है, उसकी वजह से उन्हें पिछले साल से भी कम कीमत मिलेगी, जबकि 2009 में चीनी की कीमत पिछले साल से लगभग दो गुनी हुई है। अगले दिन यानी 20 नवंबर, 2009 को दिल्ली से प्रकाशित होने वाले अंग्रेजी के अखबारों में इस रैली का कवरेज बेहद रोचक रहा। सबसे पहले हेडलाइंस–

1. KISAN JAM/Farmers Run Riot in Heart of The City–*Times Of India*
2. BITTER HARVEST/Sweet Heat/Protesting cane farmers clog city streets, unleash chaos–Hindustan Times
3. Nightmare for 250–Year-old Jantar Mantar–Hindustan Times
4. New Delhi under sieze–Hindustan Times
5. Ajit, Tikait heap threat upon threat to teach Delhi lesson–Times of India
6. CANED, CITY UNDER SIEZE–Times Of India
7. Protest shuts CP, Janpath, Palika–Times Of India
8. Flowerpots, signboards damaged–Times Of India
9. Central Delhi feels the heat, traffic thrown out of gear–Times of India
10. Farmers bring traffic to standstill–Asian Age
11. Farmes' protest, Trade Fair turn city roads into parking lots-Indian Express

12. Angry farmers paralyse Delhi–The Hindu
13. Rally disrupts traffic in CP, Rajghat–The Tribune
14. Govt bows to opp cane/Traffic crawls as agitators clog city roads–The Pioneer.

गन्ना किसानों ने अगर अपनी फसल के लिए ज्यादा कीमत मांग ली और इस मांग को लेकर अगर वे दिल्ली में प्रदर्शन करने आ गए तो क्या यह इतना बड़ा गुनाह हो गया कि राष्ट्रीय अंग्रेजी मीडिया उनके साथ ऐसा बर्ताव करे? यह अंदाज लगभग वैसा ही है जैसा मेले में सांड़ के तांडव मचाने पर या शहर में उपद्रवियों के आने को लेकर होता है। इनमें से लगभग सभी अखबारों ने रैली और फसल की ज्यादा कीमत देने की किसानों की मांग से बड़ी खबर शहर के लोगों को हुई परेशानी को माना। इन अखबारों के लिए शहर में कुछ घंटों के लिए ट्रैफिक का अस्त-व्यस्त होना लाखों किसानों की समस्या और उनके आंदोलन से बड़ी खबर है। इस खबर में आंदोलनकारी गन्ना किसानों को दंगाइयों और मवालियों की तरह ट्रीट किया गया है, जिनकी वजह से शहर और शहरवासियों की एक सुबह खराब हो गई।

फोटो और कैप्शन

इस खबर के लिए फोटो का चयन भी अखबारों के किसान विरोधी रुझान को दिखाता है। मिसाल के तौर पर टाइम्स ऑफ इंडिया के पहले पेज पर चार फोटो का एक मोंटाज है, जिसमें एक तस्वीर में प्रदर्शनकारी तोड़फोड़ मचा रहे हैं, एक तस्वीर शराब की बोतल की है और एक तस्वीर में शहर का एक टूटा साइनबोर्ड है। संदेश साफ है कि किसान प्रदर्शनकारी शहर में बलवा करके चले गए। इसके साथ ही शीर्षक है जिसका अनुवाद है 'किसान राजधानी के बीचोबीच दंगा मचा गए।' इसी अखबार की एक तस्वीर में प्रदर्शनकारियों से ठसाठस भरा एक फ्लाईओवर है जिसके ऊपर हेडर में लिखा है कि युवा प्रदर्शनकारी सिर्फ प्रदर्शन करके खुश नहीं थे, वे उत्पात मचा रहे थे, लेकिन पुलिस खामोश देखती रही। *टाइम्स ऑफ इंडिया* की एक और तस्वीर में जनपथ की बंद दुकानों के आगे बैठे पुलिसकर्मियों को दिखाया गया है। तस्वीर का कैप्शन है–जनपथ में छाया सन्नाटा। इसके साथ एक और तस्वीर में रणजीत सिंह फ्लाईओवर पर प्रदर्शनकारियों की भीड़ है और कैप्शन बताता–कि प्रदर्शनकारियों के बोझ से कराहता रणजीत सिंह फ्लाईओवर। इसके अलावा ट्रैफिक जाम की तस्वीरें, नेताओं के गन्ना चूसने की तस्वीरें भी अखबार में हैं।

हिंदुस्तान टाइम्स ने फोटो का जिस तरह इस्तेमाल किया वह तो और भी ज्यादा आपत्तिजनक था। अखबार ने पहले पन्ने पर एक के नीचे एक चार तस्वीरें लगाईं। पहली तस्वीर में प्रदर्शनकारी किसानों के हाथों में गन्ना है। तस्वीर का शीर्षक है 'उन्होंने विरोध किया...' दूसरी तस्वीर में जंतर मंतर की पृष्ठभूमि में तीन किसानों को शराब पीते दिखाया गया है और इसका शीर्षक है—'उन्होंने पी...' तीसरी तस्वीर मे दो किसानों को हाथ में लाठी लिये जाते दिखाया गया है और इसका शीर्षक है 'उन्होंने हंगामा मचाया...' और चौथी तस्वीर में किसानों को जंतर मंतर में पेशाब करते दिखाया गया है और इस तस्वीर का शीर्षक है—'उन्होंने पेशाब किया...'। इन तस्वीरों के कैप्शन की भाषा भी देखिए—''गन्ना किसानों ने जंतर मंतर पर गन्ने को लाठी की तरह भांजा और नारे लगाए...शाम हुई और भीड़ छंट गई तो प्रदर्शनकारियों ने शराब पी और दोस्तों के साथ गपशप की...जाते समय वे अपने साथ तोहफे के तौर पर जंतर मंतर की रेलिंग तोड़कर ले गए...उन्होंने 250 साल पुरानी इमारत (जंतर मंतर) को खुला शौचालय बना दिया।'' इसी अखबार के पेज चार पर एक तस्वीर जंतर मंतर की है और इसका शीर्षक है—''कई किसान जंतर मंतर में घुस गए और वहां तांडव मचा दिया।'' पेज चार में ही चार तस्वीरों का एक कोलाज है जिसके कैप्शन इस तरह हैं—''किसानों ने गुरुवार को जंतर मंतर पर कब्जा कर लिया और अंदर मल-मूत्र त्याग किया और सार्वजनिक संपत्ति को नुकसान पहुंचाया...उन्होंने सड़क के बीच लगे फूलों के गमले तोड़ डाले...उन्होंने सड़क के साइनबोर्ड को भी नहीं छोड़ा...और जब तोड़ने को कुछ और नहीं बचा तो उन्होंने पेड़ उखाड़ दिए।'' *हिंदुस्तान टाइम्स* के पेज पांच पर एक तस्वीर जनपथ मार्केट की है, जिसका कैप्शन है—''गुरुवार को जो बाजार सबसे पहले बंद हुआ वह था जनपथ मार्केट।'' इसके साथ खबर का शीर्षक है—'प्रदर्शन की वजह से कनॉट प्लेस, जनपथ और पालिका बंद।'

इंडियन एक्सप्रेस, ट्रिब्यून, एशियन एज और *हिंदू* ने भी ट्रैफिक जाम की तस्वीरें प्रमुखता से छापी हैं।

खबर की भाषा

नमूना 1—*टाइम्स ऑफ इंडिया,* पेज 1 : ''गन्ने की कीमत पर केंद्र सरकार की नीति के खिलाफ कम-से-कम 12,000 किसान दिल्ली की सड़कों पर उतर आए। लेकिन उनमें से कई ने विरोध करने के अलावा भी बहुत कुछ किया। शहर के केंद्र कनॉट प्लेस में उन्होंने तीन घंटे तक उत्पात मचाया, सार्वजनिक संपत्ति को नुकसान पहुंचाया, दुकानें लूट लीं, महिलाओं से छेड़खानी की और यह सब होता हुआ पुलिस

वाले चुपचाप देखते रहे।...दुकानदारों का कहना है कि उनमें से कई प्रदर्शनकारियों ने फुटपाथ पर बैठकर शराब पी और कनॉट प्लेस की बीच की सड़कों पर लड़कियों से छेड़खानी की।''

नमूना 2—*टाइम्स ऑफ इंडिया,* अंदर के पेज पर : ''गन्ने को लाठियों की तरह भांजते हुए पश्चिमी उत्तर प्रदेश से आए किसानों ने राजधानी के केंद्रीय इलाकों को गुरुवार को बंधक बना लिया। वे केंद्र और राज्य सरकारों के खिलाफ नारे लगा रहे थे। उनमें से कई बसों की छतों पर सवार थे और अजित सिंह की पार्टी राष्ट्रीय लोकदल का झंडा लिये हुए थे। चाहे वो सड़कों पर हों या बसों की छतों पर, सुबह से लेकर शाम तक शहर पर उनका ही राज था।''

नमूना 3—*टाइम्स ऑफ इंडिया,* ''ऑटो में केजी मार्ग जा रही मोनिका अग्रवाल नाम की एक छात्रा का जनपथ क्रॉसिंग पर प्रदर्शनकारियों से आमना-सामना हो गया। उसने कहा—कम-से-कम तीन लोगों ने मेरा ऑटो रोक लिया और वे उसे आगे नहीं जाने दे रहे थे। वे अपनी बोली में कुछ-कुछ कह भी रहे थे। मैं ऑटो से उतरी और पास खड़े पुलिस वाले को पुकारा। आश्चर्य की बात है कि उसने उन लोगों को जाने दिया। मैं इस हंगामे के बीच पैदल ही केजी मार्ग पहुंची।''

नमूना 4—*एशियन एज,* दिल्ली स्पेशल—''कुछ प्रदर्शनकारियों ने 7 जंतर मंतर रोड के अंदर बने घरों में घुसकर हंगामा करने की कोशिश की और तोड़फोड़ मचाई। यहां जनता दल यू का दफ्तर भी है।'' पार्टी के महासचिव जावेद रजा ने इस घटना की निंदा की है।

नमूना 5—*हिंदुस्तान टाइम्स,* पेज-5 ''सवा तीन बजे हालात बेहद बिगड़ गए। एक दर्जन से ज्यादा मवालियों ने शराब के नशे में धुत होकर सड़क पर जाम लगा दिया, जिसकी वजह से टॉलस्टॉय मार्ग के यात्रियों को आधे घंटे तक फंसे रहना पड़ा। फंसे हुए कई यात्रियों ने अपनी कारों के दरवाजे लॉक कर लिये और उनमें से कुछ तो अपनी जान की खैर मना रहे थे। प्रदर्शनकारियों ने फुटपाथ पर सामान बेच रहे कुछ दुकानदारों के पीटा।''

नमूना 6—*हिंदुस्तान टाइम्स,* पेज 1 : ''हजारों की संख्या में गन्ना किसानों ने ट्रैफिक रोक दिया, बिजली के खंभे उखाड़ दिए, कारें तोड़ दीं, जंतर मंतर में उत्पात मचाया और यह सब करके गुरुवार को शहरों को घुटने के बल झुकने को मजबूर कर दिया।...लगभग बीस शराबी मवाली जनपथ पर लेट गए, कनॉट प्लेस इलाके की दुकानों के शटर गिरा दिए गए।''

अरसे बाद राष्ट्रीय अखबारों में किसानों को इतनी जगह मिली। कर्ज में डूबे सौ-सवा सौ किसानों की हफ्ते भर में आत्महत्या की खबर जब अंदर के पन्ने पर सिंगल कॉलम के स्पेस के लिए जूझती हो और अक्सर ऐसी खबरों को चंद सेंटीमीटर

भी न मिलते हों तो ऐसे में एक दिन अचानक दिल्ली के सबसे बड़े अखबारों के पन्ने किसानों की तस्वीरों और खबरों से भर जाते हैं। लेकिन पन्ने किस तरह की तस्वीरों और खबरों से भरे जाते हैं, यह काफी महत्त्वपूर्ण है। इन खबरों में किसान की तस्वीर अन्नदाता की नहीं है। इनमें से ज्यादातर खबरों में किसान मवाली है, उत्पाती है, उद्दंड है, लड़कियों से छेड़खानी करता है, ट्रेफिक रोक देता है, कारें तोड़ देता है, राष्ट्रीय स्मारक में तोड़फोड़ करता है, वहां घुसकर शराब पीता है, वहीं पेशाब करता है, फूलों के गमले तोड़ देता है, साइनबोर्ड गिरा देता है, उनके डर से दुकानदार दुकानें बंद कर देते हैं...कुल मिलाकर एक सुंदर शहर की शानदार जिंदगी में खलल डालने वाला किसान इन अखबारों के पन्नों पर छाया हुआ है। आंदोलनकारी किसानों को एक ऐसी भीड़ के तौर पर दिखाया गया है जो शहर में तबाही के निशान छोड़ गया है।

आखिर ऐसा क्यों हुआ होगा? क्या किसी विज्ञापनदाता या विज्ञापनदाताओं ने अखबारों पर ऐसे कवरेज के लिए दबाव डाला होगा। क्या सरकार ने अखबारों पर इस तरह से खबरें लिखने और तस्वीरें छापने के लिए दबाव डाला होगा या प्रलोभन दिया होगा? किसी भी सूरत में यह पेड न्यूज या पैकेज पत्रकारिता नहीं है क्योंकि यह मानने का कोई कारण नहीं है कि ऐसे कवरेज के लिए किसी ने अखबारों को पैसे दिए होंगे या अखबारों के प्रतिनिधि बाजार में इस बात का रेट कार्ड लेकर घूम रहे होंगे कि हम किसानों के प्रदर्शन की ऐसी की तैसी करने के लिए ये रेट लेंगे। दिल्ली को जानने वालों के लिए समझना कठिन नहीं है कि पूरे प्रदर्शन से दिल्ली का बेहद छोटा इलाका प्रभावित हुआ। दो बजे प्रदर्शनकारियों का जुलूस रामलीला मैदान से चला और सवा तीन बजे तक जंतर मंतर पहुंच गया। यह सफर तीन किलोमीटर का होगा। दिल्ली के एक करोड़ से ज्यादा लोगों में से दो-चार लाख से ज्यादा लोगों की जिंदगी इस आंदोलन से प्रभावित नहीं हुई होगी। और प्रभावित भी इतनी कि कुछ लोग कुछ घंटों के लिए जाम में फंसे, कुछ दुकानदारों ने दो से चार घंटे तक दुकानें बंद रखीं और दो या चार कारों के शीशे आंदोलनकारियों ने तोड़ दिए।

इतने बड़े प्रदर्शनों में ऐसा कोई पहली बार नहीं हुआ। पश्चिमी उत्तर प्रदेश के किसान आंदोलनों में अराजकता का पहलू हमेशा से रहा है। लेकिन इस बार मीडिया का बर्ताव किसी को भी चौंकाने के लिए काफी था। प्रदर्शनकारी जिस ताकत के साथ दिल्ली की सड़कों पर प्रदर्शन करने आए थे उससे कई गुना ज्यादा ताकत के साथ दिल्ली के मीडिया ने उन्हें फटकार लगाई और उन्हें दुत्कार दिया। यह क्रिया के बराबर प्रतिक्रिया नहीं थी। प्रदर्शनकारियों के एक बेहद छोटे-से हिस्से की हरकतों की निंदा करते हुए इस मामले में मीडिया की भूमिका की भी भर्त्सना

होनी चाहिए। लेकिन इससे भी जरूरी कि इस बात की पड़ताल करना कि मीडिया ने आखिर ऐसा क्यों किया? क्या यह कोई अपवाद था, या फिर यही मीडिया का मूल चरित्र है? अगर यह अपवाद है तो देश के लगभग सभी मीडिया हाउस एक साथ किसान प्रदर्शनकारियों के खिलाफ क्यों टूट पड़े? अगर यह अपवाद है तो दिल्ली से छपने वाले और राष्ट्रीय कहे जाने वाले मीडिया में किसान लगभग अनुपस्थित क्यों है?

किसानों और खेती के प्रति राष्ट्रीय मीडिया की अवमानना की यह पहली घटना नहीं है। प्रमुख कृषि वैज्ञानिक एम.एस. स्वामिनाथन तो मीडिया में खेती की अनदेखी को लेकर इतने चिंतित हैं कि इसे दूसरी हरित क्रांति के रास्ते की सबसे बड़ी बाधाओं में से एक मानने लगे हैं। उन्होंने एक लेख में लिखा है कि पहली हरित क्रांति में नए तरह के बीजों के बारे में देश भर के किसानों को खबर मीडिया से मिली। उन्होंने इन खबरों से जानकर नए और ज्यादा फसल देने वाले बीजों का इस्तेमाल शुरू किया और कटोरा लेकर दुनिया के आगे घूमने वाला देश अनाज का निर्यातक बन गया। उस समय रिपोर्टर कृषि प्रयोगशालाओं में जाते थे। स्वामिनाथन का कहना है कि अब शायद ही कोई रिपोर्टर प्रयोगशालाओं और कृषि विश्वविद्यालयों में जाता है। ऐसे में अगर बीजों को लेकर कोई नया प्रयोग होता है और कोई अच्छा बीज बनाया भी जाता है तो मीडिया में खेती के कवरेज का हाल ऐसा है कि उसके बारे में किसानों तक खबर पहुंचाना ही मुश्किल होगा।

2010 में खेती की चर्चा एक और कारणों से हुई है। वह है खाद सब्सिडी का मसला। लेकिन इस विषय पर लिखी गई खबरों में जो एक पक्ष पूरी तरह से गायब है, वह है देश का किसान। किसानों को सबसे ज्यादा प्रभावित करने वाले मुद्दों में एक की चर्चा सिर्फ वित्तीय घाटे और अर्थव्यवस्था के संदर्भ में होना आश्चर्यजनक लग सकता है। वैसे भी जरा सोचकर देखिए कि आखिरी बार कब आपने किस अखबार के पहले पन्ने पर ऐसी खबर देखी थी कि किसानों के लिए किसी प्रयोगशाला में नया बीज बना है, या खेती के लिए कोई नया उपकरण बना है या कोई ऐसा ट्रैक्टर आया है जो कम तेल पीता है या ऐसी कोई खबर या संपादकीय कि सरकार को हर गांव में एक स्वास्थ्य केंद्र खोलना चाहिए या कि हर ब्लॉक में कम-से-कम एक कोल्डस्टोरेज खोलना चाहिए।

जिस देश में एक खेल आयोजन पर कई हजार करोड़ रुपए लगा दिए जाते हैं, वहां ऐसे सवाल मीडिया में क्यों नहीं उठते, जबकि इनका वास्ता देश की दो-तिहाई आबादी से है। यहां फिर सवाल उठता है कि इस देश के राष्ट्रीय मीडिया में किसान और गांव लगभग अनुपस्थित हैं तो इसकी वजह कोई लालच है या दबाव या भय। या फिर इस बात को लेकर मीडिया में आम सहमति है कि गांव और किसान हाशिए

में हैं और मीडिया में भी हाशिए पर ही रहेंगे। कहीं ऐसा तो नहीं कि यह आम सहमति दरअसल मीडिया की नहीं बल्कि इस देश के इलीट की है, जिसके विचारों का प्रतिनिधित्व इस देश का राष्ट्रीय मीडिया करता है? इस बारे में किसी नतीजे पर पहुंचने से पहले एक और उदाहरण देखते हैं, जो इस देश को मीडिया के बारे में एक और तथ्य उजागर करता है।

आम सहमति का षड्यंत्र : उदाहरण-2

28 मई, 2006, दिन रविवार—एक दिन पहले यानी शनिवार को दिल्ली के रामलीला मैदान में आरक्षण विरोधियों की एक रैली हुई थी। आरक्षण विरोधी आंदोलन के दौरान हुई यह सबसे बड़ी रैली थी, जिसमें दिल्ली के साथ ही देश के कई शहरों से छात्र और युवक आए थे। केंद्र सरकार के उच्च शिक्षा संस्थानों में अन्य पिछड़े वर्गों यानी ओ.बी.सी. को 27 प्रतिशत कोटा दिए जाने के बाद देश भर के कैंपसों में छात्रों का एक समूह आंदोलन कर रहा था। आंदोलनकारियों ने यूथ फॉर इक्वैलिटी नाम का एक संगठन बनाया था। रामलीला मैदान की रैली यूथ फॉर इक्वैलिटी ने ही आयोजित की थी। रविवार को दिल्ली से प्रकाशित लगभग सभी अखबारों में इस रैली और आरक्षण विरोधी आंदोलन की खबर पहले पन्ने पर थी।

वैसे तो कोई कह सकता है कि इस तरह का कंटेंट एनालिसिस करने की कोई जरूरत नहीं है क्योंकि रिजर्वेशन के सवाल पर भारतीय मीडिया की राय जगजाहिर है। देश का मीडिया आरक्षण के खिलाफ है। देश के दलितों, आदिवासियों, पिछड़ों और अल्पसंख्यकों को लेकर मीडिया की एक खास तरह की राय है जो बार-बार सामने आई है और इस बारे में पहले भी कई अध्ययन हुए हैं और सबमें एक ही तरह की बात सामने आई है। ऐसे में यह बताने के लिए किसी तरह का अध्ययन क्यों किया जाना चाहिए कि मंडल-2 के समय भी मीडिया आरक्षण के खिलाफ था? हां, इसमें अगर कोई विचलन हो या नई बात हो तभी इस तरह का कंटेंट एनालिसिस किया जाना चाहिए। लेकिन यहां पर इस अध्ययन को इस मकसद से शामिल किया जा रहा है कि आम सहमति के षड्यंत्र का खुलासा भाषा, कंटेंट टेक्स्ट फोटो, और साज-सज्जा के संदर्भ में किया जा सके। इस पुस्तक की मूल स्थापना भी यही है कि मीडिया का पेड हो जाना इसकी अकेली समस्या नहीं है, यह एक बड़ी प्रवृत्ति का एक हिस्सा भर है।

सबसे पहले देखें कि 28 मई, 2006 को अखबारों ने पहले पन्ने पर इस बारे में सबसे बड़ी खबर के लिए किस तरह के शीर्षक और उपशीर्षक छापे—

1. ANTI-RESERVATION STIR GETS FIERY/Self-Immolation attempted In Cuttack, Delhi–*Times of India*
2. Mandal-1 re-run/Medicos to continue stir, hold massive rally–The Statesman
3. Hope and Despair/Docs still despondent–Hindustan Times
4. Immolation bid at anti-quota rally–The Tribune
5. Immolation bids at Delhi–Cuttack/Delhi youth gets 40% burns, cuttack student in ICU/Maha rally in Capital, Docs to intensify stir–The Pioneer
6. RAGE BURNS HEARTS, LIVES/Anti quota still on] youth who set self in fire alive–The Asian Age
7. PRESCRIPTION READY/Six new AIIMS before '08/MBBS seats doubled to 2400–Indian Express
8. Tension as rally ends in immolation bid–Express Newsline
9. Centre orders increase in medical seats/students seek written assurance on this, decide to continue stir–The Hindu
10. 'Increase Seats by 55: '/Nine Central Medical Institutes told to follow order in next academic year-Economic Times
11. आत्मदाह के प्रयास से जाग उठा अतीत/दिल्ली में रहने वाले बिहार के युवक ने लगाई खुद को आग, कटक में एक डॉक्टर ने भी किया आत्मदाह का प्रयास
12. महारैली में छात्र ने खुद को लगाई आग, आरक्षण विरोधी सरकार पर बरसे–*पंजाब केसरी*
13. आरक्षण विरोधियों ने निकाली रैली/ अभी जारी रहेगा मेडिकल छात्रों का आंदोलन–हिंदुस्तान
14. आरक्षण : दो ने किया आत्मदाह का प्रयास/ गुटखा बेचता है दिल्ली में जलने वाला युवक, उड़ीसा में छात्र को रोक लिया गया
15. आरक्षण की आग : आत्मदाह पर उतरे आंदोलनकारी/दिल्ली में युवक और कटक में डॉक्टर ने जान देने का प्रयास किया–*अमर उजाला*
16. आरक्षण के विरोध में आत्मदाह की कोशिश/प्रधानमंत्री से बातचीत के बाद आंदोलनकारी दुविधा में–*दैनिक भास्कर*

ऊपर कुछ अखबारों के पहले पन्ने की आरक्षण विरोधी आंदोलन से जुड़ी हेडलाइन दी गई हैं, जो एक प्रतिनिधि नमूना है। ऊपर दिए गए शीर्षकों का विश्लेषण करने से पता चलता है कि सिर्फ तीन अखबारों *द हिंदू, इंडियन एक्सप्रेस* और *इकॉनोमिक टाइम्स* ने दिल्ली की रैली या कटक में कथित आत्मदाह के प्रयास की

तुलना में इस आंदोलन से जुड़ी सरकारी घोषणा (मेडिकल में सीटें बढ़ाई जाएंगी) को ज्यादा महत्त्वपूर्ण माना है। 12 अखबारों की हेडलाइन *(एक्सप्रेस न्यूजलाइन* की हेडलाइन आत्मदाह की बात करती है और एक्सप्रेस से अलग इसे भी जोड़ लें तो 13) में आत्मदाह का जिक्र किसी न किसी रूप में आया है। *दैनिक हिंदुस्तान* ने दिल्ली में युवक के जलने को आंदोलन से जोड़कर नहीं देखा है लेकिन कटक की घटना को आंदोलन का हिस्सा माना है। दिल्ली में जलने वाले युवक ऋषि गुप्ता को तो अखबारों ने छात्र तक बता दिया। बाकी अखबारों में से किसी ने उसे आंदोलनकारी बताया है तो किसी ने आरक्षण का विरोधी। जिस अखबार ने अपने सब-हेडिंग में उसे गुटखा बेचने वाला बताया है, उसने भी अपने शीर्षक में उसके जलने को आरक्षण विरोध से जोड़कर लिखा है।

पत्रकारिता के लिहाज से यही नैतिकता और ईमानदारी है कि जो बात खबर में न हो उसे हेडलाइन में न लिया जाए। तो क्या इस कटौटी पर ये अखबार सही उतरते हैं। दिल्ली में जिस युवक ऋषि गुप्ता के जलने को आंदोलन के दौरान आत्मदाह, छात्र द्वारा आत्मदाह का प्रयास, मंडल वन की वापसी आदि कहा गया उसके बारे में देखिए कि खुद अखबार क्या कहते हैं—

* *टाइम्स ऑफ इंडिया* ने डी.सी.पी., सेंट्रल नीरज ठाकुर के हवाले से कहा कि अब तक किसी को भी नहीं मालूम कि उसने ऐसा क्यों किया। गुप्ता ने पांच साल पहले बिहार से 12वीं की परीक्षा पास की थी और दिल्ली में वह गुटखा बेचता है। वह खतरे से बाहर है। अखबार के पेज 7 में एक खबर है—Agitators say they were not aware of immolation plans. खबर में एल.एन.जेपी. अस्पताल की डॉक्टर नेहा, जो यूथ फॉर इक्वैलिटी की सदस्य हैं, कहती हैं कि दिल्ली में जिस ऋषि गुप्ता ने खुद को आग लगा ली, वह रैली में शामिल नहीं था। और वह यूथ फॉर इक्वैलिटी का सदस्य भी नहीं है।
* *स्टेटसमैन* लिखता है—डी.सी.पी. सेंट्रल नीरज ठाकुर ने कहा कि 23 साल का ऋषि गुप्ता बिहार का रहने वाला है और इन दिनों शहादरा इलाके में रहता है। वह सिगरेट और गुटखा बेचता है। ठाकुर ने यह भी बताया कि उसने रामलीला मैदान से बाहर गुरु नानक चौक पर खुद पर मिट्टी का तेल डालकर आग लगा ली। जिस समय वह जला उस समय पुलिस वहां मौजूद नहीं थी। मौके पर मौजूद एक डॉक्टर ने कहा कि ऐसा लगता है कि केंद्र सरकार के शिक्षा संस्थानों में आरक्षण दिए जाने के विरोध में चल रहे आंदोलन का ऋषि समर्थन करना चाहता था क्योंकि हो सकता है कि उसे भी आरक्षण की वजह से नुकसान उठाना पड़ा हो।

* *हिंदुस्तान टाइम्स* ने पहले पेज की अपनी हेडलाइन में आत्मदाह की बात नहीं की है। खबर के अंदर जरूर लिखा है कि शहादरा के 24 साल के गुटखा विक्रेता ऋषि राज गुप्ता ने रैली मैदान के बाहर आत्मदाह करने का प्रयास किया। आंदोलनकारी डॉक्टरों ने स्पष्ट किया है कि गुप्ता के आत्मदाह का आंदोलन की उनकी पूरी योजना से कोई लेना-देना नहीं है। मौलाना आजाद मेडिकल कॉलेज के रेजिडेंट डॉक्टर्स एसोसिएशन के सदस्य जितेंद्र सिंघला का कहना है कि यह आदमी हमारी रैली में शामिल नहीं था और हमें नहीं मालूम कि उसने आत्मदाह की कोशिश क्यों की?
* *द ट्रिब्यून* ने लिखा है कि आत्मदाह की कोशिश करने वाले छात्र ऋषि रंजन ने रैली स्थल रामलीला मैदान में (ध्यान देने की बात है कि यह घटना रामलीला मैदान से बाहर गुरु नानक चौक पर हुई है) खुद को आग लगा ली, जबकि वहां मौजूद पुलिस वालों ने उसे रोकने की कोशिश की (यह बात भी अजीब है कि खुद डी.सी.पी. कह रहे हैं कि जब घटना हुई तब पुलिस वहां मौजूद नहीं थी)।
* *द पायोनियर* ने भी डी.सी.पी. नीरज ठाकुर के हवाले से बताया है कि ऋषि रंजन गुप्ता सड़क किनारे गुटखा बेचता है। इस अखबार का कहना है कि वह रैली में शामिल था (*पायोनियर* ने गुप्ता को आंदोलनकारी बताने के लिए किसी के उद्धरण का इस्तेमाल नहीं किया है, जबकि यूथ फॉर इक्वैलिटी और तमाम दूसरे संगठन दूसरे अखबारों को बता रहे थे कि गुप्ता आंदोलन में शामिल नहीं था)।
* *एशियन एज* का शीर्षक पढ़कर ऐसा लगता है कि ऋषिराज गुप्ता के जलने का आरक्षण विरोधी आंदोलन से संबंध है, जबकि इसी खबर में पहले ही पैराग्राफ में डॉक्टर नेहा के हवाले से कहा गया है कि गुप्ता आंदोलन का हिस्सा नहीं है, वह गुटखा बेचता है और छात्र नहीं है।
* *एक्सप्रेस न्यूज लाइन* ने भी खबर में कहा है कि आत्मदाह की कोशिश करने वाला गुटखा विक्रेता है। यूथ फॉर इक्वैलिटी के नेताओं ने कहा है कि वह इस युवक को नहीं जानते। *एक्सप्रेस* ने लिखा है कि पुलिस इस बात की जांच कर रही है कि कहीं उसे आत्मदाह करने के लिए उकसाया तो नहीं गया। एक वरिष्ठ अधिकारी ने कहा कि इसकी संभावना से इनकार नहीं किया जा सकता। *एक्सप्रेस* ने भी कहा है कि घटना रैली मैदान से बाहर हुई। *एक्सप्रेस न्यूजलाइन* में छपी एक खबर–Family says youth often took part in rallies में पुलिस के हवाले से कहा गया

है कि यह परिवार भोलानाथ नगर में डॉक्टर एस.के. जैन के मकान में किराए पर रहता है और इस बात की जांच की जा रही है कि क्या उस डॉक्टर ने ऋषि को रैली में साथ चलने को कहा।

* *द हिंदू* ने लिखा है कि एक युवक ने रैली मैदान से बाहर कथित रूप से आत्मदाह करने की कोशिश की। अखबार ने पुलिस के हवाले से कहा है कि वह छात्र नहीं है, पढ़ाई छोड़ चुका है और शहादरा में गुटखा बेचता है। रैली के आयोजकों ने भी इस घटना से खुद को अलग बताया है। यह संभवतः अकेला अखबार है जिसने पहले से ही नहीं मान लिया है कि गुप्ता का जलना आत्मदाह है। इसलिए अखबार ने आत्महत्या से पहले 'कथित' शब्द का इस्तेमाल किया है।
* *दैनिक जागरण* ने आधिकारिक सूत्रों के नाम लिये बगैर उनके हवाले से लिखा है कि "ऋषि रंजन गुप्ता बिहार का रहने वाला है और दिल्ली में पान मसाला बेचता है। वह भी रैली में शिरकत करने आया था। तभी उसने खुद को आग लगाने के बाद यह युवा यूथ फॉर इक्वैलिटी जिंदाबाद के नारे लगाता हुआ मैदान में घुस गया। स्नातक पास इस युवक के हाथ और चेहरा जला है।" अखबार ने पेज 2 पर एक संबंधित खबर अलग से छापी है, जिसका शीर्षक है—बेरोजगारी के दंश ने सीने में दफन आग सुलगा दी। इस खबर में लिखा गया है—ग्रेजुएशन की डिग्री और कंप्यूटर का कोर्स करने के बाद भी वह नौकरी के लिए दर-दर की ठोकरें खाता रहा। अब शुरू हुई आरक्षण विरोध की रैली ने शायद उसके सीने में दफन आग को सुलगा दिया और वह रैली में पहुंच गया। संभवतः उसके अंदर की आग ने उसे इतना उद्वेलित कर दिया कि उसने आग लगा ली।
* *पंजाब केसरी* ने तो शीर्षक में ही ऋषि गुप्ता को छात्र बता दिया है। खबर में लिखा है—सूत्रों से पता चला है कि छात्र महारैली में आंदोलनरत छात्रों को यह संदेश देना चाह रहा था कि हड़ताल और रैली से कुछ नहीं हुआ है, इसलिए वह मजबूरीवश आत्महत्या करना चाह रहा है। आरक्षण विरोधी मुहिम का यह पहला मामला है, जिसमें आत्महत्या का मामला प्रकाश में आया है।
* *दैनिक हिंदुस्तान* ने दिल्ली में रैली मैदान के पास ऋषि गुप्ता के जलने को आरक्षण विरोधी आंदोलन से जोड़कर नहीं देखा है।
* *राष्ट्रीय सहारा* अकेला अखबार है जिसने अपनी लीड खबर के उपशीर्षक में साफ किया है कि ऋषि गुप्ता छात्र नहीं है बल्कि वह गुटखा बेचता

है। इस अखबार ने खबर में भी आंदोलनकारियों के हवाले से कहा है कि गुप्ता के बारे में वे कुछ नहीं जानते जबकि डी.सी.पी. नीरज ठाकुर ने इस अखबार को बताया कि छात्रों के आंदोलन से गुप्ता को कोई लेना-देना नहीं है। इसके बावजूद अखबार ने अपनी हेडलाइन में *आरक्षणः दो ने किया आत्मदाह का प्रयास* लिखा है।

* *अमर उजाला* ने लिखा है कि शायद आरक्षण विरोधियों के सब्र का बांध टूटने लगा है। इसके साथ ही लोगों को मंडल विरोधी आंदोलन का 1990-91 का दौर फिर से याद आने लगा है जब राजीव गोस्वामी ने आत्मदाह का प्रयास किया था। रैली में (घटना मैदान से बाहर की है—लेखक) आत्मदाह करने वाला युवक ऋषि रंजन गुप्ता 40 प्रतिशत जल गया है और दिल्ली के लोकनायक जयप्रकाश अस्पताल में भर्ती है। वह रैली में आरक्षण विरोधी नारे भी लगा रहा था (जबकि आंदोलनकारी संगठन भी नहीं कह रहे हैं कि वह रैली में शामिल था—लेखक)।
* *दैनिक भास्कर* ने हेडलाइन में लिखा है कि आरक्षण के विरोध में आत्मदाह की कोशिश। लेकिन खबर के पहले ही पैरा में लिखा है कि दिल्ली में रामलीला मैदान में रिषि (अखबार के शब्द) नामक युवक ने आत्मदाह की कोशिश की। बाद में पता चला कि आरक्षण विरोधी नहीं, गुटखा वेंडर था।

ऋषि गुप्ता के जलने की घटना पर ज्यादातर अखबारों ने जिस तरह से शीर्षक लिखे हैं, उनमें एक पैटर्न साफ नजर आता है। ऋषि गुप्ता बिहार का है, यह पुलिस ने सभी अखबार वालों को बताया है और यह बात ज्यादातर रिपोर्ट में आई है। बिहार में गुप्ता उपनाम पिछड़ी जाति के लोग लगाते हैं, यह बात इतने अखबारों में मौजूद किसी को नहीं पता होगी, यह मान पाना थोड़ा कठिन है। ऋषि गुप्ता के पिता और भाई से बात करने के बाद जान पाना मुश्किल नहीं था कि यह परिवार हलवाई जाति का है और यह बिहार की अति पिछड़ी जाति है। क्या रिपोर्टरों के लिए यह जान पाना मुश्किल था? ऋषि लोकनायक जयप्रकाश अस्पताल में भर्ती था और यह अस्पताल रैली स्थल रामलीला मैदान से 500 मीटर की दूरी पर है। ऋषि के परिवार के लोग अस्पताल में उसके साथ थे और कुछ लोग अस्पताल के बाहर भी थे। ऐसे में पत्रकारों ने अपना बुनियादी काम क्यों नहीं किया? क्या यह एक सामूहिक लापरवाही थी? या सामूहिक षड्यंत्र।

इसी खबर में एक और आत्मदाह की कोशिश का जिक्र है। घटना उड़ीसा के कटक में एस.सी.बी. मेडिकल कॉलेज की है। ज्यादातर अखबारों ने लिखा है कि पी.जी. के छात्र सुरेंद्र मोहंती ने खुद को आग लगा ली। मिसाल के तौर पर—

* *टाइम्स ऑफ इंडिया* ने पहले पन्ने पर लिखा है कि आरक्षण का मुखर विरोधी मोहंती हॉस्टल से बाहर निकला और उसने खुद पर मिट्टी का तेल डाल लिया। कोई कुछ करता इससे पहले ही उसने आग लगा ली। इसी आधार पर अखबार ने अपने उपशीर्षक में लिखा है—कटक और दिल्ली में आत्मदाह की कोशिश। लेकिन इसी अखबार में पेज 7 पर एक खबर दी गई है कि एस.सी.बी. मेडिकल कॉलेज के प्रिंसिपल आर.आर. मोहंती ने कहा है कि "उसे कोई बर्न इंजुरी नहीं है, न ही उसने जहर खाया है। उसे आई.सीयू. में रखा गया है क्योंकि उसे सदमा (acute state of psychosis) पहुंचा है।"
* *हिंदुस्तान टाइम्स* ने लिखा है कि एस.सी.बी. मेडिकल कॉलेज के छात्र सुरेंद्र मोहंती को उसके दोस्तों ने बचा लिया। लेकिन इस बात की पुष्टि नहीं हो पाई है कि घटना आरक्षण विरोधी आंदोलन से संबंधित है या नहीं।
* *पायोनियर* यह तो बताता है कि कटक में सुरेंद्र मोहंती को साथी आंदोलनकारियों ने जलने से बचा लिया और वह आई.सी.यू. में है, लेकिन अखबार ने नहीं बताया है कि वह आई.सी.यू. में क्यों है।
* *इंडियन एक्सप्रेस* ने पेज तीन पर एक खबर में लिखा है कि आरक्षण विरोधी आंदोलनकारियों द्वारा दिल्ली और कटक में आत्महत्या की कोशिशों के बाद कांग्रेस के नेता सक्रिय हो गए हैं और कहा है कि इस समस्या का समाधान निकलने ही वाला है।
* कटक की घटना के बारे में *दैनिक जागरण* ने लिखा है—उड़ीसा के कटक जिले में भी आरक्षण के विरोध में मेडिकल पोस्ट ग्रेजुएट के छात्र ने आत्मदाह का प्रयास किया। एस.सी.बी. मेडिकल कॉलेज के छात्र सुरेंद्र मोहंती ने उस समय आत्मदाह का प्रयास किया जब डॉक्टर कैंडिल लाइट मार्च की तैयारी कर रहे थे। मोहंती का इलाज कर रहे चिकित्सकों ने कहा है कि वह बिल्कुल नहीं जला है। लेकिन उसकी हालत बिगड़ने लगी जिसके बाद उसे सघन निगरानी कक्ष में भर्ती कराना पड़ा। ऐसा माना जा रहा है कि उसने कोई जहरीला पदार्थ खा लिया है।
* *अमर उजाला* ने लिखा है कि आत्मदाह के प्रयास के बाद कटक के डॉ. सुरेंद्र मोहंती अस्पताल में इलाज करा रहे हैं।

अब कटक और दिल्ली की घटनाओं को उन्हीं तथ्यों पर तौलकर देखिए जिनका जिक्र अलग-अलग अखबारों ने किया है। दिल्ली में एक छोट-मोटे दुकानदार के जलने की घटना को आरक्षण विरोधी आंदोलन से जोड़कर देखने का

तर्क समझ पाना आसान नहीं है, खासकर तब जबकि वह युवक खुद भी पिछड़ी जाति का है। ऐसी स्थिति में जो सवाल उठने चाहिए वे पुलिस ने उठाए हैं, पत्रकारों ने नहीं। मिसाल के तौर पर– क्या ऋषि गुप्ता को किसी ने उकसाया। या वह किसके कहने पर रामलीला मैदान गया था। किसी पत्रकार ने पूछने की कोशिश नहीं की कि आरक्षण विरोधी रैली के बाहर एक गुटखा विक्रेता क्यों जल जाता है। जबकि आंदोलनकारी इस मामले में सफाई देने की मुद्रा में हैं और उन्होंने बार-बार कहा है कि इस घटना का उनके आंदोलन से कोई लेना-देना नहीं है, ऋषि गुप्ता उनकी रैली में नहीं था, वह आंदोलनकारी नहीं है, वह यूथ फॉर इक्वैलिटी का सदस्य नहीं है। इसके बावजूद इस घटना को आरक्षण विरोधी आंदोलन से जोड़ा गया और ऐसा दो-चार अखबार ने नहीं किया। लगभग पूरे मीडिया ने इस लहर में बह जाने का रास्ता चुना। उसी तरह उड़ीसा में जिस मेडिकल छात्र को आग तक नहीं लगी, मामूली सा भी जख्म नहीं हुआ, उसके लिए आत्मदाह जैसे भारी-भरकम शब्दों का इस्तेमाल क्या अनजाने में हो गया?

इन खबरों के साथ इस्तेमाल की गई तस्वीरें और उनके कैप्शन भी इस बात की ओर इशारा करते हैं कि अखबारों ने इस मसले पर एक खास पक्ष में खड़े होने का निर्णय कर लिया था।

मिसाल के तौर पर–

* *अमर उजाला* ने अस्पताल ले जाते ऋषि गुप्ता की तस्वीर छापी है और कैप्शन दिया है–भड़कती आग
* *पंजाब केसरी* ने कैप्शन दिया है–दिल्ली में आरक्षण विरोधियों की महारैली के दौरान एक छात्र ने खुद को जला लिया तो पुलिस कर्मचारी उसे पकड़ कर ले जाते हुए।
* *दैनिक जागरण* का कैप्शन है–रैली के दौरान आत्मदाह का प्रयास करने वाला शाहदरा का ऋषि रंजन गुप्ता
* *इंडियन एक्सप्रेस* के पहले पेज पर आरक्षण वाली खबर के साथ तस्वीर का कैप्शन है–THE SCARE : Rishi Gupta, 23, gutkha vendor sucide bid
* *टाइम्स ऑफ इंडिया* के पहले पेज पर तस्वीर के साथ कैप्शन है–Rishi Gupta is being led away after trying to burn himself at Ramlila Grounds. जबकि इस तस्वीर के साथ की खबर बताती है कि जलने की घटना रामलीला मैदान में नहीं, मैदान के पास हुई है। अगले पैराग्राफ में एक बार फिर पुलिस के हवाले से कहा गया है कि वारदात आरक्षण विरोधी रैली के बाहर ('outside the anti quota rally') हुई है।

* *द स्टेट्समैन* का कैप्शन कहता है कि ऋषि गुप्ता ने मंडल-1 की याद ताजा कर दी। जबकि इसी कैप्शन में आगे लिखा है कि वह चार साल से दिल्ली में गुटखा बेचता है।

एक दिन के कवरेज का सैंपल उसी बात को एक बार फिर रेखांकित करता है कि भारतीय मीडिया इलीट और सवर्ण हिंदुओं के पक्ष में झुका हुआ है। आम दिनों में यह झुकाव अक्सर दबा-छिपा रहता है, लेकिन जब कभी सवर्ण हितों पर कोई चोट होती है या वंचित जातियों का कोई उभार होता है या इसके संकेत मिलते हैं, तो मीडिया अपने उस पर्दे या आवरण को उतार फेंकता है, जिसे निष्पक्षता, वस्तुनिष्ठता आदि कहा जाता है।

मीडिया का जातिवादी रुझान हर नाजुक और निर्णायक मौके पर उभरकर आता है। 1990 में जब मंडल आयोग की रिपोर्ट लागू की गई थी तब भी मीडिया का रुख ऐसा ही था। दिल्ली स्थित *टाइम्स सेंटर फॉर मीडिया स्टडीज* के हिंदी संकाय के छात्रों (लेखक भी उस समूह में शामिल था) ने 1990 के आरक्षण विरोधी आंदोलन के दौरान 5 से 15 अक्टूबर के बीच के हिंदी अखबारों में इस संबंध में छपी सामग्री का विश्लेषण किया। इसके अंश 30 नवंबर 1990 को *नवभारत टाइम्स* में छपे। विश्लेषण का निष्कर्ष है कि आरक्षण के मुद्दे पर अखबारों ने संतुलित नजरिया नहीं अपनाया। इस रिपोर्ट का एक अंश[193] देखेंः

> *"राष्ट्रीय छवि वाले दैनिक हिंदुस्तान का उदाहरण लीजिए। इसमें 12 अक्टूबर को पेज 2 पर छपे एक समाचार का शीर्षक है—'निर्दोष छात्रों के आत्मदाह हृदयविदारक, दीवाली क्यूंकर मनाएं'। ये खबर कोट (उद्धरण) में नहीं दी गई इसलिए ऐसा लगता है कि यह उसी अखबार की अपील है। दिल्ली के एक अन्य दैनिक नवभारत टाइम्स में 13 अक्टूबर को छपी एक खबर में 'अग्निदग्धा' जैसे भारी भरकम शब्द का इस्तेमाल किया गया। कई केंद्रों से प्रकाशित होने वाले दैनिक आज के पटना संस्करण में 8 अक्टूबर को पेज 3 पर छपी एक खबर का शीर्षक है—'प्रधानमंत्री आ गए तो खूनी क्रांति मच जाएगी'। उद्धरण चिह्नों का इस्तेमाल न होने के कारण यह शीर्षक भी अखबार की राय बन गया। नतीजतन अखबार जाने या अनजाने एक खास खेमे की विचारधारा के समर्थन में जा खड़ा हुआ। इस तरह की गड़बड़ियां तकरीबन हर अखबार में पाई गईं। अखबारों ने गुमराह करने वाले शीर्षकों, उपशीर्षकों का भी खूब जमकर इस्तेमाल किया। खबरों के शीर्षक और आमुख(इंट्रो) बेमेल पाए गए। दो एजेंसियों की रपटों को जोड़कर बनाई गई खबरों में यह घालमेल साफ झलकता है। मिसाल के तौर पर आगरा तथा अन्य केंद्रों*

से प्रकाशित दैनिक जागरण में 5 अक्टूबर को पेज 9 पर छपी एक खबर का शीर्षक था–'इंजीनियरिंग के छात्र ने विषपान किया'। आगे समाचार में पुलिस के हवाले से लिखा गया है कि छात्र मिरगी का मरीज है और सोडियम डाइलेंटीन की गोलियां अधिक खा गया।...वाराणसी से प्रकाशित (समाचार-पत्र) आज में 5 अक्टूबर को पेज 1 पर छपी टिप्पणी का शीर्षक है–'कुर्सी के लिए वी.पी. (विश्वनाथ प्रताप सिंह) की शवसाधना'। इस टिप्पणी में लिखा गया है–'आवश्यकता इस बात की है कि घर-घर जाकर वी.पी. के घृणित इरादों से लोगों को आगाह किया जाए'।''

हिंदी मीडिया में आरक्षण विरोधी आंदोलन के कवरेज के बारे में टाइम्स सेंटर फॉर मीडिया स्टडीज के विद्यार्थियों के शोध का निष्कर्ष है कि[194] :

1. यह कोशिश की गई कि आत्मदाह और आरक्षण विरोधी गतिविधियां एक व्यापक जन आंदोलन की तरह दिखें। किसी प्रजातंत्र में सामान्य नागरिक असंतुष्ट होने के बावजूद भावनाओं की अभिव्यक्ति पर विवेक का अंकुश रखता है। लेकिन जब उसे लगातार बताया जाता है कि यह जन-ज्वार है, तो वह पूरी तरह सहमत नहीं होने के बावजूद अपना अंश दे आता है। जैसे पॉकेटमार पकड़ा गया और सब पीट रहे हैं, तो वह भी दो घूंसे कस देगा। यहां उसका न्याय-विवेक काम नहीं करेगा। वह सच्चाई की जांच नहीं करेगा। आंदोलन के मामले में अखबारों ने यही छाप पैदा करने का प्रयास किया।
2. आरक्षण विरोधी ज्यादातर खबरें दिल्ली से जन्म ले रही थीं और क्षेत्रीय अखबार प्रभाव में आ गए।
3. आरक्षण के पक्ष में चलने वाली गतिविधियों को कम करके एवं ऐसी जगह छापा गया जहां लोगों की नजर कम जाए।
4. विचार मंथन कम हुआ। संपादकीय संतुलित रहे, लेकिन चिट्ठियों वाले कॉलम में आग उगलने की इजाजत दी गई। आखिर इस कॉलम की सामग्री का भी संपादन होता है। पक्ष और विपक्ष की चिट्ठियों के तेवर में फर्क साफ पता चलता है।
5. आत्मदाह और आरक्षण विरोधी आंदोलन को गरिमामंडित करने के लिए संस्कृतनिष्ठ शब्दों का इस्तेमाल किया गया।
6. खबरों को काफी विस्तार देने की कोशिश की गई। आज की घटना का एक पैरा, फिर कल के दो पैरे, फिर परसों के दो पैरे। डिस्प्ले देखकर लगता है कि सब आज की ही घटनाएं हैं। पेज 1 पर एक खबर। पेज 3 पर चार

खबरें। पेज 7 पर दो खबरें। लगता है, हर जगह यही हो रहा है।

7. कई जगह अपुष्ट खबरों के आधार पर शीर्षक दिए गए हैं। कई जगह खबर में जो बात नहीं है, वह शीर्षक में है। कई जगह बेमेल शीर्षक हैं। आमुख में शांति है, शीर्षक में आग।
8. उत्तर भारत के आंदोलन को पूरे हिंदुस्तान की घटना की तरह प्रस्तुत किया गया है, जबकि बिहार, उत्तर प्रदेश, हरियाणा, पंजाब और दिल्ली को छोड़कर बाकी जगहों में ऐसी गतिविधियां काफी कम थीं।
9. घटनाओं की सत्यता की जांच का प्रयास नहीं किया गया। कई मेडिको-लीगल केस थे। बचने के लिए आरक्षण आंदोलन का फतवा दे दिया गया। तीन बच्चों का बाप, पत्नी से तनावपूर्ण संबंध, इसके बाद भी आत्महत्या का प्रयास आंदोलन में शामिल है। दवा ज्यादा खा ली, तब भी आंदोलन में शामिल है।
10. आत्मदाह और आत्मदाह के प्रयास में फर्क नहीं किया गया, जबकि शाब्दिक दृष्टि से यह गलत है।
11. मंडल आयोग की सिफारिशों और सिफारिशों के क्रियान्वयन के विरुद्ध चलने वाले आंदोलनों में फर्क किया गया। आरक्षण के विरुद्ध या 27 प्रतिशत के विरुद्ध, यह नहीं जांचा गया।
12. कई अखबारों ने पैंफलेट राइटिंग और पत्रकारिता में फर्क नहीं किया। उन्होंने ऐसा दिखाने का प्रयत्न किया जैसे वे निष्पक्ष भी हैं और मिशनरी भी, जबकि ये दोनों चीजें एक साथ नहीं हो सकतीं।

नवभारत टाइम्स के 30 नवंबर, 1990 के अंक में आरक्षण विरोधी आंदोलन को लेकर अंग्रेजी समाचार-पत्रों के पक्षपात पर रघुनाथ प्रसाद तिवारी का एक आलेख हैं। इसमें कहा गया है कि दिल्ली के अंग्रेजी पत्रों ने भी पक्षपातपूर्ण रवैया अपनाया। उनमें छपी खबरों, तस्वीरों और कार्टूनों से यह साफ जाहिर होता है। आलेख में लिखा गया है[195]–

''आरक्षण नीति की घोषणा और उसके विरुद्ध आंदोलन के संबंध में दिल्ली के बड़े अंग्रेजी समाचार-पत्रों ने पूर्वाग्रहयुक्त रवैया अपनाया। यह उन पत्रों में प्रकाशित समाचारों, फोटो-कार्टूनों, संपादकीय टिप्पणियों और लेखों से पता चलता है। नई दिल्ली से प्रकाशित *इंडियन एक्सप्रेस* और उससे कुछ कम *टाइम्स ऑफ इंडिया, पैट्रियॉट, हिंदू* और *स्टेट्समैन* द्वारा आरक्षण नीति की घोषणा और उससे विरुद्ध आंदोलन के समाचारों का, लगातार, विशिष्ट ढंग से संकलन और प्रकाशन किया गया। *इंडियन एक्सप्रेस* और *हिंदुस्तान* टाइम्स द्वारा प्रथम पृष्ठ पर और अक्सर अनेक पृष्ठों पर आत्मदाह, आगजनी और तोड़फोड़ के समाचार और फोटो

प्रकाशित किए गए। फिर कई बार पूरे के पूरे पृष्ठों पर विशिष्ट प्रकार के चित्रों का प्रकाशन किया गया। फोटो, न्यूज स्टोरी होने के साथ ही यह चित्र स्वयं भी उत्तेजना के स्रोत थे। आरक्षण के विरुद्ध लगातार कार्टून छापे गए और एक ही पक्ष का समर्थन करने वाले लेख और टिप्पणियां छापी गईं।...'स्वतंत्र विचार और निष्पक्ष समाचार' का झंडा बुलंद करने वाले *इंडियन एक्सप्रेस* में न समाचार निष्पक्ष रहे, न विचार पूर्वाग्रहों से मुक्त। *इंडियन एक्सप्रेस* की यह उग्रता इतनी उग्र और अतार्किक थी कि सुप्रसिद्ध टिप्पणीकार एस.सी. भट्ट ने इसकी तुलना एक ठुकराए हुए प्रेमी की प्रेमिका के प्रति हिंसक प्रतिक्रिया और व्यवहार से की।''

जाहिर है 'मंडल-1' से 'मंडल-2' के बीच के 16 वर्षों में बहुत कुछ बदल गया, लेकिन मीडिया का सवर्णवादी चरित्र अपनी जगह जस का तस कायम है। *नवभारत टाइम्स* में छपा रघुनाथ प्रसाद तिवारी का आलेख इस सच को भी सामने लाता है कि पक्षपात बरतने में अंग्रेजी के अखबार भाषाई अखबार से पीछे नहीं होते। आरक्षण विरोधी आंदोलन के समर्थन में अंग्रेजी के कुछ अखबार तो ज्यादा उग्र नजर आए। लेकिन ऐसे तमाम मामलों में जब हंगामा बढ़ता है और मीडिया की भूमिका आलोचना के दायरे में आती है तो अंग्रेजी का मीडिया कुछ इस अंदाज में प्रतिक्रिया व्यक्त करता है मानो उसने तो कुछ किया ही नहीं और सारी गंदगी भारतीय भाषाओं के समाचार माध्यमों ने फैलाई है।

इससे पहले रामजन्मभूमि आंदोलन के समय भारतीय मीडिया का सांप्रदायिक चेहरा भी देश ने देखा था।[196] मुकुल और चारु ने चार अखबारों *इंडियन एक्सप्रेस, जनसत्ता, नवभारत टाइम्स* और *वीर अर्जुन* की संपादकीय सामग्री का अध्ययन करके यह दिखाया कि किस तरह अखबारों पर सांप्रदायिकता का रंग चढ़ गया था। दोनों शोधकर्ताओं ने अपने निष्कर्षों में यह कहा है कि :

''समाचार-पत्रों की यही प्रमुख प्रवृत्ति रही कि मुसलमान उनके पाठक समुदाय के अंग नहीं हैं। समाचार-पत्रों ने अपने पाठकों को धार्मिक समुदायों के रूप में वर्गीकृत किया। और इससे यही नतीजा निकाला कि उनके पाठकों को मुसलमानों के समाचारों में कोई रुचि नहीं है। इसलिए अल्पसंख्यक समुदाय के भय, तनाव, असुरक्षा और अन्य भावनाएं कोई समाचार नहीं थे। और जब मुसलमान (समाचार) बने तो वे उपद्रवी, खतरनाक, खलनायक बताए गए जो अपनी आबादी बढ़ा रहे हैं और हिंसा में लगे हैं।''[197]

मीडिया का सांप्रदायिक होना इसके बाद भी जारी रहा और खासकर दंगों के कवरेज में मीडिया का पक्षपात हमेशा से विवादों के घेरे में रहा है। गुजरात दंगों में मीडिया की भूमिका की भी काफी आलोचना हुई है।

मीडिया की ये प्रवृत्तियां बताती हैं कि कई बार पेड न्यूज न होने और सरकार

का भी सीधे तौर पर दबाव न होने के बावजूद मीडिया कमजोर के खिलाफ ताकतवर और वंचित के खिलाफ इलीट के पक्ष में झुक जाता है। भारतीय मीडिया में कभी किसी कमजोर तबके के पक्ष में कोई झुकाव नहीं होता। अगर इस तरह के विचलन और गड़बड़ियों को कभी-कभार होने वाली गलती मान भी लें, तो ऐसी कोई भूल-चूक कभी कमजोर के पक्ष में नहीं होती। इसे स्वाभाविक गलती तो तभी माना जाएगा, जब मुख्यधारा का मीडिया कभी सवर्ण वर्चस्व के खिलाफ अभियान चलाए। महत्त्वपूर्ण बात यह है कि ऐसा किसी कारोबारी जरूरत की वजह से नहीं होता। कॉरपोरेट मीडिया का ऐसा आचरण मीडिया और भारतीय समाज की आंतरिक संरचना की वजह से है। इसके लिए किसी और बाहरी कारक या दबाव की जरूरत नहीं होती।

भारत में मुख्यधारा के किसी अखबार या चैनल को शिक्षा और नौकरियों में जातीय आरक्षण के खिलाफ होने के लिए किसी तरह का भुगतान करने की जरूरत नहीं है। उन पर सामाजिक संरचना का असर इतना प्रभावी होता है कि इसके लिए अखबार अपने पाठकों के एक बड़े हिस्से को नाराज करने का जोखिम भी उठा लेते हैं। मिसाल के तौर पर शिक्षा और नौकरियों में आरक्षण के खिलाफ जाते समय अखबारों को इस बात का भय होना चाहिए कि वंचित समुदायों का मध्यवर्ग और इलीट नाराज हो जाएगा। इस इलीट की संख्या कम भी नहीं है। लेकिन अब तक की सारी मिसालें साफ कहती हैं कि अखबार इस बात से बेपरवाह रहे हैं। इसकी वजह शायद यह है कि जिस तरह पश्चिमी देशों में 60 के दशक तक विकल्पों की बात करने वाला मीडिया मौजूद था, वैसा कोई ताकतवर मीडिया भारत में कभी बन ही नहीं पाया। इस मायने में देखें तो भारत का मुख्यधारा मीडिया ज्यादातर विवादास्पद मुद्दों पर एक स्वर में बोलता है। इसलिए कहने को तो भारत में मीडिया का लोकतंत्र है, लेकिन खासकर विचार के क्षेत्र में चुनने के विकल्प न होने के कारण पाठकों के लिए इस लोकतंत्र का कोई मतलब नहीं रह जाता। ऊपर से देखने पर भारतीय मीडिया में जो बहस दिखती है वह भी सत्ता के अलग-अलग खेमों के बीच की बहस है। साथ ही, ज्यादातर खोजी रिपोर्टिंग भी सत्ता के एक खेमे के विरुद्ध दूसरे खेमे द्वारा लीक की गई सूचनाओं पर आधारित होती है।[198] यानी जो बातें या विचार मीडिया में विकल्प के रूप में नजर आते हैं, वे भी अक्सर विकल्प का छद्म होते हैं और पूरी बात सत्ता संरचना के विमर्श के हिस्से के तौर पर होती है। इन तमाम मामलों में बहस की पहल जनता की ओर से नहीं बल्कि सत्ता संरचना के एक हिस्से की ओर से होती है। ऊपर से देखकर ऐसा लग सकता है कि मीडिया में अलग-अलग विचारों को जगह दी जा रही है, लेकिन वास्तविक अर्थों में यह सत्ता के दो या अधिक खेमों के बीच का अंतर्विरोध होता है।

मिसाल के तौर पर अगर आर्थिक नीतियों का ही मामला लें तो भारत में मुख्यधारा का पूरा प्रेस, बाजार अर्थव्यवस्था का समर्थन करता है। बाजार अर्थव्यवस्था की आलोचना भी इस दायरे के अंदर होती है कि उसे किस तरह मानवीय बनाया जा सकता है। बाजार अर्थव्यवस्था को लेकर दूसरी आलोचना आर्थिक सुधारों की गति को लेकर है कि सुधारों को कितनी तेजी से लागू किया जाए। एक और तरह की बहस यह होती है कि कौन सा दल या गठबंधन आर्थिक सुधारों को ज्यादा असरदार तरीके से लागू कर सकता है। आर्थिक नीतियों की आलोचना का एक पक्ष यह भी होता है कि किस क्षेत्र में आर्थिक सुधार सबसे पहले किया जाएं और किस क्षेत्र में अभी धीमी रफ्तार से चलने की जरूरत है। बाजार अर्थव्यवस्था का कोई विकल्प हो सकता है, इस तरह की बात न समाचार में आती है, न विचार में। आर्थिक सुधारों का विरोध करने वाला एक भी बड़ा अखबार देश में नहीं है। ऐसे में पाठकों के पास विकल्प ही नहीं है कि वे चुनने की आजादी का इस्तेमाल करें। देश का कोई भी प्रमुख अखबार मजदूर आंदोलनों का समर्थक नहीं है। कोई भी प्रमुख अखबार विदेशी पूंजी के खुले खेल का विरोधी नहीं है, कोई भी अखबार निजीकरण के खिलाफ नहीं है, न ही कोई ऐसा अखबार है जो कॉरपोरेट सेक्टर को दी जा रही सुविधाओं और छूट का विरोध करता है। आर्थिक नीतियों के मूल कथ्य को लेकर एक व्यापक आम सहमति भारतीय मीडिया में है। इस मामले में भारत की स्थिति यूरोप या अमेरिका से अलग है, जहां अपेक्षाकृत छोटा लेकिन असरदार उदारवादी प्रेस मौजूद रहा है।

गरीब की भारतीय मीडिया से विदाई भी एक ऐसा पहलू है जो पूरे मीडिया में लगभग समान रूप से हुआ है। इस मामले में भी भारत में कोई वैकल्पिक मॉडल नहीं है। औरतों को ग्लैमर प्रोडक्ट के रूप में चित्रित करना भी ऐसी ही एक और आम सहमति का बिंदु है। क्रिकेट, क्राइम और एंटरटेनमेंट का हावी होते चला जाना भी पूरे मीडिया में हुआ है। इसके साथ ही कई मुद्दों पर खामोशी भी षड्यंत्र (कॉन्सपिरेसी ऑफ साइलेंस) की हद तक है, और यह भी पूरे मीडिया की प्रवृत्ति है। मिसाल के तौर पर, स्वास्थ्य के मुद्दों पर कोई भी चर्चा अनिवार्य रूप से एड्स को सबसे बड़ी स्वास्थ्य समस्या के रूप में चित्रित करने के रूप में ही संपन्न होती है जबकि इस नजरिए का एक प्रतिपक्ष स्वास्थ्य क्षेत्र में मौजूद है। स्वास्थ्य नीति के जानकारों और डॉक्टरों का एक महत्त्वपूर्ण हिस्सा एड्स को केंद्र में रखकर बनाई जाने वाली स्वास्थ्य नीतियों का विरोध करता है। लेकिन यह प्रतिपक्ष मीडिया में बिरले ही कभी सामने आ पाता है।

भारतीय मुख्यधारा के मीडिया को दस, बीस या तीस साल तक पढ़ने के बावजूद किसी के लिए यह जान पाना असंभव है कि पूर्वोत्तर में जो संगठन अलगाववादी आंदोलन चला रहे हैं, उनके आंदोलन के तर्क क्या हैं। इसी तरह वर्षों

तक अखबार पढ़ने और चैनल देखने और माओवादी आंदोलन के बारे में खबरों की बरसात के बावजूद किसी को यह जानकारी नहीं मिल सकती कि माओवादियों के आर्थिक और राजनीतिक विचार क्या हैं। पूर्वोत्तर के अलगाववादी गुटों के साथ भारत सरकार बातचीत करती है, माओवादियों से भी बातचीत हो चुकी है और आगे भी बातचीत हो सकती है, लेकिन उनके राजनीतिक दर्शन और विचारों के बारे में चंद लाइनें भी मीडिया में ढूंढ़ पाना आसान नहीं है। गौर करने की बात है कि माओवादियों के बारे में टेलीविजन पर किसी भी चर्चा में राजनीतिक सिद्धांतकारों से कही ज्यादा सुरक्षा विशेषज्ञों को शामिल किया जाता है। इस तरह पूरी चर्चा को एक खास दिशा में मोड़ दिया जाता है। चर्चा में शामिल लोगों को पता भी नहीं होता कि उनकी चर्चा के बीच टेलीविजन स्क्रीन पर लगातार चलने वाले ग्राफिक्स और विजुअल में सरकारी हिंसा को सही ठहराया जाता है।

इन सवालों पर मीडिया में प्रतिपक्ष की अनुपस्थिति स्वयं मीडिया की विश्वसनीयता को खंडित करती है। लेकिन इसे लेकर मीडिया के अंदर किसी तरह की बहस तक नहीं है।

पत्रकारों के लिए सदाचार का पाठ

मीडिया की अंतर्वस्तु लगभग पूरी तरह से मीडिया के अर्थशास्त्र से निर्धारित हो रही है। भारत में भी मीडिया अब पश्चिम की तरह ही विज्ञापनों से संचालित है। संपादकीय सामग्री पर बाजार का नियंत्रण लगभग समग्र रूप से स्थापित हो चुका है और विज्ञापनदाता, क्या छपेगा के साथ ही क्या नहीं छपेगा का भी काफी हद तक निर्धारण करने लगे हैं। मीडिया स्वामित्व की संरचना भी मीडिया के कंटेंट को तय कर रही है। मीडिया कारोबार में आने के लिए ढेर सारे रुपयों की जरूरत और बड़ा घाटा सहने की क्षमता की शर्त ने मीडिया में किसी नए खिलाड़ी के आने और जमने की संभावना को काफी सीमित कर दिया है। इस वजह से कंटेंट की विविधता का भी लगभग अंत हो गया है। लगभग सभी महत्त्वपूर्ण और विवादित मुद्दों पर मीडिया के विचारों का मानकीकरण हो चुका है। अखबार और चैनल अलग-अलग हैं, लेकिन वे ज्यादातर समय में एक जैसे विचारों को आगे बढ़ाते हैं। ऐसे दौर में मीडिया के एक समय के बड़े किरदार संपादक-पत्रकार की कोई भूमिका बची है या नहीं?

इस बात पर अब कोई विवाद नहीं है कि मीडिया में संपादक नाम की संस्था का लगभग पूरी तरह से क्षय हो चुका है। मीडिया कारोबार में संपादकीय स्वतंत्रता अब अखबार या चैनल के व्यावसायिक हितों के दायरे से बाहर मुमकिन नहीं है। संपादकीय विभाग का प्रमुख दायित्व समाचार-पत्र या चैनल में विज्ञापनों के बाद बची खाली जगह को इस तरह से भरना रह गया है कि समाज के खाते-पीते लोगों को सब कुछ रुचिकर लगे, लोग चैनल देखना या अखबार पढ़ना बंद न कर दें, नए पाठक और दर्शक जुड़ते रहें और सबसे बढ़कर यह कि विज्ञापनदाता खुश रहें। मीडियाकर्मियों की इस समय की सबसे बड़ी जवाबदेही यह बना दी गई है कि वे समृद्ध पाठकों या दर्शकों का एक पैकेज तैयार करें, जिन्हें मीडिया संस्थान विज्ञापनदाताओं को बेच सकें।

मुश्किल सिर्फ यह है कि मीडिया के बारे में जनता, जो कि खबरों की उपभोक्ता है, की उम्मीदें कुछ ज्यादा हैं। वह बाजार युग में भी उम्मीद करती है कि मीडिया में उसे निष्पक्ष खबरें मिलेंगी। पाठक और दर्शक अखबार की लागत का लगभग 10

से 20 प्रतिशत हिस्सा चुकाकर चाहता है कि अखबार उसे सही सूचना दे और उसके हित की बात करे। वह इस बात को नहीं समझता कि मीडिया की झोली में आने वाला 80 से 90 प्रतिशत पैसा जो दे रहा है (यानी विज्ञापनदाता), वही कंटेंट का असली मालिक है। इसी तरह की उम्मीद न्यूज चैनलों से भी है। वे यह भी नहीं देख पाते कि ज्यादातर न्यूज चैनल फ्री टू एयर यानी मुफ्त हैं। ऐसे में उनकी पूरी अर्थव्यवस्था विज्ञापनों से मिलने वाले पैसे से चलती है। ये चैनल विज्ञापनदाताओं से पैसा लें और दर्शकों का हित देखें, यह कैसे मुमकिन है। लेकिन दर्शक अब भी इसी उम्मीद में हैं कि चैनल पत्रकारिता कर रहे हैं और पत्रकारिता का मतलब उनके लिए निष्पक्ष होकर सूचनाएं देना है।

वास्तविकता और उम्मीद के बीच का यह ऐसा अंतर्विरोध है, जिसके बीच भारत में मीडियाकर्मी काम कर रहे हैं। वे काम विज्ञापनदाताओं के लिए करते हैं, लेकिन उन्हें छद्म रचना पड़ता है ताकि दर्शकों और पाठकों को इसका पता न चले। बल्कि उन्हें सूचनाओं और खबरों का एक ऐसा आभासी संसार बनाना होता है, जिसमें दर्शकों और पाठकों को लगे कि मीडिया उनके लिए काम कर रहा है। मिसाल के तौर पर जो अखबार या चैनल खबर बेचते हैं, वे भी अपने दर्शकों और पाठकों के सामने अपनी छवि निष्पक्ष होने की ही बनाए रखने की कोशिश करते हैं। पत्रकारों और संपादकों के लिए यह एक फिसलन भरी ढलान है, जिस पर उन्हें संभल-संभलकर कदम रखने हैं। उन्हें इस एहसास के साथ चलते रहना है कि वे लगातार नीचे की ओर जा रहे हैं।

साथ ही पत्रकारों को मीडिया अर्थशास्त्र में छोटी हैसियत का ही सही, लेकिन हिस्सेदार बनाने की भी प्रक्रिया चल रही है। जिन मीडिया कंपनियों के बाजार में शेयर हैं, उनमें से कई ने अपने चुनिंदा पत्रकारों को कंपनी के शेयर (ईसॉप) दिए हैं। इस तरह कंपनी के मुनाफे के साथ पत्रकारों के हितों को जोड़ दिया गया है। ऐसे पत्रकारों की संख्या सैकड़ों में है और वे निर्णायक पदों पर भी हैं। इन पत्रकारों के लिए नैतिकता और कंपनी के मुनाफे के बीच किसी एक को चुनना हो तो आप अंदाजा लगा सकते हैं कि वे क्या चुनेंगे। साथ ही पत्रकारों और खास तौर पर महत्त्वपूर्ण पदों पर बैठे पत्रकारों का वर्गीय और सामाजिक-जातीय चरित्र भी ऐसा है जो उन्हें खास तरह की आर्थिक-सामाजिक विचारधारा के पक्ष में खड़ा कर देता है।

अखबार और चैनल के कंटेंट के निर्धारण में मामूली प्यादे की हैसियत रखने वाले पत्रकारों और संपादकों से कुछ लोग यह उम्मीद करते हैं कि वे मीडिया की दिशा निर्धारित करेंगे और उसकी दशा बदल देंगे। मीडिया में नैतिक मूल्यों के कथित क्षय के लिए उन्हें ही जिम्मेदार ठहराया जाता है और संतुलन, वस्तुनिष्ठता और शुचिता की सारी उम्मीदें पत्रकारों और संपादकों से ही की जाती हैं। यही वजह है कि मीडिया से संबंधित लगभग सारे दिशा-निर्देश और कोड पत्रकारों को ध्यान में रखकर बनाए

गए हैं। प्रेस परिषद को संसद ने कानून बनाकर यह जिम्मेदारी सौंपी है कि वह प्रेस की स्वतंत्रता सुनिश्चित करे। उसके दिशा-निर्देशों के केंद्र में पत्रकार ही हैं।

पत्रकारों के लिए आचार संहिता, 2010

भारत में प्रेस आजादी से अपना काम करे और अपनी जिम्मेदारी सही ढंग से पूरी करे, इसके लिए प्रेस परिषद ने कई दिशा-निर्देश जारी किए हैं। इन्हें समय-समय पर अपडेट किया जाता है और नई स्थितियों के मुताबिक नए दिशा-निर्देश बनाए जाते हैं। प्रेस परिषद ने 2010 के लिए अपना अद्यतन दिशा-निर्देश जारी कर दिया है। इसे जारी करते हुए प्रेस परिषद के चेयरमैन जस्टिस जी.एन. रे ने एक छोटी सी भूमिका लिखी है, जिसमें पेड न्यूज और पैकेज पत्रकारिता की चर्चा तो नहीं है, लेकिन उन्होंने जो चिंताए जताई हैं उन्हें इस विवाद से जोड़कर देखा जा सकता है। उन्होंने लिखा है कि–

''समय के साथ पत्रकारिता की ताकत बढ़ी है। पत्रकारिता का मूल उद्देश्य लोगों तक समाचार, विचार, टिप्पणियां और लोक महत्त्व की सूचनाएं पहुंचाना है और यह काम ईमानदारी से, सटीक तरीके से और बिना पक्षपात के सौम्य भाषा और तरीके से किया जाना चाहिए। मीडिया अब सिर्फ चौथा स्तंभ बनकर संतुष्ट नहीं है, उसकी ताकत ऐसी है कि किसी व्यक्ति, संस्थान या विचार को बना या बिगाड़ सकती है।''

जस्टिस रे की हिदायत है कि ऐसा करते हुए मीडिया को अपने कर्तव्यों को नहीं भूलना चाहिए। साथ ही उन्होंने कहा है कि मीडिया को कुछ विशेषाधिकार मिले हैं और इनका इस्तेमाल करने के लिए मीडिया से उम्मीद की जाती है कि वह नैतिकता का पालन करेगा। उनका कहना है कि प्रेस की स्वतंत्रता को सिर्फ बाहरी हस्तक्षेप से नहीं बचाना है बल्कि इसे आंतरिक हस्तेक्षप से भी बचाने की उतनी ही जरूरत है।

भारतीय प्रेस परिषद द्वारा जारी पत्रकारीय व्यवहार के नियम-कायदों के 2010 के संस्करण से यहां कुछ हिस्से दिए गए हैं जो पेड न्यूज के संदर्भ में चल रही चर्चा में उपयोगी हो सकते हैं।

पत्रकारीय व्यवहार के नियम कायदे : सिद्धांत और नैतिकता

1. सटीक और ईमानदार

प्रेस ऐसी सामग्री के प्रसारण से बचेगा जो गलत, निराधार, अशालीन, भरमाने वाली और तोड़-मरोड़कर पेश की गई हो। मुख्य मुद्दे या विषय के तमाम पक्षों

को रिपोर्ट में शामिल किया जाना चाहिए। अफवाहों या अटकलों को तथ्य के रूप में पेश नहीं किया जाना चाहिए।

हालांकि यह प्रेस की जिम्मेदारी है कि जो भी गलत बात पता चले, उसे लोगों के सामने लाए, लेकिन यह सब तथ्यों और सबूतों के आधार पर किया जाना चाहिए।

2. समाचार-पत्र खुल्लमखुल्ला व्यावसायिकता से बचें

हालांकि समाचार-पत्रों को विधिसम्मत तरीकों से अपनी वित्तीय स्थिति को बेहतर बनाने का हक है, लेकिन प्रेस को खुल्लमखुल्ला व्यावसायिकता और प्रतिद्वंद्वी अखबारों के साथ ऐसी गलाकाट कारोबारी होड़ में शामिल होने से बचना चाहिए, जो उच्च्च पेशेवर मानदंडों के खिलाफ हो और सुरुचिपूर्ण न हो।

अखबारों के बीच एक-दूसरे का बाजार हड़पने के लिए जो प्राइस वार/कारोबारी होड़ चल रही है वह गलत कारोबारी व्यवहार में तब्दील होती जा रही है और यह पत्रकारीय मूल्यों के खिलाफ है। यह सवाल कि कीमत की होड़ कब अनैतिक हो जाती है, अलग-अलग मामलों पर निर्भर है।

मीडिया समूहों को अपनी कारोबारी निष्पक्षता का पालन करना चाहिए और अखबार में लेखन को समूह के मालिकों के दूसरे कारोबारी हितों के मुताबिक नहीं ढालना चाहिए। दोनों के बीच फर्क करना न सिर्फ न्यायसंगत है बल्कि जरूरी भी है।

3. पेशेवर कदाचार

अखबार में छापने और उन्हें बदनाम करने का भय दिखाकर लोगों को ब्लैकमेल करना या उनसे उगाही करना पत्रकारीय आदर्शों के खिलाफ है।

4. विज्ञापन

कारोबारी विज्ञापन भी सूचना है जैसे कि सामाजिक, आर्थिक और राजनीतिक सूचनाएं होती हैं। इनका भी सोचने के तरीके और जीवन पर बाकी सूचनाओं और टिप्पणियों की तरह ही असर होता है। पत्रकारीय ईमानदारी का तकाजा है कि विज्ञापनों को समाचारों से बिल्कुल अलग चिह्नित किया जाना चाहिए।

अखबार को ऐसे विज्ञापन नहीं छापने चाहिए, जो किसी समुदाय या समाज के एक हिस्से की भावनाओं को ठेस पहुंचाएं या उन्हें बदनाम करें।

अखबार को ऐसा कोई विज्ञापन नहीं छापना चाहिए जो गैरकानूनी हो, लोक रुचि के खिलाफ हो या जो पत्रकारीय नैतिकता और व्यवहार के खिलाफ हो।

पत्रकारीय नैतिकता की मांग है कि विज्ञापन और समाचार-पत्र में छपी संपादकीय सामग्री में बिल्कुल फर्क होना चाहिए। अखबारों को विज्ञापन छापने के साथ इस बात का जिक्र करना चाहिए कि इसके लिए उन्हें कितने रुपए मिले। इसके पीछे तर्क यह है कि विज्ञापन उसी रेट पर छापे जाने चाहिए, जो अखबार का तय रेट है। इससे ज्यादा भुगतान का मतलब है कि अखबार को विज्ञापन देने वाले ने सब्सिडी दी है।

विज्ञापन छापने की वैधानिकता और दूसरे पहलुओं पर विचार करने के लिए अखबार के विज्ञापन विभाग और संपादकीय विभाग में पूरा तालमेल होना चाहिए।

किसी विज्ञापन को छापने या न छापने के बारे में फैसला करने का हक संपादकों को होना चाहिए, खासकर ऐसे विज्ञापनों के लिए जिनमें शालीनता और अश्लीलता का सवाल हो।

5. मैनेजमेंट और संपादक के रिश्ते

अखबार चलाने वाले किसी संस्थान में एक तरफ तो संपादक और पत्रकार होते हैं, दूसरी ओर मैनेजर या एडमिनिस्ट्रेटर। संपादक और मैनेजमेंट के काम और जिम्मेदारियां अलग-अलग होती हैं। अखबार के प्रकाशन के लिए बेशक उनके बीच सामंजस्य होता है, लेकिन उनके काम अलग-अलग हैं और उन्हें अलग-अलग ही रखा जाना चाहिए। एक बार जब मालिक अखबार के लिए आम दिशा-निर्देश दे दे तो फिर वह या उसकी ओर से कोई और संपादक या पत्रकारों के रोजमर्रा के काम में हस्तक्षेप नहीं करेगा।...किसी समाचार-पत्र की स्वतंत्रता दरअसल उसके संपादक का बाहरी और भीतरी दबाव से मुक्त होना है।

अखबार के संचालन में प्रबंधकीय, प्रशासकीय और कारोबारी पक्ष को संपादकीय पक्ष से अलग रखना चाहिए और एक दूसरे के क्षेत्र में दखलंअदाजी नहीं होनी चाहिए। जब मालिक ही संपादक हो तो भी इस बात का खयाल रखा जाना चाहिए। मालिक को अपने कारोबारी हितों को समाचार-पत्र की जनता के प्रति जवाबदेही के ऊपर हावी नहीं होने देना चाहिए।...अगर संपादकीय सामग्री के चयन में संपादक के काम में कोई हस्तक्षेप करता है तो से संपादकीय स्वतंत्रता में हस्तक्षेप माना जाएगा।

मालिक किसी भी सूरत में संपादक को अपने निजी हितों के लिए काम करने को नहीं कह सकता। ऐसा करना न सिर्फ संपादक के पद को नीचे गिराना है, बल्कि

अखबार में छपने वाली सामग्री का चयन करने के नाते वह समाज के ट्रस्टी की जो भूमिका निभा रहा है, उसके अधिकार क्षेत्र का अतिक्रमण है। अगर कोई संपादक ऐसा करता है तो वह न सिर्फ पत्रकारिता को बदनाम कर रहा है बल्कि इस पद पर होने के काबिल ही नहीं है।

चुनाव और मीडिया-एक्जिट पोल और ओपीनियन पोल के बारे में दिशा-निर्देश देते हुए प्रेस परिषद ने कहा है कि समाचार-पत्रों को अपने मंच को चुनावी जोड़तोड़ के लिए इस्तेमाल करने की इजाजत नहीं देनी चाहिए। न ही किसी स्वार्थी के हाथों का खिलौना बनना चाहिए। प्रेस परिषद की राय में अखबारों की चुनाव प्रक्रिया में बेहद अहम भूमिका है और उन्हें सतर्क रहना चाहिए कि कोई चुनावी जोड़तोड़ में उन्हें मोहरा न बना ले।

मीडिया और सदाचार

प्रेस परिषद ने 1985 और 1995 के बीच इस बात का अध्ययन कराया था कि किस तरह सरकार और कंपनियां मीडिया को अपने पक्ष में करने के लिए लालच देती हैं। प्रेस परिषद की राय है कि पत्रकारों, अखबारों, न्यूज एजेंसियों और मीडिया मालिकों को सरकारी मकान, सस्ती जमीन, मुफ्त हवाई टिकट और कंपनियों के शेयर देना बेजा प्रलोभन हैं। प्रेस परिषद का यह भी मानना है कि कई मुख्यमंत्री जिस तरह से अपने विवेकाधीन कोष से पैसे बांटते हैं वह पत्रकारिता के रास्ते से भटकने की वजह बनता है और यह भ्रष्ट आचरण भी है। पत्रकारों और मीडिया संस्थानों को मिलने वाले कुछ फायदे और सुविधाएं इस तरह हैं : सरकारी कोठी, फ्लैट या जमीन, कंपनियों में शेयर, बस, रेल या किसी और माध्यम से यात्रा, विदेश यात्रा, मुफ्त हवाई टिकट, मुख्यमंत्री के विवेकाधीन कोष से नकद, दूसरे जरिए से वित्तीय सहायता, मीडिया सेंटर बनाने या उसके खर्च के लिए पैसे, पत्रकार संगठनों को चंदा, प्रेस रिलीज छापने के लिए विज्ञापन एजेंसियों द्वारा गिफ्ट चेक देना, दूसरे तोहफे देना, ठहरने का मुफ्त इंतजाम, कैमरा या कंप्यूटर आयात पर ड्यूटी माफी, इंश्योरेंस प्रीमियम का भुगतान, रिश्तेदारों को नौकरी, लोन, विभिन्न समितियों में शामिल करना, प्रेस क्लब के लिए चंदा, पुरस्कार और सम्मान, दुकानों का आवंटन, एक्रेडिटेशन (मान्यता), सरकारी और लोकसेवाओं के विज्ञापन, पत्रकारों की बैठक या सम्मेलन का खर्च उठाना, प्रेस पार्टी के दौरे कराना आदि।

पत्रकारों को गलत तरीके से प्रलोभन देने के चलन पर विचार करने के लिए प्रेस परिषद ने एक समिति बनाई थी। इस समिति ने विचार-विमर्श के बाद कुछ खास तरह के प्रलोभनों पर अपनी सिफारिशें दी हैं। मिसाल के तौर पर सरकारी कोठी, फ्लैट

या जमीन दिए जाने पर समिति का कहना है कि पंजाब और हरियाणा हाईकोर्ट ने पत्रकारों को सरकारी मकान दिए जाने को गलत माना है क्योंकि पत्रकार सरकारी कर्मचारी नहीं हैं। साथ ही दूसरे प्रेस आयोग ने भी सुझाव दिया है कि अब पत्रकारों को कोई सरकारी मकान न दिया जाए और जिन्हें मकान दिए भी गए हैं उनसे बाजार दर पर, बिना किसी छूट के, किराया लिया जाए और जब वो मकान खाली करें तो किसी पत्रकार को वे घर न दिए जाएं। लेकिन घरों के अलॉटमेंट अब भी जारी हैं। समिति ने लिखा है कि सरकार नाम मात्र की कीमत पर समाचार-पत्र मालिकों को महंगी जमीनें दे रही है। उनमें से कुछ मालिकों ने या तो पूरी इमारत को किराए पर दे दिया है, या थोड़ा हिस्सा अपने पास रखने की औपचारिकता पूरी की है। कुछ ने तो प्रेस के लिए दी गई जमीन पर बनी इमारत को कॉमर्शियल कॉम्प्लेक्स बना दिया है।

पत्रकारों को बेजा फायदा देने के चलन पर विचार करने के लिए बनाई गई समिति ने कहा कि जो अखबार फायदे में हैं, उनके पत्रकारों को सस्ते दर पर बस या ट्रेन में सफर की सुविधा देने का कोई औचित्य नहीं है। हालांकि ऐसी सुविधा छोटे अखबारों के पत्रकारों को दी जा सकती है। इसके अलावा कंपनियां और एयरलाइंस पत्रकारों को देश और विदेश में मुफ्त यात्रा करने की सुविधा बांटते हैं। यह सुविधा पक्ष में खबरें लिखवाने के मकसद से दी जाती है। समिति ने इस बात पर भी चिंता जताई है कि राष्ट्रपति, उपराष्ट्रपति, प्रधानमंत्री और विदेश मंत्री के साथ पत्रकारों के जाने की सुविधा का इस्तेमाल कुछ अखबारों के मालिक कर रहे हैं। समिति की राय है कि इस काम के लिए योग्य व्यक्ति को ही भेजा जाना चाहिए। समिति ने इस बात की भी सिफारिश की है कि दिल्ली में काम करने वाले पी.आई.बी. मान्यताप्राप्त पत्रकारों को मिल रही सी.जी.एच.एस. की स्वास्थ्य सुविधा खत्म होनी चाहिए क्योंकि यह सुविधा केंद्र सरकार के कर्मचारियों के लिए है। समिति की राय है कि कर्मचारियों के लिए चिकित्सा सुविधा मुहैया करना अखबार के प्रबंधन की जिम्मेदारी है।

विज्ञापनों के मामले में समिति का कहना है कि तय मानदंडों और नियमों का पालन करते हुए अखबारों को विज्ञापन दिए जाने में कोई गड़बड़ी नहीं है, लेकिन मनमाने तरीके से, इस काम के लिए बनी एजेंसी को बाईपास करके, दिए जाने वाले विज्ञापन प्रलोभन की श्रेणी में आते हैं। समिति की सिफारिश है कि सरकार और रेलवे समेत दूसरे सरकारी विभागों और संस्थानों को अपनी सालाना रिपोर्ट और संबंधित रिपोर्टों में इस बात का जिक्र करना चाहिए कि अखबारों को कितने विज्ञापन दिए गए और पत्रकारों और संस्थानों को क्या सुविधाएं दी गईं। कहना न होगा कि सरकारी विभाग इतनी पारदर्शिता बरतने की हालत में नहीं है। इस समिति की किसी भी सिफारिश पर अमल नहीं हो पाया है।[199]

चुनाव की रिपोर्टिंग पर प्रेस परिषद के दिशा-निर्देश

1. प्रेस की यह जवाबदेही है कि चुनाव और उम्मीदवारों के बारे में वह वस्तुनिष्ठ यानी ऑब्जेक्टिव रिपोर्ट देगा। समाचार-पत्रों से यह उम्मीद नहीं की जाती है कि वे गलत चुनाव अभियान, या किसी उम्मीदवार या पार्टी या घटना के बारे में बढ़ा-चढ़ाकर रिपोर्ट नहीं छापेंगे। व्यवहारतः आगे चल रहे दो या तीन उम्मीदवार ज्यादातर मीडिया कवरेज बटोर ले जाते हैं। चुनाव प्रचार की रिपोर्टिंग करते समय समाचार-पत्र को किसी उम्मीदवार के द्वारा उठाए गए किसी महत्त्वपूर्ण मुद्दे की अनदेखी नहीं करनी चाहिए। समाचार-पत्र को किसी उम्मीदवार या उसके विरोधी पर हमला नहीं करना चाहिए।
2. सांप्रदायिक या जातिवादी आधार पर चुनाव प्रचार करना जनप्रतिनिधित्व कानून 1951 के तहत प्रतिबंधित है। प्रेस को वैसी रिपोर्ट के प्रकाशन से बचना चाहिए जो क्षेत्र, धर्म, नस्ल, जाति, समुदाय या भाषा के आधार पर लोगों के बीच शत्रुता या नफरत को बढ़ावा देते हों।
3. प्रेस को किसी उम्मीदवार के निजी चरित्र या व्यवहार के बारे में, उसकी उम्मीदवारी की पात्रता के बारे में या उसके चुनाव से हट जाने के बारे में ऐसे गलत या आलोचनात्मक बयान छापने से बचना चाहिए, जिससे उसकी चुनावी संभावनाओं पर असर पड़ता हो। प्रेस को किसी उम्मीदवार या पार्टी के खिलाफ अपुष्ट आरोप नहीं छापने चाहिए।
4. प्रेस को किसी उम्मीदवार या पार्टी को आगे दिखाने के लिए किसी भी तरह का आर्थिक या अन्य लाभ नहीं लेना चाहिए। प्रेस के किसी उम्मीदवार या पार्टी द्वारा या उनकी ओर से दिए जाने वाले आतिथ्य या सुविधा का इस्तेमाल नहीं करना चाहिए।
5. प्रेस से उम्मीद नहीं की जाती है कि वह किसी उम्मीदवार या पार्टी के पक्ष में प्रचार करे। अगर कोई समाचार-पत्र ऐसा करता है तो उसे दूसरे उम्मीदवार या पार्टी को भी जवाब देने का मौका देना चाहिए।
6. प्रेस को सत्ताधारी पार्टी या उम्मीदवार की उपलब्धियां बताने वाला ऐसा कोई विज्ञापन प्रकाशित या स्वीकार नहीं करना चाहिए जिसके लिए पैसा सरकारी खजाने से आया हो।
7. प्रेस को चुनाव आयोग, रिटर्निंग अफसर या मुख्य निर्वाचन अधिकारी की ओर से समय-समय पर जारी सभी निर्देशों, आदेशों और दिशा-निर्देशों का पालन करना चाहिए।

8. जब कभी कोई समाचार-पत्र कोई चुनाव पूर्व सर्वेक्षण छापे, तो उसे शुरुआत में ही बताना चाहिए कि किस संस्था ने यह सर्वेक्षण किया है, किन संस्थाओं या व्यक्तियों ने यह सर्वेक्षण कराया है, जो नमूने चुने गए उनका आकार और उनकी प्रकृति क्या थी, निष्कर्ष तक पहुंचने के लिए चुने गए नमूने का आधार क्या था और संभावित त्रुटि की आशंका कितनी है।
9. जब चुनाव कई चरणों में हो तो आखिरी चरण का मतदान संपन्न होने तक किसी भी अखबार को मतदान बाद का सर्वेक्षण नहीं छापना चाहिए, चाहे वह सर्वेक्षण कितनी भी ईमानदारी से क्यों न किया गया हो।

प्रेस परिषद की जाँच और न छापी गई रिपोर्ट

प्रेस परिषद ने पेड न्यूज पर हो-हल्ला मचने पर स्व प्रेरणा से जाँच के लिए एक सब-समिति गठित की थी। इस समिति में वरिष्ठ पत्रकार परंजॉय गुहा ठकुरता और के. श्रीनिवास रेड्डी शामिल थे। कड़ी मेहनत के बाद इस समिति ने पेड न्यूज से सम्बन्धित इकहत्तर पृष्ठ की एक रिपोर्ट तैयार की थी। *हाउ करप्शन इन द इंडियन मीडिया अंडरमाइंस डेमोक्रेसी* (भारतीय मीडिया में भ्रष्टाचार और लोकतन्त्र का क्षय) नाम से जैसे ही ये रिपोर्ट तैयार हुई, प्रेस परिषद में बैठे मीडिया घरानों के प्रतिनिधियों में खलबली मच गई। उन्होंने इस रिपोर्ट को सामने न आने देने के लिए पूरा जोर लगा दिया। आखिरकार वे अपनी करतूत में सफल रहे और इकहत्तर पृष्ठ की रिपोर्ट दबा दी गई। उसके बदले में तीस जुलाई को प्रेस परिषद ने सरकार को बारह पृष्ठों की एक संक्षिप्त रिपोर्ट सौंपी। जिसमें पेड न्यूज छापनेवाले मीडिया घरानों का नाम नहीं छापा गया। पूरी रिपोर्ट का जिक्र सिर्फ फुटनोट में किया गया। उसमें बताया गया है कि वो रिपोर्ट प्रेस परिषद के पास सुरक्षित है। परिषद ने रिपोर्ट को अपनी वेब साइट पर भी नहीं डाला है। इस तरह रिपोर्ट क्यों नहीं सार्वजनिक की गई है इस बात को बड़ी चालाकी से छुपा लिया गया है।

पेड न्यूज की विस्तृत रिपार्ट पर तीस जुलाई को परिषद के सभी सदस्यों की बैठक बुलाई गई थी। कुछ सदस्य इससे जानबूझकर गायब रहे तो कुछ कोई भी पक्ष लेने से बचते रहे। ऐसा करनेवाले मुख्य लोगों में कांग्रेस और बीजेपी जैसी पार्टियों से जुड़े नेता हैं। बहस के दौरान उस दिन तीस में से चौबीस सदस्य ही बैठक में पहुँचे। प्रेस परिषद के चेयरमैन जस्टिस जी.एन. रे चाहते हुए भी बैठक में विस्तृत रिपोर्ट को सार्वजनिक कराने पर सहमति नहीं बना पाए। परंजॉय गुहा ठकुरता कहते हैं कि उन्हें आखिरी वक्त तक भरोसा था कि मूल रिपोर्ट संक्षिप्त रिपोर्ट के साथ अनुलग्नक (एनेक्सचर) के तौर पर जरूर डाली जाएगी। लेकिन प्रकाशक लॉबी के दबाव की वजह से ऐसा नहीं हो पाया। वे अफसोस जताते हैं कि सरकारी पैसे से उन्होंने छह महीने की कड़ी मेहनत के बाद रिपोर्ट तैयार की थी। उस रिपोर्ट के साथ प्रेस परिषद में इस तरह का मजाक होना जनता के साथ एक धोखा है।—भूपेन[1]

1. समयांतर, सितंबर, 2010, पेज 11

यहाँ पेश है परंजॉय गुहा ठकुरता और के. श्रीनिवास रेड्डी की रिपोर्ट के चुने हुए अंश के अनुवाद।[1]

पृष्ठभूमि

वे सभी खबरें जो अखबारों में छपती हैं या टीवी चैनलों पर प्रसारित होती हैं, उनका मकसद न सिर्फ ऐसी सूचनाएं उपलब्ध कराना होता है जो आम जनता की रुचि की हों बल्कि उन खबरों का सत्य, तथ्यगत रूप से सही, संतुलित, वस्तुनिष्ठ होना भी जरूरी होता है। इसी अर्थ में खबर के रूप में प्रसारित सूचना को संपादकीय लेखों में व्यक्त विचारों से अलग समझा जा सकता है। खास तौर पर इन सूचनाओं को विज्ञापनों से पूरी तरह भिन्न माना जाता है जो कारोबारी जगत के लोगों, सरकारों, संगठनों व व्यक्तियों द्वारा प्रायोजित होते हैं। पर जब खबर व विज्ञापन के बीच फर्क खत्म होने लगता है, जब विज्ञापन ही खबर के रूप में सामने आने लगते हैं जिनके लिए कीमत वसूली जाती है, या जब खबर का प्रकाशन या प्रसारण खास कीमत के बदले किसी खास राजनेता या राजनीतिक दल को फायदा पहुंचाने के लिए होता है, तब पाठक या दर्शक को यह भरोसा दिलाकर गुमराह किया जाता है कि अमुक विज्ञापन या प्रायोजित कार्यक्रम अपने में खबर है और पूरी तरह से सत्य, निष्पक्ष व वस्तुनिष्ठ है।

'पेड न्यूज' के बारे में प्रेस परिषद के दो सदस्यों वाली उप समिति द्वारा तैयार रिपोर्ट खबर व विज्ञापन (या कहें कि एडवरटोरियल) के बीच खत्म होते अंतर को सामने लाती है। यह कुछ व्यक्तियों व संगठन के प्रतिनिधियों द्वारा किए गए प्रयासों को भी सामने लाती है जिन्होंने समाचार माध्यमों में पैसों के लेनदेन के बदले खबरें छापने व दिखाने, खास तौर पर देश में अप्रैल-मई 2009 के आम चुनावों या सितंबर-अक्टूबर 2009 के महाराष्ट्र व हरियाणा के चुनावों के दौरान इस बारे में हुई सौदेबाजी का पूरा ब्यौरा तैयार किया है।

भारत में व अन्य जगहों पर मीडिया उद्योग को कई कारणों से नियंत्रित करना लगातार मुश्किल होता जा रहा है। इनमें तकनीकी विकास, मीडिया का वैश्वीकरण या मीडिया में विभिन्न हित समूहों, विज्ञापनदाताओं व जन संपर्क से जुड़े लोगों की बढ़ती निर्भरता व संबंध भी शामिल हैं। मीडिया उद्योग की सक्रियता के अलावा मीडिया द्वारा आम लोगों के मानस को जिस तरह से प्रभावित किया जाता है, वह भी मीडिया संगठनों के कामकाज व कारोबार संबंधी गतिविधियों पर चौकसी रखने की जरूरत को रेखांकित करता है।

---

1. समयांतर, सितंबर, 2010, पेज 12.29

किस प्रकार 'पेड न्यूज' के जरिए समाचारों में समझौते किए गए

जैसा कि पहले कहा गया है, खबरों को वस्तुनिष्ठ, सही व तटस्थ होना चाहिए। खबरों के इसी चरित्र के कारण वे पैसे लेकर दिखाए जा रहे विज्ञापनों की सूचना व विचार से भिन्न होती हैं। पर जब खबरें धन की सौदेबाजी के बदले खास राजनेता या राजनीतिक दल के पक्ष में प्रसारित की जाती हैं या छापी जाती हैं, तब 'पेड न्यूज' का पूरा मसला ज्यादा खतरनाक आयाम ग्रहण कर लेता है। चुनाव में प्रत्याशियों व राजनीतिक दलों के प्रतिनिधियों के बारे में 2009 के लोकसभा चुनावों व विधानसभा चुनावों के दौरान अनगिनत खबरें, फीचर लेख व रिपोर्ट्स छापी गईं या चैनलों में दिखाई गईं। इनमें यह कहीं नहीं बताया गया कि इन कथित खबरों को छापने या दिखाने के बदले राजनेताओं व उनके दलों तथा मीडिया समूहों के बीच किस प्रकार से पैसों का लेनदेन हुआ है।

इस तरह के गोरखधंधे से उम्मीदवारों को चुनाव अभियान के वास्तविक खर्च को छिपाने का मौका भी मिल गया। अगर वह सही-सही खर्च बताते तो जरूर ही कुछ मामलों में चुनाव आचार संहिता 1961 के उल्लंघन का मामला सामने आता जिसे चुनाव आयोग द्वारा जन प्रतिनिधि कानून 1951 के तहत लागू किया जाता है। अखबारों व टीवी चैनलों ने खबरों (पेड न्यूज) के बदले जो भी पैसा लिया वह नगद में था, चेक में नहीं और उन्होंने अपनी कंपनी की बैलेंस शीट में इस कमाई का रिकार्ड भी नहीं रखा। यह पूरा गोरखधंधा काफी व्यापक पैमाने पर फैल गया है। छोटे-बड़े व विभिन्न भाषाओं के देश भर के सभी अखबारों, पत्रिकाओं व टीवी चैनलों, सभी जगह इसने पैर पसार लिए हैं। यह इस रिपोर्ट में दिए गए उदाहरणों से भी प्रमाणित होता है।

ज्यादा बुरी बात यह है कि यह अवैध कार्य काफी संगठित रूप ले चुका है। इसमें विज्ञापन एजेंसियों व जनसंपर्क से जुड़ी संस्थाओं के अलावा पत्रकार, मैनेजर व मीडिया कंपनियों के मालिक आदि सभी शामिल हैं। मार्केटिंग विभाग से जुड़े लोग पत्रकारों की मर्जी से या उनपर दबाव डालकर राजनेताओं से संपर्क साधते हैं। फिर उन्हें रेट कार्ड व पैकेज का आफर दिया जाता है जिसमें ऐसी खबरों के प्रकाशन का रेट भी होता है जिसके तहत न केवल खास उम्मीदवार की तारीफ की जाती है बल्कि उसके राजनीतिक विरोधी की आलोचना भी की जाती है। जो उम्मीदवार मीडिया संगठनों के इस तरह के वसूली के धंधे में शामिल नहीं होता उसके बारे में खबरें छपनी बंद हो जाती हैं। भारत में मीडिया का खास हिस्सा उन गलत गतिविधियों में जान-बूझकर हिस्सेदारी कर रहा है जिसने राजनीति में धन-बल के इस्तेमाल को बढ़ावा दिया है और बदले में लोकतांत्रिक प्रक्रिया व नियमों को कमजोर किया है। ठीक इसी दौरान मीडिया संगठनों के प्रतिनिधियों ने जिनके खिलाफ इस बारे में आरोप लगे हैं, वही लोग 'पेड न्यूज' की प्रणाली की सार्वजनिक निंदा करते देखे

जा रहे हैं। इस तरह के कुछ लोगों का बर्ताव काफी झूठ व धोखाधड़ी से भरा हुआ है और अपनी ऊंची नैतिक छवि चमकाने की फिराक में भी रहते हैं।

इस तरह की कारगुजारियां जो चोरी-छिपे व अवैध ढंग से चलती हैं, उसमें ऐसे पुख्ता प्रमाण एकत्र करना मुश्किल होता है जिसके आधार पर किसी खास व्यक्ति या संगठन की जिम्मेदारी को तय किया जा सके। पर परिस्थितिगत साक्ष्यों का विशाल जखीरा ऐसा है जो मीडिया संस्थानों में 'पेड न्यूज' के बढ़ते कारोबार की ओर इशारा करता है जो कि अपने में चुनाव से जुड़ी बुराई व अवैध कार्य है। चुनाव प्रचार के दौरान एक जैसे लेख, एक जैसी तस्वीरों व शीर्षक वाली खबरें भिन्न-भिन्न नाम वाले संवाददाताओं की बाइलाइन के साथ अखबारों में प्रकाशित हुईं। कुछ खास अखबारों में एक ही पेज पर परस्पर विरोधी उम्मीदवारों के बारे में प्रशंसापूर्ण समाचार प्रकाशित हुए और दोनों के ही जीतने की संभावना का दावा किया गया।

मीडियानेट व प्राइवेट ट्रिटीज का मामला

यह कहा जा सकता है कि मुनाफे के पीछे भागने के कारण कुछ मीडिया संगठनों ने पत्रकारिता के ऊंचे सिद्धांतों व अच्छे कामकाज की शैली की बलि चढ़ा दी है। हाल तक इस तरह की चीजों में सिर्फ कुछ लोग ही लिप्त पाए जाते थे, जैसे कि रिपोर्टरों व संवाददाताओं को नगद या अन्य तरह से लुभाया जाता था। उन्हें देश-विदेश में किसी कंपनी या किसी शख्स के बारे में अनुकूल खबरें छापने पर पैसा मिलता था, पर हाल तक ये सारी चीजें नियम न होकर अपवाद की तरह ही थीं। इस तरह की खबरें संदिग्ध समझी जाती थीं क्योंकि भले ही खबर पूरी तरह सही व वस्तुनिष्ठ होने का दावा करे पर जिस अंदाज से घटनाओं या व्यक्तियों के बारे में चापलूसी की जाती थी, वह आसानी से पकड़ में आ जाती थी। पत्रकारों की बाइलाइन सबसे ऊपर प्रमुखता से छपती थी। पर धीरे-धीरे इस तरह के निजी विचलनों ने संस्थागत रूप धारण कर लिया।

1980 के दशक में जब *टाइम्स आफ इंडिया* समूह की पत्र-पत्रिकाओं का प्रकाशन करने वाली कंपनी बेनेट कोलमैन कंपनी लिमिटेड (बी.सी.सी.एल.) में समीर जैन एक्जीक्यूटिव हेड बने तभी से भारतीय मीडिया के कामकाज की शैली व नियमों में बदलाव आने शुरू हो गए। मूल्यों को तय करने में गलाकाट प्रतियोगिता के अलावा बी.सी.सी.एल. को देश का सबसे अधिक मुनाफे वाला मीडिया समूह बनाने के लिए मार्केटिंग का सबसे ज्यादा रचनात्मक इस्तेमाल किया गया। अब यह अन्य सभी प्रकाशन उद्योगों की कुल आय की तुलना में अधिक मुनाफा कमाता है, हालांकि एक कार्पोरेट समूह के रूप में स्टार ग्रुप ने हाल के वर्षों में अधिक मात्रा में सालाना

कारोबार किया है।

मीडिया के क्षेत्र में आगे चलकर जिस चीज ने काफी खलबली पैदा की, वह था 2003 में बी.सी.सी.एल. द्वारा पैसे के बदले प्रकाशन यानी 'पेड कंटेंट' की मीडियानेट नाम से सेवाएं आरंभ करना। इसके तहत पैसों के बदले पत्रकारों को किसी प्रोडक्ट के लांच या व्यक्ति से संबंधी कार्यक्रमों व घटनाओं को कवर करने के लिए भेजने का खुला प्रस्ताव दिया गया। जब दूसरे अखबारों ने इस तरह की गतिविधियों से पत्रकारिता के उसूलों के उल्लंघन का सवाल उठाया तो बी.सी.सी.एल. के अधिकारियों व मालिकों ने तर्क दिया कि इस तरह के एडवरटोरियल्स *टाइम्स आफ इंडिया* में नहीं छप रहे हैं । केवल वे शहरों के रंगीन स्थानीय पेजों के लिए हैं जिसमें ठोस खबरों के प्रकाशन के स्थान पर समाज की हल्की-फुल्की मनोरंजक बातों के बारे में सामग्री प्रकाशित की जाती है। यह भी कहा गया कि अगर जन संपर्क से जुड़ी एजेंसियां पहले ही अपने ग्राहकों के बारे में खबरें छपवाने के लिए पत्रकारों को रिश्वत दे रही हैं तब इस तरह की एजेंसियों जैसे बिचौलियों के खत्म करने में क्या बुराई है।

मीडियानेट के अलावा बी.सी.सी.एल. ने एक और नए तरह की मार्केटिंग व जन संपर्क की रणनीति ईजाद की। 2005 में वीडियोकान इंडिया और कायनेटिक मोटर्स समेत 10 कंपनियों ने बी.सी.सी.एल. को अघोषित कीमत वाले इक्विटी शेयर प्रदान किए ताकि उन्हें बी.सी.सी.एल. द्वारा संचालित मीडिया के विभिन्न प्रकाशनों में विज्ञापन के लिए जगह मिल सके। इस योजना की सफलता ने बी.सी.सी.एल. को भारत के सबसे बड़े निजी इक्विटी निवेशकों में बदल दिया। 2007 के अंत में इस मीडिया कंपनी ने अन्य क्षेत्रों समेत उड्डयन, खुदरा बाजार, मनोरंजन, मीडिया आदि क्षेत्रों की 140 कंपनियों में निवेश का दावा किया जिसकी कीमत 1500 करोड़ रुपए के करीब थी। बी.सी.सी.एल. के एक प्रतिनिधि (एस. शिवकुमार) द्वारा जुलाई, 2008 को एक वेबसाइट को दिए गए इंटरव्यू के मुताबिक कंपनी के साथ 175 से 200 के बीच निजी समझौते (प्राइवेट ट्रीटी) वाले ग्राहक जुड़े हुए हैं और उनके साथ 15 से 20 करोड़ रुपये वाले समझौते किए गए हैं। इस तरह कुल निवेश 2600 करोड़ रुपए से लेकर 4000 करोड़ रुपए तक का किया गया है।

पर यह अलग बात है कि 2008 में स्टाक मार्केट के धराशायी होने के फलस्वरूप बी.सी.सी.एल. द्वारा किए गए निजी समझौतों के उद्‌देश्यों की हवा निकल गई। बी.सी.सी.एल. द्वारा खरीदे गए विभिन्न कंपनियों के शेयरों की कीमतें गिर गईं, उसके बावजूद मीडिया कंपनी को विज्ञापन की जगह देने के पुराने समझौते को पूरा करना पड़ा, वह भी शेयरों की पुरानी ऊंची कीमतों पर और उसे आमदनी में भी दिखाना पड़ा जिस पर टैक्स भी चुकाना पड़ता है।

निजी समझौतों की इस योजना का उद्‌देश्य *टाइम्स आफ इंडिया* में विज्ञापन की

प्रतिस्पर्धा को कमजोर करना था, पर बाद में कई दूसरे अखबारों व टीवी चैनलों ने भी इसी योजना को आरंभ कर दिया। बी.सी.सी.एल. द्वारा शुरू की गई निजी समझौतों की योजना में इक्विटी निवेश के बदले निजी कंपनियों व विज्ञापनदाताओं के लिए विज्ञापन प्रसारित किए जाते थे, हालांकि कंपनी के अधिकारी इस बात से इनकार करते हैं कि निजी समझौते करने वाली कंपनियों व ग्राहकों के बारे में प्रशंसापूर्ण खबरें छापी जाती हैं या उनके बारे में आलोचना को छपने से रोका जाता है।

पर भले ही बी.सी.सी.एल. के प्रतिनिधि अपनी पत्र-पत्रिकाओं व चैनलों में पैसे लेकर अनुकूल खबरें छापने व दिखाने की बात का खंडन करें पर सच यह है कि खबरों से जुड़ी ईमानदारी व निष्पक्षता में समझौता किया गया है। 4 दिसंबर, 2009 को *इकोनामिक टाइम्स* व *टाइम्स आफ इंडिया* में निजी समझौतों (प्राइवेट ट्रिटीज) की सफलता पर जश्न मनाते हुए आधा पेज के रंगीन विज्ञापन छपे, 'हाऊ टू परफार्म द ग्रेट इंडियन रोप ट्रिक' जिसमें पेंटालून का खास उदाहरण दिया गया। जो बताने की कोशिश की जा रही थी, वह यह थी कि *टाइम्स आफ इंडिया* समूह के साथ पेंटालून की रणनीतिक साझेदारी ने किस प्रकार से लाभ पहुंचाया है। विज्ञापन के मुताबिक, मीडिया हाउस के लाभ के तौर पर टाइम्स प्राइवेट ट्रिटीज (टीपीटी) अपने साझीदार पर आर्थिक बोझ कम करते हुए निवेशक की चिर-परिचित भूमिका से बाहर निकल गया। ऐसा इसलिए भी हुआ क्योंकि भारत के सबसे आगे रहनेवाले मीडिया घराने के पास विज्ञापन की अतुलनीय ताकत है। जब पैंटालून का तेजी से विकास हुआ, टाइम्स प्राइवेट ट्रिटीज ने भी पूरी कोशिश की कि उसे विज्ञापनों के लिए अखबार में पूरा स्पेस मिले। टीपीटी ने इसके लिए बेहतर शब्द इजाद किया, बिजनेस सेंस।

कई मीडिया संगठनों में खबर को विज्ञापनों से अलगाने के लिए 'एडवरटोरियल' या 'एडवरटीजमेंट' जैसे शब्द इस्तेमाल किए जाते हैं। विज्ञापनों के लिए अलग किस्म के फांट व फांट साइज, उनके चारों ओर लकीरें खींचने या स्पांसर्ड फीचर अथवा विज्ञापन में कहीं कोने में एडीवीटी जैसे शब्द बहुत छोटे आकार में लिखने का काम किया जाता है जो कई बार पाठकों की निगाह में पड़ता है और कई बार नहीं। जैसा कि *टाइम्स आफ इंडिया* के सिटी सप्लीमेंट के तौर पर छपने वाले दिल्ली टाइम्स में त्वचा की देखभाल वाले प्रोडक्ट 'ओले' के बारे में एक साल तक छपी स्टोरी अपने सारे खंडन या अखबार के द्वारा किए इनकार के बावजूद 'पेड न्यूज' की ही श्रेणी में आती है। बी. सी.सी.एल. के प्रतिनिधि प्रायः कहते हैं कि कंपनी की प्राइवेट ट्रिटीज स्कीम किसी भी सार्वजनिक जांच के लिए खुली हुई है क्योंकि जिन कंपनियों में बी.सी.सी.एल. की भागीदारी है, वह सबकुछ सार्वजनिक ही है और उसका अपने वेबसाइट में उसका उल्लेख है। पर बहस व विवाद का कारण कुछ और है। वह यह कि ये सभी कंपनियां

अखबार में छपने वाली सामग्री को प्रभावित करती हैं।

इसी तरह सीएनएन-आईबीएन टीवी न्यूज चैनल पर प्रसारित रेजर ब्लेड बनाने वाली कंपनी जिलेट का विज्ञापन अभियान–'वार अगेंस्ट लेजी स्टबल' में फीचर कथाएं व नामचीन हस्तियों के साक्षात्कार दिखाए गए। इसके अलावा इस मुद्दे पर पैनल की बहस आयोजित की गई कि मर्दों को शेव करना चाहिए या नहीं और इस निष्कर्ष को पहले से इस बहस में केंद्र में रखा गया कि भारतीय स्त्रियां क्लीन शेव मर्दों को ज्यादा पसंद करती हैं। यह दावा किया गया कि जिलेट व सीएनएन-आईबीएन की साझेदारी दोनों के लिए लाभप्रद है। एडवरटोरियल से जुड़े ऐसे अन्य कई उदाहरण और भी हैं।

प्रेस काउंसिल आफ इंडिया को सेबी की सलाह

15 जुलाई 2009 को भारतीय प्रतिभूति एवं विनिमय बोर्ड (सेबी) के निगरानी विभाग के विशेष कर्तव्य अधिकारी (ओएसडी) श्री एस. रामन ने प्रेस काउंसिल आफ इंडिया के चेयरमैन जस्टिस जी.एन. रे को लिखा कि कई मीडिया कंपनियां ऐसी कंपनियों के साथ निजी समझौते (प्राइवेट ट्रिटीज) में शामिल हो रही हैं जिनके इक्विटी शेयर स्टाक एक्सचेंज में दर्ज हैं या ऐसी कंपनियों के साथ हैं जो अपने शेयर को मार्केट में ला रही हैं। मीडिया कंपनियां भी इन कंपनियों में हिस्सेदारी कर रही हैं और बदले में उन्हें विज्ञापनों, समाचार व संपादकीय में प्रचार की सुविधा उपलब्ध करा रही हैं। सेबी, जिसकी स्थापना सिक्यूरिटी एंड एक्सचेंज बोर्ड आफ इंडिया एक्ट, 1992 के तहत की गई थी, उसका काम निवेशकों के हितों की सुरक्षा करना है और इसका मत है कि शेयरों के बदले ब्रांड खड़े करने व प्रचार कार्य करने की नीति हितों के टकराव को पैदा करेगी। नतीजतन न्यूज व संपादकीय की प्रकृति व अंतर्वस्तु के रूप में प्रेस की स्वतंत्रता कमजोर होगी।

सेबी का कहना है कि निजी समझौते समाचारों के व्यवसायीकरण को जन्म देंगे क्योंकि वे मीडिया समूह व कंपनियों के बीच विज्ञापन संबंधी समझौतों पर आधारित होंगे। इसके अलावा निजी समझौतों का लाभ उठा रही कंपनियों के बारे में इकतरफा व असंतुलित रिपोर्टिंग से मिथ्या धारणाएं पैदा होंगी। अतः सेबी का अनुभव था कि सही ढंग से जानकारी दिए बगैर चलाई जा रही ब्रांड के प्रचार से जुड़ी मीडिया की ऐसी नीतियां संभव है कि निवेशकों व आर्थिक बाजार के हित में न हों क्योंकि इससे सही ढंग से व सही सूचनाओं पर आधारित फैसले लेने की प्रक्रिया को चोट पहुंचती है। सेबी की सलाह के मुताबिक–

1. जिस भी कंपनी में मीडिया कंपनी की हिस्सेदारी हो उसके बारे में न्यूज

रिपोर्ट, लेख, अखबारों में संपादकीय या टीवी में खबर प्रकाशित करने पर उस संबंध में जानकारी देना अनिवार्य कर दिया जाए।

2. निजी समझौतों के तहत जितने भी प्रतिशत की मीडिया समूहों की किसी भी कंपनी में हिस्सेदारी हो, उसके बारे में मीडिया समूह की वेबसाइट में जानकारी देना अनिवार्य कर देना चाहिए।
3. इसके अलावा उन जानकारियों को भी देना चाहिए जिसका संबंध मीडिया समूह द्वारा कंपनी के बोर्ड में नामित सदस्य रखने, कंपनी पर प्रबंधकीय नियंत्रण रखने से जुड़े समझौतों से हो और ऐसे अन्य ब्यौरों की जानकारी भी देनी अनिवार्य हो जिसका संबंध मीडिया समूहों के हितों के टकराव से ज़ुड़ा हो व जिसकी जानकारी दिया जाना जरूरी हो।

प्रेस काउंसिल आफ इंडिया को सेबी की सलाह के मुताबिक सिक्यूरिटीज मार्केट के विकास के लिए, खासकर छोटे निवेशकों द्वारा सही सूचनाओं पर आधारित निर्णय लेने के मद्देनजर मुक्त व निष्पक्ष प्रेस का विकास बेहद जरूरी है और सेबी ने प्रेस काउसिंल को इस संबंध में तुरंत कोई निर्णय लेने के लिए कहा।

इस प्रसंग में प्रेस परिषद ने आर्थिक जगत के पत्रकारों का ध्यान 1996 में तैयार गाइडलाइन्स की ओर खींचा जिसके मुताबिक–

1. आर्थिक मामलों के पत्रकारों को उपहार, कर्ज, यात्राएं, डिस्काउंट, शेयर या अन्य ऐसी चीजें स्वीकार नहीं करनी चाहिए जिससे उन्हें कामकाज या अपने पद के अनुरूप बर्ताव करने में समझौते करने पड़े।
2. खबर में इस बात को स्पष्टता से बताना चाहिए कि खबर की सूचनाएं कंपनी या उसके आर्थिक प्रायोजकों द्वारा प्रदत्त सूचनाओं पर आधारित हैं।
3. जब किसी कंपनी द्वारा किसी पत्रकार को निमंत्रित किया जाए, उसका स्वागत-सत्कार किया जाए तब उस संबंध में रिपोर्ट लिखने वाले को इन सुविधाओं के बारे में अपनी रिपोर्ट में स्पष्ट उल्लेख करना चाहिए।
4. ऐसे रिपोर्टर जो भ्रष्टाचार का भंडाफोड़ करते हों या अच्छे प्रोजेक्टस का अपनी रिपोर्ट में प्रचार करते हों उन्हें प्रोत्साहित एवं पुरस्कृत करना चाहिए।
5. जिस पत्रकार के किसी कंपनी से आर्थिक हित जुड़े हों (जिनमें शेयर इत्यादि भी शामिल हों) उन्हें कंपनी से जुड़ी रिपोर्ट नहीं तैयार करनी चाहिए।
6. पत्रकार को प्रकाशन से पूर्व प्राप्त सूचनाओं का इस्तेमाल निजी लाभ या संबंधियों अथवा मित्रों को लाभ पहुंचाने के लिए नहीं करना चाहिए।
7. किसी भी अखबार मालिक, संपादक या अखबार से जुड़े व्यक्ति को अखबार की ताकत के बल पर अपने दूसरे कारोबारी हितों को पूरा नहीं करना चाहिए।

8. जब भी एडवरटाइजिंग स्टैंडर्ड काउंसिल आफ इंडिया द्वारा किसी विज्ञापन एजेंसी या विज्ञापनदाता की आलोचना व भर्त्सना की जाए तब उस विज्ञापन को छापने वाले अखबार को इस बारे में स्पष्ट तौर पर समाचार प्रकाशित करना चाहिए।

इस बारे में विचार करने के उपरांत प्रेस काउंसिल आफ इंडिया ने सेबी के विचारों को समर्थन प्रदान किया और कहा कि इस बारे में प्रासंगिक दिशानिर्देशों को केवल आर्थिक मामलों के पत्रकारों के लिए ही नहीं बल्कि मीडिया कंपनी के मालिकों के लिए भी अनिवार्य बनाया जाना चाहिए। यह पारदर्शिता व निष्पक्षता के लिए ठीक रहेगा और कंपनियों के बारे में पक्षपातपूर्ण समाचारों के प्रकाशन की घटनाओं को कम करेगा जो कि निवेशकों के हितों की दृष्टि से भी खतरनाक होता है।

पत्रकारों के आचरण के बारे में 'द मिंट' का कोड

नई दिल्ली के *हिंदुस्तान टाइम्स* समूह (एचटी मीडिया के स्वामित्व वाला) द्वारा प्रकाशित दैनिक अखबार *'द मिंट'* ने पत्रकारों के आचरण के बारे में विस्तृत संहिता तैयार की है और सभी कर्मचारियों को समुचित प्रोफेशनल आचरण के लिए दिशानिर्देश भी जारी किए हैं। अखबार का कहना है कि इस आचरण संहिता का उद्‌देश्य नए विचारों या आचरण के नए नियमों को बताना नहीं है बल्कि चली आ रही कार्यशैली व मूल्यों पर विश्वास व्यक्त करना है। आचरण संहिता के मुताबिक अखबार किसी से पैसों के बदले इंटरव्यू नहीं लेता है और न ही पैसों का लेनदेन कर लोगों से फोटोग्राफ या फिल्म लेता है और न उनके बारे में खबरें रिकार्ड करता है। आचरण संहिता सभी कर्मचारियों पर दायित्व डालती है कि वे खबरें, ग्राफिक्स व फीचर स्टोरीज को केवल संपादकीय मापदंडों के आधार पर तैयार करें और उनका उद्‌देश्य अखबार में विज्ञापन देने वाली कंपनियों से ठीक वैसा बर्ताव करना हो जैसा बर्ताव विज्ञापन न देने वाली कंपनियों के साथ होता है। *द मिंट* ने अपने कर्मचारियों को निर्देश दिया है कि चाहे कोई भी वजह हो पर वे किसी कंपनी विशेष का पक्ष न लें और न ही खबरों में पक्षपात करें और न ही किसी से भेदभाव करें।

अखबार का यह भी दावा है कि अखबार के सभी संपादक व संपादकीय जरूरतें ही अखबार के स्वरूप को निर्धारित करती हैं और राजस्व पैदा करने वाली सामग्री के मामले में प्रबंधन विशेष सुविधाएं देता है। पर अखबार में डिजाइन पर खास तवज्जो देने के कारण यह भी सुनिश्चित कर लिया जाता है कि संपादकीय व कारोबारी सामग्री की डिजाइन में स्पष्ट रूप से अंतर हो। इस नियम के तहत ही, जैसा कि अखबार का दावा है कि वह किसी भी संपादकीय उद्‌देश्य से इतर विज्ञापनदाता की

वेबसाइट से अपनी खबरों के इलेक्ट्रानिक स्वरूप को जोड़ता नहीं है।

इन सिद्धांतों के पालन के लिए अखबार इस बात पर जोर देता है कि बड़ी संख्या में इसके संपादकीय विभाग में काम करने वालों का सामान्य सामाजिक शिष्टाचार के अलावा इसके बिजनेस विभाग में काम करने वाले लोगों से संपर्क न रहे। हालांकि यह अपने मैनेजिंग एडिटर या संबंधित विभाग प्रमुखों को इस मामले में छूट देने की इजाजत भी देता है जिससे सामान्य कारोबार में अड़चन न आए। आचरण संहिता यह भी कहती है कि अगर कभी भी संपादकीय सामग्री में समझौते करने या आचरण संहिता का उल्लंघन करने के लिए किसी पत्रकार अथवा कर्मचारी को बाहरी दबाव अथवा *द मिंट* के ही बिजनेस विभाग के दबाव का सामना करना पड़े तो यह बात उसे तुरंत मैनेजिंग एडीटर अथवा डिप्टी मैनेजिंग एडीटर के ध्यान में लानी चाहिए।

यह गौरतलब है कि बहुत कम अखबारों व पत्रिकाओं ने *मिंट* की तरह अपने यहां काम करने वालों के लिए आचरण व व्यवहार के संबंध में नियम-कानून तैयार किए हैं। प्रेस काउंसिल आफ इंडिया सभी मीडिया संगठनों को न केवल इस उदाहरण का अनुकरण करने के लिए प्रोत्साहित करेगा बल्कि यह भी सुनिश्चित करेगा कि अखबार के सभी लोग पूरी तरह से इन सिद्धांतों व नियमों का पालन करें।

'पेड न्यूज' के बारे में दिवंगत प्रभाष जोशी का आखिरी भाषण

भारत के एक प्रख्यात पत्रकार स्वर्गीय प्रभाष जोशी पेड न्यूज के खिलाफ लडने वाले योद्धा थे। उन्होंने इस मामले में प्रेस काउंसिल आफ इंडिया व भारत के चुनाव आयोग से अपने स्तर पर संपर्क किया और उनसे कहा कि इस अनाचार पर रोक लगाने के लिए जो संभव हो सके किया जाए। 5 नवंबर, 2009 को अपने निधन से पूर्व उन्होंने 28 अक्टूबर, 2009 को नई दिल्ली में फाउंडेशन फार मीडिया प्रोफेशनल्स के सेमिनार में दिए गए आखिरी भाषण में उन्होंने कुछ राजनेताओं के नाम लिए जिन्होंने या तो खबर छापने के लिए पैसे देने से मना कर दिया या जिन्होंने उनसे इस बारे में शिकायत की कि खबरें छापने के लिए मीडिया के कुछ लोग उनसे धन उगाही करना चाह रहे हैं।

जिन कई नेताओं का उन्होंने नाम लिया जो 'पेड न्यूज' के बारे में उनसे बात करते थे उनमें श्री जोशी ने सी.पी.आई. के श्री अतुल कुमार अंजान का भी उल्लेख किया और कहा, 'सी.पी.आई. के श्री अनजान प्रायः अपने भाषण की शुरुआत चुनाव अभियान व विवाह उत्सव के बीच समानता बताते हुए करते थे। वह कहते थे कि जब शादी होती है तो जो लोग पंडाल और टेंट तैयार करते हैं, सजावट व भोजन

का प्रबंध करने का काम करते हैं वे अपनी सेवाओं की कीमतें बढ़ाकर बताते हैं। शादी के सीजन में तो वे लोग मांग बढ़ने व आपूर्ति की कमी के नियम का फायदा उठाते हुए अपनी कीमतें खास तौर पर बढ़ा देते हैं। अखबार के मालिक भी इसी तरह से काम करते हैं जब वे चुनाव से ठीक पहले उम्मीदवारों की खबरें छापने के बदले उनसे पैसे मांगने लगते हैं।' इस अवसर पर श्री जोशी ने मीडिया के उस हिस्से की खास तौर पर कड़ी आलोचना की जिसने आम चुनावों के दौरान विज्ञापनों को राजनीतिक खबर बनाकर प्रस्तुत किया। उनके निशाने पर कुछ मीडिया संगठन थे जो राजनीतिक दलों के उम्मीदवारों के साथ सांठगांठ में शामिल हो गए। उनकी गतिविधियों को छापने या उनके विरोधियों को हराने के लिए अवैध तरीके से पैसा लिया। इस तरह की हरकतें लोकतंत्र में स्वतंत्र मीडिया की पूरी भूमिका से ही समझौता करती हैं। उन्होंने 2009 के आम चुनावों में हिंदी भाषी राज्यों में पत्रकारों व मीडिया संगठनों द्वारा किए गए गलत कार्यों के कई उदाहरण दिए। इन राज्यों में कुछ को छोड़कर ज्यादातर अखबार चुनाव लड़ रहे दलों के नेताओं के साथ समझौतों में शामिल हो गए। उन्होंने धन के बदले विशेष उम्मीदवारों व राजनीतिक दलों को प्रचार का पैकेज उपलब्ध कराया।

मीडिया समूहों ने पैकेजों को तैयार किया और इन पैकेजों का प्रस्ताव रखने वाले अखबार ऐसे उम्मीदवारों व राजनीतिक दलों के बारे में समाचार प्रकाशित ही नहीं करते हैं जो इन पैकेजों को खरीदते नहीं हैं। श्री जोशी ने उन कई नेताओं का नाम लिया जिन्होंने उनसे राज्यों में मीडिया समूहों द्वारा पेड न्यूज के विशाल कारोबार के बारे में शिकायत की थी। उन्होंने खास तौर पर लखनऊ से भाजपा के सांसद श्री लालजी टंडन, उप्र में देवरिया से चुनाव लड़ने वाले सपा के श्री मोहन सिंह, प्रधानमंत्री रह चुके दिवंगत श्री चंद्रशेखर के मंत्रिमंडल में केंद्रीय मंत्री रह चुके श्री हरिमोहन धवन और हरियाणा के मुख्यमंत्री श्री भूपिंदर सिंह हुड्डा का इस बारे में नामोल्लेख किया।

इस भाषण को देने से पूर्व श्री जोशी ने कई अखबारों व पत्रिकाओं में इस विषय पर कई लेख भी लिखे थे। जैसे कि 10 मई, 2009 को उन्होंने *जनसत्ता* में लिखा कि *हिंदुस्तान* अखबार के वाराणसी संस्करण में 15 अप्रैल को मुखपृष्ठ पर एक उम्मीदवार तुलसी सिंह राजपूत की प्रशंसा में तीन लेख एक साथ प्रकाशित किए गए। ये अखबार की मुख्य खबर, दूसरे मुख्य आलेख व अखबार के बाटम की स्टोरी के रूप में थे। इसके अलावा इसी पृष्ठ पर श्री राजपूत की तीन तस्वीरें, जिनमें एक तो तीन कालम की थी, प्रकाशित की गईं। अगले दिन के संस्करण में *हिंदुस्तान* अखबार में यह स्पष्टीकरण भी छपा कि विगत दिवस जो प्रकाशित हुआ था, वह एक विज्ञापन था। स्पष्टीकरण में यह भी लिखा था कि पहले की खबर विज्ञापन थी, इस बारे में जानकारी देनी चाहिए थी क्योंकि

यह अखबार की संपादकीय नीति का हिस्सा है।

अखबारों में लेख लिखने के अलावा श्री जोशी ने सभी विवेकवान लोगों से अपील की कि वे पेड न्यूज के पूरे कारोबार का विरोध करें और इस अनाचार के विरुद्ध अभियान चलाएं। श्री जोशी का निधन हो चुका है लेकिन कई पत्रकारों समेत ढेरों लोग उनके विचारों से प्रेरित हैं और इस संबंध में अभियान का आगे संचालन कर रहे हैं। जैसा कि श्री जोशी व अन्य लोगों ने बताया था कि पेड न्यूज के पूरे मामले के चलते चुनाव प्रक्रिया भी दूषित हो गई है क्योंकि जो पैसा खर्च होता है उसका हिसाब नहीं रखा जा सकता। यह भारतीय निर्वाचन आयोग द्वारा लागू किए जाने वाले जन प्रतिनिधि कानून 1951 के तहत चुनावी खर्च का ब्योरा देने के संदर्भ में जारी अनिवार्य गाइडलाइन का भी उल्लंघन करता है।

द हिंदू अखबार में 18-19 मार्च 2010 को दो खंडों में लिखे लेख में वरिष्ठ पत्रकार मृणाल पांडे ने कहा—खबरों के पुनर्निर्धारण व अखबारों में इनके प्रसार के बारे में हाल में लिए गए कई फैसले बेहद जल्दबाजी में संपादकीय विभागों की सलाह के बगैर लिए गए हैं। उन्होंने संभव है कि पूरे तंत्र में अदृश्य व खतरनाक वायरस को पैदा कर दिया है जो अखबारों का क्षरण करते हुए अंततः उन्हें नष्ट कर देंगे। भाषाई मीडिया हो सकता है कि इस नई प्रवृत्ति के कारण फिलहाल अपनी गरीबी दूर होने को लेकर खुश हो पर उन्हें अब नए प्रकार की गरीबी का दृढ़ता व निर्णायक ढंग से सामना करना होगा और वह है कामकाज से जुड़ी नैतिकता व उसूलों की गरीबी।

हिंदी अखबारों से पेड न्यूज के कुछ उदाहरण

हिंदी भाषी प्रेस से यहां कुछ उदाहरणों का चयन किया गया है जिन्हें 'पेड न्यूज' के उदाहरणों के रूप में माना जा सकता है।

दैनिक जागरण के रांची संस्करण ने 15 अप्रैल, 2009 को पेज तीन पर एक समाचार प्रकाशित किया। यह झारखंड मुक्ति मोर्चा के उम्मीदवार कामेश्वर बैठा के समर्थन में था। इस समाचार में कहा गया कि श्री बैठा को समाज के हर वर्ग का समर्थन मिल रहा है और वह पलामू लोकसभा क्षेत्र से चुनाव जीत जाएंगे। इस समाचार में कोई क्रेडिट लाइन (रिपोर्टर या अखबार को अपनी समाचार सेवा के हवाले से नहीं लिखा गया था) नहीं दी गई थी। इस समाचार के लिए इस्तेमाल किया गया फांट इसी अखबार में प्रकाशित अन्य समाचारों के लिए इस्तेमाल फांट से अलग था। इसी पृष्ठ पर इस अखबार ने एक और समाचार प्रकाशित किया था। इस समाचार में जेएमएमए झारखंड विकास मोर्चा और निर्दलीय उम्मीदवार के बीच त्रिकोणीय मुकाबले की बात कही गई थी। यह खबर अखबार ने अपने

रिपोर्टर के हवाले से दी थी।

13 अप्रैल, 2009 को *दैनिक जागरण* के रांची संस्करण में पृष्ठ सात पर दो समाचार प्रकाशित किए गए। ये दोनों समाचार छतरा लोकसभा क्षेत्र से संबंधित थे। पहला समाचार राष्ट्रीय जनता दल के उम्मीदवार श्री नागमणि के समर्थन में था। इसका शीर्षक था—नागमणि को मिल रहा है हर वर्ग और समुदाय का समर्थन। असल में उन्हें निर्विवाद रूप से विजेता के तौर पर दिखाया गया था। इसी पेज पर एक और समाचार था। यह समाचार जनता दल यूनाइटेड के उम्मीदवार अरुण कुमार यादव के बारे में था। यह भी छतरा लोकसभा क्षेत्र से ही संबंधित था। इस समाचार में अरुण कुमार यादव को स्पष्ट तौर पर विजेता के रूप में उभरता हुआ बताया गया था। इन दोनों समाचारों में कोई बाईलाइन नहीं थी। इन दोनों समाचारों का भी फांट इस पेज पर अन्य समाचारों के फांट से अलग था।

रांची से ही प्रकाशित होने वाले दो अन्य समाचारपत्रों *प्रभात खबर* और *हिन्दुस्तान* ने लोकसभा चुनावों से पहले विभिन्न उम्मीदवारों की प्रशंसा में कई लेख प्रकाशित किए। लेकिन *प्रभात खबर* ने इस तरह के प्रत्येक आइटम के ऊपर पीके मीडिया मार्केटिंग इनिशिएटिव लिखाए जबकि हिन्दुस्तान ने एचटी मीडिया मार्केटिंग इनिशिएटिव लिखा।

प्रथम प्रवक्ता पत्रिका (16 जुलाई, 2009 का अंक) में पूर्व नागरिक उड्डयन मंत्री हरमोहन धवन के हवाले से कहा गया, "मैं 2009 का चुनाव बसपा के टिकट पर चंडीगढ़ से लड़ रहा था। प्रिंट मीडिया के प्रतिनिधि मेरे पास आए और उन्होंने पैसे की मांग की। उन्होंने कहा कि उनके अखबार उनको कवरेज देंगे यदि मैं उन्हें पैसा दूं। उन्होंने मेरे सामने एक पैकेज का प्रस्ताव रखा और इस तरह के एक पैकेज में मुझसे कहा गया कि संपादकीय मेरे पक्ष में लिखे जाएंगे। मैं 1974 से चुनाव लड़ रहा हूं लेकिन इससे पहले कभी भी किसी अखबार ने मुझसे पैसे की मांग नहीं की। मेरे सामने पैकेज का प्रस्ताव रखने वाले समाचारपत्रों में *पंजाब केसरी* था। चुनाव से बीस दिन पहले मेरे पास *दैनिक जागरण* का एक प्रतिनिधि आया और उसने मुझसे साफ तौर पर कहा: यदि आप इस चुनाव में कवरेज चाहते हैं तो आपको पैकेज खरीदना होगा। ये पैकेज लाखों रुपए के थे। इसके बाद मेरे घर में *दैनिक भास्कर* का एक प्रतिनिधि आया। उसने भी मेरे सामने एक पैकेज का प्रस्ताव रखा।

"मैंने इन प्रस्तावों को ठुकरा दिया। मुझे लगा कि अखबार बड़ी चुनावी सभाओं के बारे में तो छापेंगे ही, जहां बड़ी संख्या में लोग एकत्रित हैं, लेकिन जो रैलियां मेरे समर्थन में आयोजित की गई थीं, उनका इन अखबारों ने कोई जिक्र नहीं किया। जबकि दूसरे उम्मीदवारों की रैलियों के बारे में काफी विस्तार के साथ लिखा गया था। जब मैंने इन अखबारों के प्रबंधन के प्रतिनिधियों के सामने इस

मुद्दे को उठाया तो उन्होंने मुझसे कहा कि जब तक मैं एक पैकेज के लिए धन नहीं दूंगा तब तक कुछ नहीं किया जा सकता। 28 अप्रैल, 2009 को मैंने बी.एस.पी. की प्रमुख और उत्तर प्रदेश की मुख्यमंत्री कुमारी मायावती की मौजूदगी में सार्वजनिक रूप से इस पेड न्यूज के धंधे के बारे में बात की। तीस अप्रैल को मेरे पास *दैनिक भास्कर* के महाप्रबंधक आए और उन्होंने कहा कि वह स्वयं यह मानते हैं कि बी.एस.पी. और उसके सभी प्रतिनिधियों की चुनाव पूर्व गतिविधियों को पूर्ण रूप से उनके अखबार में पूरी कवरेज मिलनी चाहिए लेकिन वह इस मामले में असहाय हैं क्योंकि अखबार के प्रबंधन ने यह तय किया है कि वे किसी भी दल के या उम्मीदवारों के विषय में अपने अखबार में तब तक कुछ नहीं प्रकाशित करेंगे जब तक वे अखबार को धनराशि नहीं देते। उन्होंने मेरे सामने पांच लाख के 'पैकेज' का प्रस्ताव रखा लेकिन मैंने उसे ठुकरा दिया। कुछ रिपोर्टरों ने भी मुझे बताया कि उन्होंने जो भी मेरे चुनाव प्रचार के बारे में लिखा था, वह कुछ भी नहीं छपा। मुझे अहसास हुआ कि अखबार रिपोर्टर को अपने औजार के रूप इस्तेमाल कर रहे हैं।''

प्रथम प्रवक्ता पत्रिका (16 जुलाई, 2009) को दिए एक साक्षात्कार में उत्तर प्रदेश के आजमगढ़ से कांग्रेस के उम्मीदवार डाक्टर संतोष सिंह ने कहा ''मेरे नामांकन दाखिल करने के बाद *दैनिक जागरण* के वाराणसी संस्करण के एक प्रतिनिधि ने मुझसे संपर्क किया और मुझसे दस लाख और पांच लाख के दो पैकेजों में से एक को खरीदने को कहा, जिसमें मेरे चुनाव प्रचार का व्यापक कवरेज करने का प्रस्ताव था। एक और समाचार पत्र आज ने मुझसे पचास हजार से लेकर पांच लाख तक की धनराशि की मांग की। इन अखबारों के जो प्रतिनिधि मुझसे मिले उन्होंने मुझसे कहा कि उनके प्रबंधकों ने उन्हें जो आदेश दिए हैं वे उसका पालन कर रहे हैं...इन प्रतिनिधियों ने मुझे बताया कि वे केवल प्रबंधन के आदेश का पालन कर रहे हैं। मैंने उन्हें कोई पैसा नहीं दिया।''

भाजपा के रमाकांत यादव जिन्होंने आजमगढ़ से लोकसभा का चुनाव लड़ा और जीता भी ने प्रथम प्रवक्ता पत्रिका (अंक 16 जुलाई, 2009) को दिए साक्षात्कार में कहा, ''*हिन्दुस्तान* अखबार ने मेरे चुनाव प्रचार से संबंधित समाचारों को प्रकाशित करने के लिए मुझसे दस लाख रुपए की मांग की। मैंने कुछ भी पैसा देने से इनकार कर दिया। एक लेख में इस अखबार ने यह दावा किया कि मैं चुनाव हारूंगा। लेकिन, अब जबकि चुनाव परिणाम घोषित हो चुके हैं। आप जानते हैं कि मैं जीत गया हूं।''

उत्तर प्रदेश के घोसी लोकसभा क्षेत्र के तीन उम्मीदवारों ने *प्रथम प्रवक्ता* पत्रिका (अंक-16, जुलाई, 2009) को जो बताया उसका सार इस प्रकार है :

''समाजवादी पार्टी के उम्मीदवार अरशद जमाल ने कहा, *दैनिक जागरण, हिन्दुस्तान, अमर उजाला, आज* और *उर्दू सहरा* जैसे समाचारपत्रों ने मुझसे पैसे मांगे और दो लाख से लेकर दस लाख के बीच पैकेजों का प्रस्ताव किया।'' भारतीय कम्युनिस्ट पार्टी के उम्मीदवार अतुल कुमार अनजान ने कहा, ''उत्तर भारत के दो बड़े अखबारों के प्रतिनिधियों ने मुझे फोन किया। ये अखबार थे *दैनिक जागरण* और *हिन्दुस्तान*। इन्होंने अपने प्रकाशनों में मेरे प्रचार को कवरेज देने के लिए मुझसे 15.15 लाख रुपए की मांग की। जब मैंने इन प्रस्तावों को ठुकरा दिया तो *दैनिक जागरण* ने 22 मार्च से 16 अप्रैल के बीच मेरी गतिविधियों के बारे में कुछ भी नहीं प्रकाशित किया। इस अखबार ने मेरी रैली के बारे में भी कुछ नहीं छापा, इस रैली को भाकपा के महासचिव ए.बी. बर्धन ने संबोधित किया था। जब मैंने *दैनिक जागरण* और हिन्दुस्तान के मऊ ब्यूरो के रिपोर्टरों और संवाददाताओं से संपर्क किया तो उन्होंने कहा कि उन्हें अपने वाराणसी और दिल्ली कार्यालयों से जो निर्देश मिले हैं वे उनका पालन कर रहे हैं। जब मैंने वाराणसी और दिल्ली स्थित इन अखबारों के प्रतिनिधियों से इसकी शिकायत की तो उन्होंने अपने पैकेजों की दरों को कुछ कम कर दिया। और मुझसे 12 लाख देने को कहा गया।''

भाजपा के उम्मीदवार राम इकबाल सिंह ने *प्रथम प्रवक्ता* के रिपोर्टर रूपेश पांडेय को लखनऊ में पांच फरवरी, 2010 को एक साक्षात्कार में बताया, ''वर्ष 2009 में चुनाव प्रचार के दौरान *दैनिक जागरण* का ब्यूरो प्रमुख मेरे पास आया और कवरेज के लिए मुझसे पैसे की मांग की। उसने कहा कि उसके ब्यूरो के सदस्य उनके हेड आफिस से दिए गए निर्देशों का केवल पालन कर रहे हैं। उसने मुझसे 15 लाख रुपए की मांग की। उन दिनों के दौरान उसके अखबार ने मेरे बारे में चंद लाइनें ही प्रकाशित कीं। लेकिन बहुत अधिक स्थान, वास्तव में, पूरे दो पृष्ठ क्षेत्र की कांग्रेस उम्मीदवार सुधा राय के बारे में रिपोर्टों को समर्पित थे। मैं मानता हूं कि 'पेड न्यूज' के इन समाचारों के प्रकाशन के परिणामस्वरूप 50 हजार से 60 हजार के बीच वोटरों ने अपनी निष्ठा कांग्रेस उम्मीदवार के समर्थन में परिवर्तित कर दी। किसी और समाचारपत्र ने मुझसे पैसे के लिए नहीं कहा।''

उत्तर प्रदेश में लालगंज से भाजपा की उम्मीदवार नीलम सोनकर ने प्रथम प्रवक्ता (16 जुलाई, 2009) को दिए साक्षात्कार में कहा, ''*आज, दैनिक जागरण* और *अमर उजाला* के प्रतिनिधि मेरे पास आए और अपने अखबारों में कवरेज के लिए मेरे सामने दस लाख रुपए के पैकेज का प्रस्ताव रखा। जब मैंने किसी भी पैकेज के लिए पैसे देने से इनकार कर दिया तो इन अखबारों में काम करने वाले वरिष्ठ एक्जीक्यूटिव ने मुझसे संपर्क किया और कहा कि वे अपने पैकेजों की दरों में मेरे लिए कटौती कर देंगे।''

हिन्दुस्तान के पटना संस्करण में 16 अप्रैल को बैनर शीर्षक लगाया गया जिसमें कहा गया—बिहार में इतिहास रचने के लिए कांग्रेस तैयार। लेकिन विचित्र बात यह है कि इस शीर्षक से संबंधित कोई समाचार नहीं था।

चंडीगढ़ स्थित एक स्वतंत्र पत्रकार संजीव पांडेय ने भारतीय प्रेस परिषद को 70 से अधिक कटिंग उपलब्ध कराईं। ये कटिंग हरियाणा से प्रकाशित होने वाले अलग-अलग अखबारों की थीं। ये सभी कटिंगें हरियाणा में विधानसभा चुनावों में अखबारों के संस्करणों में प्रकाशित हुई थीं और पेड न्यूज समाचारों के तहत प्रकाशित की गई थीं।

हरिभूमि के रोहतक संस्करण में 8 अक्टूबर, 2009 को कांग्रेस उम्मीदवार बीरेंद्र सिंह के पक्ष में एक समाचार प्रकाशित किया गया। श्री सिंह उछाना क्षेत्र से विधानसभा चुनाव लड़ रहे थे। यद्यपि, इस न्यूज आइटम में कोई बाईलाइन नहीं थी। इस न्यूज आइटम में दावा किया गया था कि श्री सिंह को समाज में हर वर्ग का समर्थन मिल रहा है। उनके चुनाव प्रचार की योजना का विस्तृत विवरण भी इसमें दिया गया था। इसी फार्मेट का इस्तेमाल करते हुए 9 अक्टूबर, 2009 को *हरिभूमि* में भाजपा उम्मीदवार मेवा सिंह के पक्ष में एक न्यूज आइटम प्रकाशित किया गया था। इसमें भाजपा के राष्ट्रीय अध्यक्ष राजनाथ सिंह की रैली को महत्त्व दिया गया था। इस न्यूज आइटम में दावा किया गया था कि इस रैली के बाद मेवा को समाज के हर एक तबके का समर्थन मिला है।

दैनिक जागरण के पानीपत संस्करण ने अपने 8 अक्टूबर, 2009 के अंक में पृष्ठ नौ पर एक समाचार प्रकाशित किया। यह समाचार कांग्रेस की चुनावी संभावनाओं के बारे में था। इस समाचार में भी कोई बाईलाइन (बिना संवाददाता के नाम के) नहीं थी। इस समाचार के शीर्षक में कहा गया था कि "कांग्रेस द्वारा किए गए अच्छे कार्यों नें राज्य में विपक्ष के नेता की चुनावी संभावनाओं को हाशिए पर कर दिया है। इस न्यूज आइटम में एक-एक वाक्य कांग्रेस पार्टी के पक्ष में था। इसमें गैर कांग्रेसी दलों के नेताओं की आलोचना की गई थी। और कहा गया था कि वे चुनाव में खाता खोलने के लायक भी नहीं हैं क्योंकि कांग्रेस ने समाज के हर वर्ग के लिए बहुत ही बेहतरीन कार्य किए हैं। इस समाचार में यह भी जोड़ा गया था कि भजनलाल के नेतृत्व वाली हरियाणा जनहित कांग्रेस पार्टी के उम्मीदवार कांग्रेस से जुड़े उम्मीदवारों की चुनावी संभावनाओं को नुकसान पहुंचाने की स्थिति में नहीं हैं।

जबकि एकदम इसके विपरीत इसी अखबार के लुधियाना संस्करण में 11 अक्टूबर, 2009 को हरियाणा जनहित कांग्रेस के पक्ष में एक समाचार प्रकाशित किया गया। इसका शीर्षक था कि हरियाणा जनहित कांग्रेस चुनाव के बाद किंग या किंगमेकर की भूमिका अदा करेगी। इस समाचार की हर पंक्ति में हरियाणा

जनहित कांग्रेस की प्रशंसा में विजय गीत गाए गए थे और भविष्यवाणी की गई थी कि चुनाव परिणाम घोषित होने के बाद पार्टी सरकार के गठन में महत्त्वपूर्ण भूमिका निभाएगी। आश्चर्यजनक रूप से अगले ही दिन यानी 12 अक्टूबर, 2009 को इसी अखबार के लुधियाना संस्करण में एक समाचार प्रकाशित किया गया था, जो कि स्पष्ट रूप से हरियाणा के ओमप्रकाश चौटाला की पार्टी इंडियन नेशनल लोकदल (आईएनएलडी) के पक्ष में 'पेड' था। इस खबर के शुरू में रिपोर्टर लिखा गया था। इस खबर के शीर्षक में कहा गया था कि आईएनएलडी सत्तारूढ़ पार्टी (जो कि कांग्रेस थी) के खिलाफ चुनावी फायदा हासिल करेगी।

चुनाव पूर्व की भविष्यवाणियों से संबंधित इससे पहले के समाचारों के एकदम उलट उपरोक्त समाचार में प्रत्येक पंक्ति आईएनएलडी के पक्ष में थी। इस समाचार में कहा गया था कि हरियाणा में आईएनएलडी के पक्ष में लहर चल रही है और हरियाणा में चौटाला और आईएनएलडी के लिए स्पष्ट जीत की भविष्यवाणी की गई थी। इस समाचार में दावा किया गया था कि आईएनएलडी 46 विधानसभा सीटों के जादुई अंकों को आसानी से हासिल करने में सक्षम है, जो कि सरकार गठन के लिए राज्य विधानसभा में बहुमत हासिल करने के लिए जरूरी होंगे। इसमें यह भी कहा गया था कि आंतरिक झगड़ों के चलते कांग्रेस पार्टी संघर्ष कर रही है और यह आईएनएलडी के लिए फायदेमंद होगा। यह कहानी यहीं खत्म नहीं होती है।

अगले दिन यानी 13 अक्टूबर, 2009 को *दैनिक जागरण* के लुधियाना संस्करण में एक दूसरे न्यूज आइटम में एकदम उलट कांग्रेस पार्टी की प्रशंसा की गई। इस स्टोरी में इस बात का जिक्र नहीं था कि यह अखबार के संवाददाता ने लिखी है या अखबार के न्यूज नेटवर्क की है। इसके शीर्षक में दावा किया गया था कि कांग्रेस इतिहास दोहराने के लिए तैयार है। जैसा कि उसने लोकसभा चुनाव के दौरान किया था जब वह शानदार तरीके से जीती थी। खास तौर से इस समाचार की हर एक पंक्ति में कांग्रेस पार्टी और मुख्यमंत्री भुपिंदर सिंह हुड्डा की तारीफ की गई थी। इस समाचार में दावा किया गया था कि इस चुनाव में गैर कांग्रेसी दलों का प्रदर्शन बहुत ही कमजोर रहेगा और उनके उम्मीदवारों की जमानतें जब्त हो जाएंगी। इससे आगे बढ़कर यह भी भविष्यवाणी की गई थी कि राज्य विधानसभा में कांग्रेस 90 सीटों में से 75 सीटें जीतेगी।

इंडियन नेशनल लोकदल के राष्ट्रीय अध्यक्ष ओमप्रकाश चौटाला ने 2 दिसंबर, 2009 को भारतीय प्रेस परिषद को एक पत्र लिखा। उन्होंने पेड न्यूज की इस प्रवृत्ति पर अपनी घृणा का इजहार किया, और *दैनिक भास्कर* के हरियाणा संस्करण के 13 अक्टूबर, 2009 के अंक के प्रथम पृष्ठ का उदाहरण दिया। यह राज्य विधानसभा चुनावों के लिए मतदान का दिन था। इस अखबार ने केवल

कांग्रेस पार्टी का ही विज्ञापन प्रकाशित किया, चौटाला ने इसके साथ यह भी जोड़ा कि इस अखबार के इस अंक में पृष्ठ दो पर आधे पेज का एक विज्ञापन प्रकाशित हुआ जिसमें कुछ समाचार भी थे, जो कि जाहिर है कि 'पेड' थे। इन समाचारों के शीर्षकों में दावा किया गया था कि कांग्रेस राज्य में इतिहास रचने जा रही है। चौटाला का मानना था कि यदि मीडिया की ताकत का इतने खुल्लम-खुल्ला तरीके से गलत इस्तेमाल होगा और विरोधी स्वरों को दबाने का काम किया जाएगा तो देश के लोग भारत के संविधान में अपना विश्वास खो देंगे, जो कि स्वतंत्र और निष्पक्ष चुनावों की गारंटी देता है।

23 दिसंबर, 2009 को उत्तर प्रदेश पत्रकार एसोसिएशन, फैजाबाद, ने भारतीय प्रेस परिषद को एक पत्र लिखा। इसमें 'पेड न्यूज' के चलन की भर्त्सना की गई। इसमें साथ ही यह भी कहा गया कि इस तरह का कदाचार पत्रकारिता की स्वतंत्रता को तबाह करेगा और साथ में देश के लोकतंत्र को भी।

लखनऊ स्थित गैर सरकारी संगठन नेशनल एलायंस ऑफ पीपुल्स मूवमेंट्स ने लखनऊ और गोरखपुर से प्रकाशित चार हिंदी दैनिक समाचार पत्रों के 1 अप्रैल, 2009 से 30 अप्रैल, 2009 के बीच प्रकाशित अंकों का विश्लेषण किया। ये अखबार थे *दैनिक जागरण, दैनिक हिन्दुस्तान, राष्ट्रीय सहारा* और *वॉयस ऑफ लखनऊ*। इस संस्था ने पेड न्यूज सामग्री के बहुत सारे उदाहरणों का दस्तावेजीकरण किया। संस्था की राय थी कि इन लेखों ने चुनाव नियमों की संहिता का उल्लंघन किया है। इसने सुझाव दिया कि भारतीय समाचारपत्रों के रजिस्ट्रार को इन संबंधित प्रकाशनों का पंजीकरण रद्द कर देना चाहिए।

एनजीओ ने इस ओर ध्यान आकृष्ट कराया कि तथाकथित 'पेड न्यूज' लेखों में से बहुत सारे अखिलेश दास गुप्ता के पक्ष में थे जो बहुजन समाज पार्टी के उम्मीदवार के रूप में लखनऊ लोकसभा क्षेत्र से चुनाव लड़ रहे थे (मजेदार बात तो यह है कि जब चुनाव परिणाम घोषित हुए तो वह भाजपा के लालजी टंडन और कांग्रेस की रीता बहुगुणा जोशी के बाद तीसरे नंबर पर थे)। अंग्रेजी साप्ताहिक *आउटलुक* (21 दिसंबर, 2009) में अखिलेश दास गुप्ता को यह कहते हुए उद्धृत किया गया—मैं अपनी पार्टी को दोष नहीं देता हूं यदि वह अपने पक्ष में समाचारों के लिए पैसा देती है, यह मेरी पार्टी के खिलाफ आमतौर पर मीडिया का पूर्वाग्रह है।

आंध्र प्रदेश और महाराष्ट्र तथा दूसरे राज्यों से प्रकाशित होने वाले अखबारों के 'पेड न्यूज' के ऐसे बहुत सारे उदाहरण हैं जो कि भारतीय प्रेस परिषद के सामने लाए गए। परिस्थितिजन्य और स्वीकार योग्य सबूतों की मौजूदगी के बावजूद अखबारों के प्रतिनिधियों ने इस बात से इनकार किया कि उन्होंने उम्मीदवारों से उनकी गतिविधियों पर समाचार प्रकाशित करने के लिए पैसे की

मांग की थी। ऐसे उदाहरण देने से पहले यह निर्देशात्मक रहेगा कि देश के कानून की नजर में इस संबंध में वे कहां खड़े होते हैं।

भारतीय चुनाव आयोग के नियम

16 दिसंबर, 2009 को भातीय प्रेस परिषद के सामने भारतीय चुनाव आयोग के दो प्रतिनिधि पेश हुए और कहा कि देश के वर्तमान कानूनों के तहत अपने सामान्य पार्टी प्रचार के लिए राजनीतिक दलों द्वारा चुनाव प्रचार से संबंधित जो खर्चा किया जाता है उसकी कोई सीमा (सीलिंग) तय नहीं की गई है। भारतीय चुनाव आयोग के अनुसार जब कोई राजनीतिक दल किसी विशेष उम्मीदवार के समर्थन में पैसा खर्च करता है, और जो कि सामान्य पार्टी प्रचार से अलग है, तो इस तरह का खर्च उम्मीदवार के चुनावी खर्च में शामिल नहीं माना जाता है। जनप्रतिनिधित्व कानून 1951 की धारा 77 और चुनाव नियम 1961 के नियम 90 के अनुसार चुनाव प्रचार के सिलसिले में मान्यता प्राप्त राष्ट्रीय स्तर या राज्य स्तर की पार्टी के 40 नेताओं और पंजीकृत गैर मान्यताप्राप्त दलों के 20 नेताओं का चुनाव प्रचार से संबंधित यात्रा खर्च अपवाद स्वरूप चुनाव खर्च के दायरे से बाहर होता है। भारतीय दंड संहिता की धारा 171(एच) के तहत उम्मीदवार के समर्थक और मतदाता प्रत्याशी की अनुमति के बगैर चुनाव में कोई खर्च नहीं कर सकता है।

चुनाव आयोग का कहना है कि इलैक्ट्रानिक मीडिया (रेडियो, टेलीविजन और इंटरनेट) को विज्ञापन सुप्रीम कोर्ट के आदेश (13 अप्रैल, 2004) द्वारा नियमित हैं। (भारत सरकार के सूचना और प्रसारण सचिव बनाम मेसर्स जेमिनी टेलीविजन प्रा.लि., 2004(5) एससीसी 714 के मामले में)। भारतीय चुनाव आयोग का 15 अप्रैल, 2004 का आदेश सुप्रीम कोर्ट के उसी आदेश के आधार पर दिया गया है। इसमें यह विसंगति है कि यह आदेश केवल इलैक्ट्रानिक मीडिया के लिए है और प्रिंट मीडिया पर लागू नहीं होता है। अतः मतदान के दिन के 48 घंटे पहले प्रचार बंद होने के बाद रेडियो स्टेशनों और टीवी चैनलों पर चुनाव प्रचार संबंधी खबरों को प्रसारित करने पर निषेध या प्रतिबंध है, जबकि इस तरह का प्रतिबंध प्रिंट मीडिया पर लागू नहीं है। अतः समाचारपत्र मतदान की सुबह तक चुनाव प्रचार संबंधी खबरें और विज्ञापन प्रकाशित करते हैं। भारतीय प्रेस परिषद का यह मानना है कि इस विसंगति को सुधारने के लिए चुनाव आयोग को तत्काल प्रभाव से पहल करनी चाहिए और संभवतः मीडिया कंपनियों के मालिक भी इसका विरोध नहीं करेंगे क्योंकि यह कदम प्रिंट और इलैक्ट्रानिक मीडिया को एक ही पायदान पर खड़ा कर देगा।

यह कदम राजनीतिक दलों, उनके उम्मीदवारों और अन्यों के द्वारा चुनाव पर

किए जाने वाले खर्च पर कड़ी नजर रखने के लिए तथा यह सुनिश्चित करने के लिए कि कोई विज्ञापन या पैम्फ्लेट आदि के रूप में ऐसा कुछ नहीं छापें जो कि आपत्तिजनक हो।

भारतीय चुनाव आयोग के अनुसार यह देखा गया है कि पोस्टर और पैम्फ्लेटों की छपाई और प्रकाशन पर प्रकाशकों द्वारा उपरोक्त पाबंदियों का पालन कम ही होता है। भारतीय प्रेस परिषद को दिए एक बयान में चुनाव आयोग ने यह कहा कि प्रिंटिंग प्रेसों द्वारा छापे गए पोस्टरों आदि की प्रतियां संबंधित जिलाधिकारी और मुख्य चुनाव अधिकारी को भेजी जाएं, ऐसा कम ही होता है। एक विशेष मामले में आयोग ने पाया कि कुछ प्रेस विज्ञापन, जो कि एक प्रमुख राष्ट्रीय दैनिक में प्रकाशित हुए, उनमें विज्ञापन के प्रकाशक के नाम का कोई जिक्र नहीं था। आयोग का मानना है कि यह धारा 127(ए) का उल्लंघन है। जब आयोग ने धारा 127(ए) के तहत विस्तृत सूचना मांगी तो अखबार ने इस आधार पर इसे देने से इनकार कर दिया कि धारा 127(ए) समाचारपत्रों पर लागू नहीं होती।

जब भारतीय प्रेस परिषद ने भारतीय चुनाव आयोग के कानूनी सलाहकार एस.के. मेहंदीरत्ता से संपर्क किया तो उन्होंने बताया कि इस संदर्भ में आयोग द्वारा जिस अखबार का जिक्र किया जा रहा है कि वह *टाइम्स ऑफ इंडिया* है। आयोग द्वारा *टाइम्स ऑफ इंडिया* को पत्र 2004 के आम चुनाव से पहले ही भेज दिया गया था।

भारतीय चुनाव आयोग के अनुसार कुछ संगठनों या व्यक्तियों द्वारा किसी खास राजनीतिक दल या उम्मीदवार के उद्देश्यों के समर्थन में या विरोध में छद्म (सेरोगेट) विज्ञापनों के जरिए उनकी राजनीतिक संभावनाओं पर प्रतिकूल असर डालना एक समस्या पैदा कर रहा है, क्योंकि उम्मीदवारों द्वारा इस तरह से किए गए चुनावी खर्च पर नियंत्रण रखने में चुनाव आयोग के सामने समस्या पैदा हो रही है।

कोई संगठन या उम्मीदवार के दोस्त या समर्थक उसके पक्ष में उस समय छद्म विज्ञापनों का सहारा लेते हैं तो उनके द्वारा किए गए इस खर्च के लिए भारतीय जनप्रतिनिधित्व कानून 1951 की धारा 77 के तहत उम्मीदवार उत्तरदायी नहीं होगा। तब इस मामले में भारतीय चुनाव आयोग ने निम्नलिखित स्थायी निर्देश जारी किए :

विज्ञापनों के मद्देनजर जो कि प्रिंट मीडिया में और विशेषकर अखबारों में किसी विशेष राजनीतिक दल या उम्मीदवार के पक्ष में अथवा विरोध में चुनाव के दौरान छपते हैं, उनमें निम्नलिखित बिंदुओं का ध्यान रखा जाए :

विज्ञापनों के मामले में इनके स्रोत का पता लगाया जा सके तो निम्नलिखित कदम उठाए जाने चाहिए–

1. अगर विज्ञापन उम्मीदवार की जानकारी या सहमति से दिया गया हो

तो यह माना जाएगा कि यह संबंधित उम्मीदवार की आज्ञा से हुआ है और यह उम्मीदवार के चुनावी खर्च में भी जोड़ा जाएगा।

2. यदि विज्ञापन के लिए उम्मीदवार की ओर से कोई आदेश नहीं है तब भारतीय दंड संहिता की धारा 171(एच) के उल्लंघन के लिए प्रकाशक के खिलाफ बिना उम्मीदवार के लिखित आदेश के विज्ञापन में खर्च करने के लिए अभियोजन का कदम उठाया जाएगा।
3. यदि विज्ञापन में प्रकाशक की पहचान नहीं इंगित की गई है तो आप संबंधित अखबार से मिलकर सूचना मांग सकते हैं और उचित कदम उठा सकते हैं।

इस लिहाज से छद्म विज्ञापनों पर खर्च को रोकने के लिए भारत के चुनाव आयोग ने चुनाव सुधार के अपने प्रस्ताव के तहत सन् 2004 में भारत सरकार से निम्न सिफारिशें भी कीं :

भारतीय चुनाव आयोग का मानना है कि "प्रिंट मीडिया में छद्म विज्ञापनों के मामलों से निपटने के लिए स्पष्ट प्रावधान होने चाहिए। इस उद्देश्य के लिए भारतीय जनप्रतिनिधित्व कानून 1951 की धारा 127(ए) में एक नया उप नियम (2 ए) जोड़कर उचित संशोधन किया जा सकता है। इसके तहत किसी भी राजनीतिक दल या उम्मीदवार के पक्ष या विपक्ष में चुनाव के दौरान किसी भी तरह का विज्ञापन/चुनाव सामग्री के प्रकाशक का नाम व पता सामग्री/विज्ञापन के साथ अवश्य दिया जाना चाहिए। उप नियम (4) को भी जरूरत के मुताबिक संशोधित किया जाना चाहिए जिससे कि इस में नये प्रस्तावित उपनियमों को भी शामिल किया जा सके।"

भारत सरकार ने चुनाव आयोग द्वारा प्रस्तावित सिफारिशों को अभी तक लागू नहीं किया है। इस बीच चुनाव और संबंधित अन्य कानून (संशोधन) 2003, में बदलाव होने के कारण चुनावी खर्च से संबंधित कानूनों में जबर्दस्त परिवर्तन हो चुके हैं, जिसके कारण समर्थकों और कार्यकर्ताओं द्वारा किया गया सभी खर्च उम्मीदवार द्वारा किया गया या अधिकृत खर्च माना जाएगा और यह कानून द्वारा नियत खर्च की सीमा के अंतर्गत आएगा।

भारतीय प्रेस परिषद को भेजे अपने नोट में चुनाव आयोग ने माना : "हाल ही में मीडिया (खासकर प्रिंट मीडिया) को इस्तेमाल करने के अभियान ने और ज्यादा असामान्य मोड़ ले लिया है। छद्म विज्ञापनों या खबरों के रूप में पेश किए जाने वाले पेड न्यूज की अनेक शिकायतें हैं। ऊपर से देखने में तो ऐसे विज्ञापन किसी विशेष उम्मीदवार के चुनाव प्रचार को कवर करने वाली सच्ची न्यूज रिपोर्ट का आभास देते हैं, लेकिन जब इस तरह के समाचार अखबार में आमतौर पर

लगातार छप रहे हों तो मामले पर शक होता है कि 'ये रिपोर्टें उम्मीदवार के चुनाव प्रचार की ईमानदार कवरेज हैं या नहीं।' "

चुनाव आयोग द्वारा भारतीय प्रेस परिषद को दिए गए नोट में कहा गया है कि "यह मामला तब बड़ा रूप ले लेता है जब इस तरह के समाचार एक से अधिक समाचार पत्रों में कुछ मामूली बदलावों के साथ हू-ब-हू छाप दिए जाते हैं। जाहिर है कि ऐसे समाचारों के प्रकाशन में जो दिखाई देता है उससे कुछ ज्यादा ही होता है। इस चलन का प्रभाव मतदाताओं के सही सूचना जानने के अधिकार पर पड़ता है। आयोग को जो शिकायतें मिली हैं उनमें अधिकांश अनौपचारिक हैं। इन शिकायतों में कहा गया है कि कुछ राजनीतिक दलों और उम्मीदवारों ने 'पेड न्यूज' आइटम के बतौर 'प्लांटिड स्टोरीज' (प्रायोजित समाचार) प्रकाशित करने के लिए पत्रकारों या प्रेस रिपोर्टरों को अच्छा खासा पैसा देकर अखबारों में स्थान प्राप्त किया है।"

चुनाव आयोग के नोट में यह भी उल्लेख था कि हाल ही में बहुत ही चिंताजनक प्रवृत्ति सामने आई है और जो आयोग के लिए अत्यंत गंभीर चिंता की बात है। आयोग को मिली ताजा शिकायतों में कहा गया है कि अब अखबारों को बहुत ही मोटी रकम तीन प्रकार की सेवाओं के लिए दी जाती हैं। पहला, संबंधित राजनीतिक दल या उम्मीदवार की सकारात्मक छवि प्रस्तुत करने के लिए। दूसरा, विरोधी दल या उम्मीदवार की नकारात्मक छवि पेश करने के लिए। ऐसे पैकेज के रेट उस चुनावी सीट के क्षेत्र में उस अखबार के वजूद और प्रसार पर निर्भर करते हैं। यह इस बात पर निर्भर करता है कि वह अखबार कितने समय के लिए इस तरह के प्रचार को करता है। अर्थात वह अपनी सेवाएं पूरे प्रचार काल के लिए दे रहा है या मात्र आखिरी एक हफ्ते के लिए या इससे भी कम चुनाव के आसपास के समय के लिए। यह चिंताजनक स्थिति न केवल चुनाव आयोग अपितु सभी संभ्रांत, पढ़े-लिखे संवेदनशील लोगों के लिए चिंता का विषय बनी हुई है। यहां तक कि प्रिंट मीडिया और राजनीतिक ढांचे के कुछ हिस्सों में भी इसको लेकर बहुत चिंता है। लेकिन व्यवहार में इस समस्या से निपटने के लिए मीडिया और राजनीतिक दलों द्वारा कोई ठोस कदम उठाया जाना जरूरी है।

चुनाव आयोग ने भारतीय प्रेस परिषद से कहा है कि इस बढ़ती हुई अनिष्टकारी समस्या पर गंभीरता से सोचें क्योंकि अगर शीघ्र ही इस समस्या का कोई समाधान नहीं ढूंढा गया तो यह पूरे चुनावी तंत्र की विश्वसनीयता को खत्म कर देगा। छद्म विज्ञापनों पर किसी भी प्रकार के सोच-विचार में मीडिया नियमन, मीडिया स्वतंत्रता और मीडिया नीति आदि जैसे मुद्दे भी शुमार होते हैं। भारतीय प्रेस परिषद को इन पर भी गौर करना चाहिए। भारतीय चुनाव आयोग, विशेषकर 'पेड न्यूज' के मामले

में भारतीय प्रेस परिषद का दिशा-निर्देश चाहेगा ताकि राजनीतिक दलों और उम्मीदवारों द्वारा ऐसे समाचारों पर किए गए खर्च को चुनावी खर्च में शामिल किया जा सके।

भारतीय प्रेस परिषद का मानना है कि वास्तव में 'पेड न्यूज' की व्याख्या करना तो बहुत ही आसान है : किसी अखबार/पत्रिका में छपा कोई लेख या टीवी का प्रसारण, जो समाचार जैसा प्रतीत होता हो और जिसकी सामग्री स्वतंत्र रूप से तैयार की गई लगती हो पर वास्तव में इसके लिए पैसे का लेन-देन हुआ हो, जिसके तहत यह समाचार सामग्री छपी हो या उसका प्रसारण हुआ हो।

समस्या 'पेड न्यूज' को परिभाषित करने की नहीं है अपितु साबित करना समस्या है कि चुनाव में खड़े उम्मीदवार या उसकी राजनीतिक पार्टी या प्रतिनिधि या जानकार का किसी मीडिया कंपनी के प्रतिनिधि के साथ पैसे का आदान-प्रदान हुआ है, जिसके कारण उस समाचार का छपना या प्रसारित संभव हुआ है। चूंकि ऐसी राशि छिपकर या अवैध तरीके से दी जाती है। जैसे कि चेक के बजाय नकद के रूप में, इसका किसी प्रकार का आधिकारिक रिकार्ड (रसीद, बिल या इनवायस के रूप में) संबंधित मीडिया कंपनी के बही-खाते या एकाउंट स्टेटमेंट में जानबूझकर नहीं रखा जाता है। इस तरह के लेन-देन के मामलों को उजागर किया जा सकता है यदि कानून लागू करने वाली संबंधित एजेंसियां तलाशी और जब्ती की कार्रवाई करें और इसमें आयकर विभाग के अधिकारी और पुलिस बल के सदस्य शामिल हों।

आगे बढ़ने से पहले इस पर पुनः जोर देना जरूरी है कि 'पेड न्यूज' स्वयं मीडिया कंपनियों के लिए क्यों घातक है। यह उसकी एक स्वतंत्र, संतुलित और निष्पक्ष सूचना प्रदान करने वाले की विश्वसनीयता को बट्टा लगाता है। यह विचार कि मीडिया लोकतांत्रिक समाज को बनाए रखने में मीडिया मुख्य केंद्रीय भूमिका निभाता है, मीडिया की नैतिकता (इथिक्स) को लेकर एक बहस को जन्म दिया है। एक स्वस्थ लोकतंत्र के लिए अन्य जरूरतों के साथ यह भी आवश्यक है कि जानकार लोग अपनी भागीदारी निभाएं और मीडिया की विभिन्न भूमिकाओं में से एक भूमिका यह भी है कि वे राजनीतिक, आर्थिक, सामाजिक और अन्य मुद्दों पर सूचना देकर लोगों की भागीदारी को हर स्तर पर बढ़ाए और यह सूचना जितनी हो सके उतनी सत्य तथा उद्देश्यपूर्ण हो।

यह दुर्भाग्य है कि भारत में मीडिया राजनीति को किसी अन्य बाजार की तरह देखने लगा है। मान्यता यह है कि यदि एक राजनेता पैसे देता है तो उसे सकारात्मक रूप से और लाभकारी तरीके से कवर किया जाएगा, इसके बजाय कि मीडिया निष्पक्ष सूचना प्रसारित या प्रकाशित करे। 'पेड न्यूज' आइटम जो पंफलेट उम्मीदवारों की प्रशंसा जैसे होते हैं, अंत में स्वयं मीडिया की ही विश्वसनीयता को अगर नष्ट नहीं करते तो कम-से-कम गंभीर हानि तो पहुंचाते

ही हैं। जहां इस प्रकार की गलत हरकत व्यक्तिगत उल्लंघन तक सीमित है वहीं कुछ समाचारपत्रों और कुछ टीवी चैनलों के लिए जो हाल में हो रहा है वह न केवल चौकन्ना करने वाला है अपितु भयावह भी है। क्योंकि इस तरह का चलन लोकतंत्र के हृदय पर सीधी चोट करता है। जिस मीडिया को चौथा स्तंभ या समाज का पहरेदार होना चाहिए था वह लोकतांत्रिक प्रक्रिया को विपरीत रूप से प्रभावित करके पहला स्तंभ बन गया है।

दैनिक जागरण : आरोप और प्रत्यारोप

भारतीय जनता पार्टी के वरिष्ठ नेता लालजी टंडन ने 2009 का लोकसभा चुनाव उत्तर प्रदेश की लखनऊ सीट से लड़ा और जीता। उन्होंने सार्वजनिक रूप से कहा कि 2009 के लोकसभा चुनाव के दौरान ''विश्व के सबसे बड़े प्रसार संख्या वाले भाषाई (भारतीय) अखबार'' ने किस तरह उनके बारे में कोई भी समाचार प्रकाशित करने से मना कर दिया क्योंकि उन्होंने पैसे देने से मना कर दिया था। श्री टंडन ने कहा, ''जब मैंने इसके बारे में पूछा तो मुझे बताया गया कि यदि मैं अपने पक्ष में चाहता हूं तो इसके लिए मुझे पैसा देना होगा।'' उन्होंने साथ ही यह भी कहा कि बसपा से उनके प्रतिद्वंद्वी को इस सीट से खड़े अन्य उम्मीदवारों से ज्यादा प्रचार मिला। यद्यपि श्री टंडन ने कहा कि यह मसला बाद में अखबार के साथ सुलटा लिया गया था। उन्होंने सार्वजनिक रूप से जिस स्तर के आरोप लगाए वह यह दर्शाता है कि इस अखबार में 'पेड न्यूज' का कदाचार किस निरंकुश तरीके से चल रहा था। यह वह अखबार है जो कि भारत में भाषाई अखबारों में सबसे अधिक प्रसार संख्या वाला है बल्कि दुनिया के व्यापक प्रसार संख्या वाले अखबारों में से एक है।

जिस सबसे ज्यादा पढ़े जाने वाले अखबार की बात श्री टंडन कर रहे थे वह *दैनिक जागरण* था। जिसका नाम उन्होंने सार्वजनिक रूप से लिया था। भारतीय प्रेस परिषद ने 11 जनवरी, 2010 को अखबार के एक प्रतिनिधि से पूछा कि क्या श्री टंडन के इस दावे में सत्यता है और क्या अखबार ने उनके चुनाव प्रचार पर पक्ष में समाचार प्रकाशित करने के लिए सचमुच उनसे पैसे की मांग की थी? इस पर उस प्रतिनिधि ने कहा, ''जब श्री टंडन जैसी राजनीतिक हस्ती कुछ कहती है तो स्वाभाविक है कि मीडिया उसे गंभीरता से लेता है। हम तो यही कह सकते हैं कि हम पैसे के लिए अपने संपादकीय स्थान (एडिटोरियल स्पेस) का प्रस्ताव नहीं करते हैं।'' जब आगे उनसे यह पूछा गया कि क्या श्री टंडन यह झूठ बोल रहे हैं कि अखबार के प्रतिनिधि ने उनसे अपने चुनाव अभियान के बारे में खबर

प्रकाशित करने के लिए पैसे की मांग की थी तो इस पर *दैनिक जागरण* के प्रतिनिधि ने दोहराया कि उनके अखबार से किसी ने भी श्री टंडन से पैसे की मांग नहीं की।

जब *आउटलुक* की अनुराधा रमन ने श्री टंडन से पूछा कि क्या उन्होंने अखबार के मालिकों के साथ सुलह कर ली है। इस पर उनके जवाब ने यह साबित कर दिया कि असल में यही हुआ था। श्री टंडन ने जवाब में उलटा सवाल दागा ''क्यों वही बात दोहराना चाहते हैं? रहने दीजिए।''

भारतीय प्रेस परिषद को 10 जनवरी, 2010 को सौंपे गए एक औपचारिक पत्र में जागरण प्रकाशन लिमिटेड के मुख्य महाप्रबंधक निशिकांत ठाकुर ने दावा किया कि 'पेड न्यूज' से संबंधित विवाद ''कुछ भी नहीं है बल्कि यह हारे हुए उम्मीदवारों द्वारा कुंठा में फैलाई गई अफवाह है।'' उन्होंने आरोपों को क्षुद्र और तथ्यात्मक रूप से गलत करार दिया। श्री ठाकुर ने दावा किया कि वह ''निश्चितता के साथ कह सकते हैं कि देश में सम्मानित अखबार का कोई भी संपादक पैसे के लिए खबरों के साथ खिलवाड़ नहीं करता है।'' उन्होंने साथ ही यह भी कहा कि अखबारों में 'प्रचार सामग्री' में जो पैसा खर्च किया जाता है वह चुनावों के लिए खड़े उम्मीदवारों द्वारा जो कुल खर्च किया जाता है कि उसके मुकाबले ''बहुत ही कम है''।

श्री ठाकुर ने दावा किया कि भारतीय चुनाव अयोग ने खर्च की जो सीमा तय की है, वह 'अव्यावहारिक' और 'वास्तविकता से दूर' है। आगे उन्होंने दावा किया कि चुनाव प्रचार की 'भागदौड़ में' उम्मीदवारों द्वारा व्यक्तिगत रिपोर्टों को प्रभावित करने के प्रयास संबंधित 'अखबार के संपादकीय बोर्ड' द्वारा बिना पड़ताल के जा सकते हैं। उनका सुझाव था कि चुनावों में 'स्टेट फंडिंग' होनी चाहिए। उम्मीदवारों द्वारा किए गए खर्चों को जांचने के लिए भारतीय चुनाव आयोग द्वारा 'उचित कदम उठाने चाहिए'। इसके अलावा राजनीतिक दलों में 'अंदरूनी लोकतंत्र' होना चाहिए।

श्री ठाकुर ने तर्क दिया कि नागरिकों के 'अप्रदूषित सूचना पाने के अधिकार' को ''मीडिया के आर्थिक रूप से उचित तरीके से अपने कामकाज चलाने के अधिकार, जो कि भारतीय संविधान के तहत वैध पाबंदियों के अधीन है, के जरिए संतुलित बनाने की जरूरत है।'' उन्होंने साथ ही यह भी कहा कि प्रेस के पास यह अधिकार है कि वह किसी उम्मीदवार की अच्छी उपलब्धियों को सामने लाए और उन्होंने इस बात पर जोर देकर अपनी बात समाप्त की कि जिस चीज की जरूरत है वह है—चुनाव सुधार, पूरे तंत्र को ठीक करना और न की मात्र कुछ 'अंगों की शल्यक्रिया' करना।

'पेड न्यूज' पर श्री पी. साईनाथ के निष्कर्ष

द हिंदू के रूरल अफेयर्स (ग्रामीण मामलों) संपादक पगलुम्मी साईनाथ मुख्यधारा के अखबारों के उन पत्रकारों में एक हैं जिन्होंने 'पेड न्यूज' के पतित रुझानों को प्रकाशित करते हुए कई लेख लिखे हैं। भारतीय प्रेस परिषद के समक्ष 13 दिसंबर, 2009 और दोबारा 27 जनवरी, 2010 को अपने प्रतिवेदन में उन्होंने निम्न निष्कर्ष रखे :

"अपने पत्रकारीय करियर के दौरान मैंने देखा है कि किस तरह धनबल और भ्रष्ट पत्रकारिता हमेशा से किसी भी चुनाव के परिणामों को प्रभावित करने के पीछे प्रमुख कारक रहे हैं—यह रातोंरात पैदा हो जानेवाला कोई रुझान नहीं है। इसके बावजूद पिछले दो आम चुनाव—2004 और 2009 पिछले चुनावों से इस मामले में भिन्न रहे कि इनमें उम्मीदवारों ने अपने चुनाव प्रचार में बड़े पैमाने पर अभूतपूर्व पैसा खर्च किया। 2004 के चुनावों में खर्च किया गया पैसा किसी भी मानक से कहीं ज्यादा चौंकाने वाला था, लेकिन 2009 में खर्च की गई रकम ने 2004 के उम्मीदवारों के चुनावी खर्च को पीछे छोड़ दिया। 2009 का चुनाव सातवां चुनाव था जिसे मैंने कवर किया और अपने करियर में मैंने कभी भी चुनाव प्रचार पर इतना पैसा खर्च होते नहीं देखा। मेरे पास ऐसे साक्ष्य नहीं हैं जिनसे मैं साबित कर सकूं कि उम्मीदवार जो खर्च कर रहे थे, वह भारत के निर्वाचन आयोग द्वारा मंजूर खर्च की राशि से कहीं ज्यादा था। यह तो नंगी आंखों से ही देखा जा सकता था। इसे दस्तावेजी साक्ष्यों से सिद्ध करना एक अलग बात है।"

श्री साईनाथ ने पाया कि 2009 के आम चुनावों में इस लिहाज से एक बदलाव देखने में आया कि उम्मीदवार और राजनीतिक दल प्रेस व मीडिया प्रतिष्ठानों के साथ मिल कर राजनीतिक 'खबर' के रूप में उम्मीदवारों व पार्टियों के विज्ञापन छपवा रहे थे। उन्होंने बताया—

- 'पेड न्यूज' के बाजार का आकार बहुत बड़ा है। आंध्र प्रदेश में पत्रकार यूनियनों का आंकलन है कि 'पेड न्यूज' का बाजार 300 करोड़ से 1000 करोड़ रुपए के बीच है।
- उत्तर प्रदेश में राजनेताओं ने शिकायत की कि कैसे प्रमुख अखबार उनके पक्ष में खबर छापने और/या उनके विरोधियों की खबर को पूरी तरह गोल करने के लिए विभिन्न 'पैकेज' या 'रेट कार्ड' बेच रहे थे।
- पंजाब और हरियाणा में नेताओं की ओर से मिली शिकायतों में कहा गया कि चुनावों की घोषणा होने से काफी पहले कैसे अखबारों ने एजेंडा तय कर दिया था। एक ओर जहां भाषाई अखबारों ने दावा किया कि

राष्ट्रीय अखबार अपने स्थानीय संस्करणों और राजनीतिक परिशिष्टों के माध्यम से संपादकीय स्पेस को बेचने का प्रस्ताव दे रहे थे, तो दूसरी और राष्ट्रीय दैनिकों ने इस आरोप को खारिज किया। यहां तक कि राष्ट्रीय राजधानी के मीडिया प्रतिष्ठान भी इस कलंक से अछूते नहीं रहे।

- 'पेड न्यूज' अब एक संगठित 'उद्योग' का रूप ले चुका है। यह कॉरपोरेट द्वारा नियंत्रित है और देश के कुछ बड़े मीडिया समूहों के पूर्ण संरक्षण और भागीदारी से काम कर रहा है। इस 'उद्योग' में एक पत्रकार की निजी हैसियत कोई नहीं है क्योंकि जिसे 'खबर' के रूप में छापा जाता है, वह संवाददाताओं या पत्रकारों द्वारा एकत्रित नहीं की जाती बल्कि संबद्ध राजनीतिक दल या उम्मीदवार की इच्छा के मुताबिक लिखी जाती है जिसने प्रकाशन या मीडिया हाउस को उसके लिए पैसा दिया होता है। कई मामलों में तो इसमें पत्रकारों की जरूरत ही नहीं पड़ती क्योंकि नेता के पीछे खड़ा उसका जनसंपर्क ही इस काम को अंजाम दे देता है। गुजरात के कुछ अखबारों में संवाददाताओं ने शिकायत की कि उन्हें राजनीतिक रिपोर्टें लिखने से ही मना किया गया था।
- यह 'उद्योग' इतना ज्यादा संगठित हो चुका है कि विशाल जनसंपर्क फर्मे, पेशेवर डिजाइनर और विज्ञापन एजेंसियों ने करोड़ों की रकम के ठेकों को संभाला- न सिर्फ विज्ञापन लगवाने के लिए बल्कि 'ख़बर' लिखने के लिए भी। 'खबर' के रूप में इन एजेंसियों द्वारा किया गया प्रचार एक्सक्लूसिव खबर के रूप में प्रस्तुत किया गया जो प्रतिद्वंद्वी अखबारों में शब्दशः एक ही रूप में अलग-अलग बाईलाइन से छपा। इन विशाल कॉरपोरेट पीआर प्रतिष्ठानों के इस्तेमाल से संसाधन संपन्न राजनीतिक पार्टियों को अपने विरोधियों पर बढ़त मिल गई (जिनके बारे में खबरों को दबा दिया गया क्योंकि वे पैसे दे पाने में अक्षम थे) और इस दुराचार ने भारत के गौरवपूर्ण चुनावी लोकतंत्र को अपनी चपेट में ले लिया।
- 2009 में 'पेड न्यूज' का नया पहलू यह रहा कि इस प्रक्रिया में राजनीतिक पार्टियों की भागीदारी व्यापक रही। इस रैकेट में प्रमुख राजनीतिक पार्टियों और कॉरपोरेट जनसंपर्क संस्थानों की मिलीभगत भी 2009 के चुनावों के लिहाज से अभूतपूर्व है।

श्री साईनाथ ने बताया कि कैसे महाराष्ट्र में सत्तारूढ़ दल ने इस स्थिति का पूर्ण दोहन किया। ''महाराष्ट्र में कांग्रेस-एनसीपी का गठजोड़ ही सबसे ऊपर रहा क्योंकि राज्य की अन्य पार्टियां संसाधनों की कमी से जूझ रही हैं। इसकी वजह किसी पार्टी का अपना चरित्र नहीं है, सीधी सी बात है कि एक गठबंधन पिछले दस साल से राज्य की सत्ता में है और इसके कारण उसके पास पैसे ज्यादा हैं। हो

सकता है कि दूसरे राज्य में कोई अन्य सत्तारूढ़ दल इसकी जगह पर हो।

''मसलन, एक खबर का शीर्षक देखें, 'युवा गतिमान नेतृत्व', जो कि महाराष्ट्र के मुख्यमंत्री श्री अशोक चव्हाण के लिए लिखा गया था और तीन मराठी अखबारों में शब्दशः एक ही था—*लोकमत, पुढारी* और *महाराष्ट्र टाइम्स*। यदि इन तीनों अखबारों से यह सवाल पूछा जाता कि आखिर तीनों में एक ही खबर कैसे छपी, तो इनका तयशुदा जवाब होता कि संयोग से कांग्रेस पार्टी की एक विज्ञप्ति डेस्क पर गए बगैर सीधे प्रेस में चली गई और इसीलिए तीनों अखबारों में एक ही खबर छपी। लेकिन यदि वह प्रेस विज्ञप्ति होती, तो उसे हर अखबार में दिखना चाहिए था, सिर्फ तीन में नहीं। इसलिए सवाल उठता है कि आखिर प्रेस विज्ञप्ति सिर्फ तीन अखबारों में क्यों गई। पुढारी में यह खबर 7 अक्टूबर, 2009 को छपी जबकि अन्य दो में 10 अक्टूबर को। क्या इन अखबारों में तीन दिन पुरानी प्रेस विज्ञप्ति को छापा जाता है?''

श्री साईनाथ ने बताया कि 2009 के आम चुनावों में अखबारों और टीवी चैनलों के मुख्यालयों में क्षेत्रीय संस्करणों और कार्यालयों के लिए 'लक्ष्य' और 'कोटा' तय किया गया था। इन लक्ष्यों को फिर रिपोर्टरों, करेस्पॉन्डेंट और स्पेशल करेस्पॉन्डेंट के बीच बांट दिया गया, जो कर्मचारी के ओहदे के मुताबिक था। अप्रैल 2009 में पंद्रहवें आम चुनावों के दौरान *द हिंदू* ने महाराष्ट्र के कई छोटे शहरों जैसे नागपुर और अमरावती के पत्रकारों पर खबर की थी जिसमें उनकी शिकायत थी कि उन्हें जबरदस्ती ऐसी खबरें लिखने को कहा जाता था जिनके बदले में पैसे दिए गए थे।

मुंबई के सियोन-कोलीवाड़ा से स्वतंत्र उम्मीदवार और वकील श्री शकील अहमद ने बताया कि जिन अखबारों ने पहले उन्हें सामाजिक कार्यकर्ता होने की हैसियत से स्पेस दिया था, अब वे चुनावी उम्मीदवार होने के नाते उनसे पैसे की मांग कर रहे थे। ''चूंकि मैंने पैसे देने से मना कर दिया, इसलिए मेरे बारे में किसी ने नहीं लिखा।''

'पेड न्यूज' के रुझान की पड़ताल करते हुए श्री साईनाथ ने लिखा, ''महाराष्ट्र से प्रकाशित अखबारों के कई संस्करणों को 1 अक्टूबर और 10 अक्टूबर, 2009 के बीच देखें तो पता चलता है कि खबरों के लिए जगह पाने के लिए उम्मीदवारों में मारामारी थी। ऐसी कई खबरों के उदाहरण हैं जिनका आकार रहस्यमय तरीके से तय होता था, जिनमें शब्दों की संख्या 125-150 के बीच होती लेकिन उम्मीदवार की तस्वीर दो कॉलम की होती। 'निश्चित आकार' की ऐसी खबरें जितना बताती नहीं थीं, उससे कहीं ज्यादा छुपा ले जाती थीं। खबरों को लिखने और लगाने का आकार विज्ञापनों से अलग होता है। कुछ अखबारों में एक से ज्यादा फॉन्ट टाइप और एक से ज्यादा ड्रॉप केस में लिखी कई खबरें एक ही पन्ने पर थीं। ऐसा इसलिए

हुआ क्योंकि लेआउट, फॉन्ट, प्रिंटआउट और तस्वीर सब कुछ उम्मीदवार द्वारा मुहैया कराए गए थे जिसने अखबार में उक्त जगह के लिए पैसे चुकाए थे।''

श्री साईनाथ के मुताबिक चुनाव आयोग को जमा अपने चुनावी खर्च के ब्यौरे में महाराष्ट्र के मुख्यमंत्री अशोक चव्हाण ने बताया कि उन्होंने सिर्फ 7 लाख रुपए अपने प्रचार पर खर्च किए थे। चुनावी खर्च की अधिकतम सीमा चुनाव आयोग के मुताबिक 10 लाख रुपए है। सात लाख में चव्हाण के मुताबिक उन्होंने अखबारों में विज्ञापन पर सिर्फ 5,379 रुपए खर्च किए और केबल टीवी नेटवर्क पर विज्ञापनों हेतु सिर्फ 6000 रुपए। साईनाथ के मुताबिक ''चुनाव अभियान के दौरान मुख्यमंत्री की अभूतपूर्व मीडिया कवरेज को देखते हुए यह खर्च का ब्यौरा गलत लगता है। मेरे पास कुल 89 पन्ने ऐसे हैं जो श्री अशोक चव्हाण की खबरों से पटे पड़े हैं। इनमें अधिकतर खबरें रंगीन हैं। इनमें अधिकतर पन्ने मराठी अखबार लोकमत के हैं, जो नेशनल रीडरशिप सर्वे 2006 के मुताबिक वितरण के मामले में देश का चौथा सबसे बड़ा अखबार है।''

श्री साईनाथ का कहना है कि श्री चव्हाण को मिली इस व्यापक मीडिया कवरेज से कई प्रासंगिक सवाल खड़े होते हैं। यदि उनके बारे में और उनकी उपलब्धियों का बखान करती खबरों और विज्ञापनों की कुल कीमत को आंका जाए तो उन्होंने कुल कितना खर्च किया होगा? आप कैसे एक ऐसे व्यक्ति के बारे में अकेले 150 पन्ने की 'खबरों' की पुष्टि करेंगे जिसे राज्य का मुख्यमंत्री बने सिर्फ 11 महीने हुए हों, यहां तक कि अमेरिकी राष्ट्रपति के चुनाव में ओबामा को भी अपने चुनाव के दौरान ऐसा कोई अखबार नहीं मिला जिसने पूरे पन्ने उनको दिए हों। जबकि उनका चुनाव अभियान अब तक का सबसे महंगा अभियान था।

श्री साईनाथ ने जो कुछ भी बताया, उसकी पुष्टि भाजपा के श्री योगी आदित्यनाथ के बयानों से होती है जिन्होंने *आउटलुक पत्रिका* को बताया था कि उत्तर प्रदेश के प्रमुख अखबारों में आई रिपोर्टों में उनका नाम तक नहीं था। ''मेरे संसदीय क्षेत्र गोरखपुर में जहां पिछली बार मैं चुनाव जीता था, मेरी उम्मीदवारी के बारे में अखबारों में एक शब्द नहीं था।'' भाजपा के इस सांसद ने बताया कि कैसे उनके संसदीय क्षेत्र में हर अखबार अपने संपादकीय स्पेस को पैसे के बदले बेच रहा था।

श्री साईनाथ के मुताबिक पेड न्यूज के धंधे को सिर्फ भाषाई अखबारों तक सीमित करना गलत होगा। उन्होंने बताया, ''यहां तक कि अंग्रेजी के अखबार जैसे *विदर्भ प्लस* (*टाइम्स ऑफ इंडिया* का परिशिष्ट) ने भी खबर के रूप में उम्मीदवारों के विज्ञापन छापे। *विदर्भ प्लस* ने अमरावती के विधानसभा क्षेत्र से कांग्रेस के उम्मीदवार और भारत की राष्ट्रपति श्रीमती प्रतिभा देवीसिंह पाटिल के बेटे श्री राओसाहब शेखावत का एक विज्ञापन खबर के रूप में छापा। रिपोर्ट का शीर्षक

था, ''मोटरबाइक रैली के साथ चुनाव प्रचार का अंत।'' इस खबर में श्री शेखावत की कही गई अंतहीन प्रशंसा को पढना काफी रोचक था।

''जैसा के मैंने *द हिंदू* में 20 जून 2009 को लिखा था, 'एक लोकसभा सांसद की औसत संपत्ति 5.1 करोड़ रुपए है। लेकिन ऐसे कई सांसद हैं जिनके खिलाफ आपराधिक मामले हैं और उनकी संपत्ति औसतन छह करोड़ रुपए है। यानी वे संसद की प्लैटिनम श्रेणी में आते हैं। और एक कैबिनेट मंत्री की औसत परिसंपत्ति साढ़े सात करोड़ रुपए है।'' (ये आंकड़े इस विषय पर नेशनल इलेक्शन वॉच द्वारा करवाए गए एक अध्ययन में सामने आए हैं, जो एक गैर-सरकारी संगठन एसोसिएशन फॉर डेमोक्रेटिक रिफॉर्मस् की पहल है)। जैसा कि मैंने 15वीं लोकसभा पर अपने उस आलेख में बताया था, इसके 543 सांसदों की कुल संपत्ति 2800 करोड़ रुपए है जबकि लोकसभा से केंद्रीय कैबिनेट के 64 मंत्रियों की कुल आय 500 करोड़ या उससे ज्यादा है। इस तरह हम देख सकते हैं धन और चुनाव जीतने के बीच का रिश्ता पहले से कितना ज्यादा पुख्ता हो गया है।

''नेताओं का धन बल ही उन्हें चुनावों के दौरान मीडिया की ताकत को हथियाने में सक्षम बनाता है। इसी तरह मीडिया दिग्गजों की प्रचार की ताकत ही उन्हें राजनीतिक सत्ता को नियंत्रित करने या हासिल करने की ताकत देती है—और दोनों ही कवायदें मूलतः वित्तीय रूप से फायदेमंद होती हैं। एक तरीके से देखें तो चुने गए प्रतिनिधियों के मुकाबले कहीं ज्यादा गरीब आम आदमी को चुनावी प्रक्रिया से बाहर रखने में मीडिया नेतृत्वकारी भूमिका में है। यह भी ध्यान दें कि मीडिया मालिक नेता भी हो सकते हैं और साथ में धनबल से संपन्न भी। मसलन, लोकमत भारत का चौथा सबसे ज्यादा वितरण वाला अखबार है।

साईनाथ ने कहा, ''इसके एक मालिक श्री राजेंद्र दर्डा को महाराष्ट्र में 2009 में कैबिनेट मंत्री बनाया गया था (इससे पहले वह राज्यमंत्री थे)। न्यू-एडीआर ने अपनी रिपोर्ट '2009 चुनावों के आधार पर मंत्रालयों का विश्लेषण-महाराष्ट्र, हरियाणा और अरुणाचल प्रदेश—में कहा है कि सबसे ज्यादा परिसंपत्ति महाराष्ट्र से किसी भी सांसद की राजेंद्र जवाहरलाल दर्डा की है जो पूर्वी औरंगाबाद से आते हैं—32 करोड़ रुपए।'' यह भी पाया गया कि उन्हीं के द्वारा चुनाव में दाखिल हलफनामे के मुताबिक 2004 और 2009 के बीच उनकी परिसंपत्तियों में 408.13 प्रतिशत का इजाफा हुआ है। जब हम मीडिया की सत्ता, धन की सत्ता और खबरों के रूप में छापे जा रहे विज्ञापन के इस जहरीले मिश्रण को हिलाते हैं तो क्या होता है? और लोकमत ''पेड न्यूज'' के धंधे में दूध का धुला नहीं है।

उन्होंने निष्कर्ष दिया, ''असली मुद्दा यह साबित करना है कि खबर के लिए पैसे दिए गए हैं। इस तरह के जितने भी नापाक सौदे हुए, जिसमें पैसे की लेन-देन

बड़े पैमाने पर शामिल है, उन्होंने अपने पीछे कोई निशान या सबूत नहीं छोड़ा। कोई भी समझौता या रसीद नहीं जिससे पैसे को लेन-देन का कोई सबूत रह पाता।''

महाराष्ट्र के मुख्यमंत्री श्री अशोक चव्हाण का बचाव :

प्रेस परिषद ने 'पेड न्यूज' के मसले पर महाराष्ट्र के मुख्यमंत्री श्री अशोक चव्हाण से मुंबई में 28 जनवरी, 2010 को बात की और श्री साईनाथ द्वारा उन पर लगाए गए गंभीर आरोपों पर सवाल किया। उनके प्रतिवेदन से नीचे कुछ अंश दिए जा रहे हैं :

प्रेस परिषद : अखबारों द्वारा एबेसी सामग्री छापे जाने के बारे में आपकी क्या राय है जो पाठकों को तो खबर की तरह लगती है लेकिन वास्तव में उसे छापने के लिए पैसे दिए जाते हैं? पाठक ऐसी पेड खबरों और विज्ञापनों के बीच में फर्क नहीं कर पाता क्योंकि ऐसा कोई संकेत नहीं होता जिससे पता चल सके कि इन खबरों के छपने के पीछे पैसे का लेन-देन शामिल है। आपकी राय में क्या ऐसी 'खबरें' जिनके लिए वास्तव में पैसे दिए जाते हैं, प्रेस को छापनी चाहिए?

श्री अशोक चव्हाण : विभिन्न अखबारों में अक्सर आने वाली ऐसी खबरों की सबसे पहले व्याख्या होनी चाहिए। सबसे पहले यह तथ्य स्थापित करना होगा कि जो छपा है वह वास्तव में खबर है या विज्ञापन। यदि वह विज्ञापन है, तो इसे सिद्ध करने के लिए कागजी साक्ष्य होने चाहिए, जैसे भुगतान की रसीद। विपक्षी दलों ने आरोप लगाया है कि अखबारों में खबरों के रूप में विज्ञापन छपवाए गए। जो राजनीतिक दल ऐसे आरोप लगा रहे हैं, उनके पास इसे सिद्ध करने का कोई तरीका नहीं है। इसलिए सबसे पहले यह सुनिश्चित करना चाहिए कि कोई खबर वास्तव में विज्ञापन है या नहीं।

पीसीआई : किसी उम्मीदवार या राजनीतिक दल और अखबार या टीवी न्यूज चैनल के बीच वास्तव में कोई वित्तीय लेन-देन हुआ है या नहीं, इसे साबित करने के लिए चेक जैसा कोई कागजी साक्ष्य तो नहीं है, लेकिन हमारे पास ऐसे परिस्थितिजन्य साक्ष्य हैं जो हमें श्री पी. साईनाथ ने उपलब्ध कराए हैं और जिसके बारे में उन्होंने अपने अखबार *द हिंदू* में पर्याप्त लिखा भी है। उन्होंने प्रेस परिषद को *लोकमत, पुढारी* और *महाराष्ट्र टाइम्स* की प्रतियां उपलब्ध कराई हैं जो प्रतिद्वंद्वी अखबार हैं। तीनों अखबारों में श्री अशोक चव्हाण के बारे में एक ही सामग्री शब्दशः समान छपी हुई है। *पुढारी* में यह 7 अक्टूबर को छपी जबकि अन्य दो अखबारों ने इसे 10 अक्टूबर को छापा। तीनों खबरों में इकलौता फर्क यही था कि तीनों अलग-अलग बाईलाइन से थीं। इसका मतलब यह हुआ कि परिस्थितिजन्य साक्ष्य

हैं जो बताते हैं कि ये खबरें नहीं थीं, विज्ञापन थे।

एसीः चूंकि आपने ऐसा मसला उठाया है जो मुझसे ताल्लुक रखता है, इसलिए पहले मैं आपकी बात को दुरुस्त कर दूं। कई राजनीतिक दलों ने इस मसले पर मेरे खिलाफ शिकायत भी की है। मेरे हिसाब से ऐसी शिकायतों को दर्ज कराने का उपयुक्त मंच अदालत में एक चुनावी याचिका दायर करना है। मैं फिर अपने विचार अदालत के सामने ही रखूंगा। तकनीकी तौर पर जब चुनाव खत्म हो जाएं, तो किसी भी शिकायत को दर्ज कराने का उपयुक्त तरीका अदालत में चुनावी याचिका दायर करना होता है। जन प्रतिनिधित्व कानून और भारतीय संविधान कहता है कि चुनाव के बाद ऐसे सारे मामले किसी अदालत के माध्यम से उठाए जाने चाहिए। इसलिए मामला न्यायालय में निपटाया जाना चाहिए। दूसरे, चुनाव के दौरान तमाम प्रेस विज्ञप्तियां बांटी जाती हैं और कई प्रेस कॉन्फ्रेंस होती हैं। चुनाव से पहले सरकारें अपनी उपलब्धियों पर कई विज्ञापन भी जारी करती हैं। इसलिए हम नहीं जानते कि इन खबरों का स्रोत क्या है। मेरी पार्टी में प्रदेश कांग्रेस समिति कई प्रेस कॉन्फ्रेंस करती है जिसमें अखबारों को तमाम प्रेस विज्ञप्तियां जारी की जाती हैं। जाहिर है कि अखबारी सामग्री इन्हीं विज्ञप्तियों से ली जाती है। मेरा तो किसी ऐसे शख्स से वास्ता नहीं पड़ा जिसने मुझसे पैसों की मांग की हो। क्या प्रेस परिषद के पास खबर और विज्ञापन के बीच फर्क करने के लिए कोई दिशानिर्देश मौजूद है?

पीसीआई : 14 लाख प्रति रोजाना के वितरण वाला लोकमत 13 संस्करण छापता है। हमने पाया कि चुनावों के दौरान इस अखबार में विज्ञापनों की बाढ़ आ गई थी। अब आप कहेंगे कि चूंकि श्री राजेंद्र जवाहरलाल दर्डा जो औरंगाबाद पूर्वी से सांसद हैं, इस अखबार के मालिक भी हैं और कांग्रेस के सदस्य भी, इसलिए उन्होंने ये सारे लेख आपके समर्थन में लिखवाए। हमने पाया है कि लोकमत ने चुनावी तैयारियों के दौरान आपके पक्ष में 156 पन्ने का विज्ञापन छापा। ये सारे लेख अगस्त, सितंबर और अक्टूबर, 2009 में छापे गए थे। तो आप क्या कहेंगे के श्री दर्ड़ा के संगठन ने यह सब स्वैच्छिक रूप से किया और इसके बदले कोई पैसा उन्हें नहीं दिया गया।

एसी : मैंने आपको बार-बार कहा है कि विज्ञापन के अलावा जो कुछ भी छपा, उसके लिए किसी को पैसे देने का सवाल ही नहीं उठता। आधिकारिक विज्ञापन, जो प्रदेश कांग्रेस समिति की ओर से जारी किए गए, उनका तो हिसाब है। और साथ ही आपको यह नहीं भूलना चाहिए कि मैं राज्य में पार्टी का नेतृत्व मुख्यमंत्री की हैसियत से कर रहा था। तो इसमें कोई आश्चर्य नहीं होना चाहिए कि मेरे बारे में लेख लिखे गए। रिपोर्टरों ने पार्टी द्वारा जारी प्रेस विज्ञप्तियों और

प्रेस नोट से ही अपनी सामग्री उठाई।

अन्य आरोप और प्रत्यारोप

प्रेस परिषद को 23 जनवरी, 2010 को लिखे अपने पत्र में लोकमत के श्री विजय दर्डा ने कहा था, ''यह बताया जाना जरूरी है कि प्रेस परिषद इस मुद्दे को काफी देर से उठा रहा है। मीडिया प्रतिष्ठान अपनी न्यूज स्पेस को काफी लंबे समय से बेचते आ रहे हैं और प्रेस परिषद मूक दर्शक बनी हुई थी। देश में सबसे बड़े मराठी समाचारपत्र समूह होने के नाते अपने पाठकों का भरोसा और विश्वसनीयता बनाए रखने के प्रति हम दृढ़ रूप से वचनबद्ध हैं। हम अपने पेशे में उच्च मानकों को अपनाते हैं, यह हमारा चुना हुआ रास्ता है और हम इस पर चलते रहेंगे।''

एक अन्य हिंदी के अखबार *हिंदुस्तान* ने, जो एचटी मीडिया द्वारा प्रकाशित है, अपने वाराणसी संस्करण में एक नेता का विज्ञापन प्रमुख रूप से छापा था—अक्षरों के आकार और फॉन्ट को इस तरह से रखा गया था कि वह खबर की तरह दिखे। 30 अप्रैल, 2009 को, जिस दिन चुनाव हुए, *हिंदुस्तान* के वाराणसी संस्करण में पहले पन्ने पर सबसे ऊपर एक ऐसी सामग्री छपी जो दिखने में खबर जैसी थी और जिसका शीर्षक था, 'कांग्रेस के पक्ष में लहर'। अगले ही दिन अखबार ने अपनी गलती स्वीकारी और अपने पाठकों से माफी मांगते हुए कहा कि वह खबरों और विज्ञापनों में फर्क करता है। *हिंदुस्तान* के प्रतिनिधियों ने प्रेस परिषद को बताया कि उन्हें जैसे ही अपनी गलती का अहसास हुआ, उन्होंने अपने पाठकों का ध्यान इसकी ओर खींचा।

एचटी मीडिया के प्रतिनिधियों ने परिषद को एक पत्र दिया जो साप्ताहिक *आउटलुक* में (18 जनवरी, 2010) छपा था जिसमें एचटी मीडिया लिमिटेड के मुख्य कार्यकारी अधिकारी श्री राजीव वर्मा ने लिखा था, ''हम संपादकीय सामग्री के आवरण में प्रायोजित खबरें नहीं छापते हैं। *हिंदुस्तान* के वाराणसी संस्करण के विशिष्ट संदर्भ में...जो सामग्री छपी, वह विज्ञापनदाता द्वारा प्रायोजित कंटेंट टैग के तहत छपी। लेकिन कुछ अतिउत्साही विज्ञापन प्रबंधक की गलती के कारण उसका स्वरूप और रंग-रूप मुख्य अखबार की खबरों जैसा हो गया। पाठकों के बीच किसी भी भ्रम को दूर करने के लिए *हिंदुस्तान* के वाराणसी संस्करण के पहले पन्ने पर अगले ही दिन स्पष्टीकरण दे दिया गया। गलती करनेवाले प्रबंधक को भी उपयुक्त दंड दिया गया। ऊपर दी गई इस दुर्भाग्यपूर्ण घटना के अलावा ऐसा कोई भी उदाहरण हमारे यहां नहीं है। हमारे सभी प्रकाशनों के लिए हमने 'प्रायोजित' फीचर के लिए स्पष्ट दिशानिर्देश जारी किए हैं कि उस पर ऐसी सूचना या संकेत हो और उसकी छपाई

अन्य संपादकीय सामग्री से स्पष्ट रूप से भिन्न हो।''

एचटी मीडिया ने इस बात को भी खारिज किया कि *हिंदुस्तान* की संपादक श्रीमती मृणाल पांडे के इस्तीफे के पीछे वाराणसी संस्करण में हुई यह घटना भी एक कारण थी। ''इससे बड़ा सच और क्या होगा कि घटना अप्रैल, 2009 में घटी जबकि संपादक ने पांच महीने बाद सितंबर, 2009 में भिन्न कारणों के चलते इस्तीफा दिया।''

प्रेस परिषद से बातचीत में *पंजाब केसरी* के एक प्रतिनिधि ने भी संपादकीय स्पेस को पैसे के बदले कभी बेचने की बात से इनकार किया। जब परिषद ने उनसे पूछा कि *आउटलुक* में उनके एक वरिष्ठ प्रबंधक के उस बयान के बारे में उनका क्या कहना है जिसमें उन्होंने स्वीकार किया था कि इस अखबार ने 2009 के चुनावों में पेड खबरें लेने के बदले 10 से 12 करोड़ रुपए कमाए, तो प्रतिनिधि का कहना था कि परिवार के मालिकाने वाले अन्य प्रकाशन के आंतरिक मसलों पर टिप्पणी करना उनके अधिकार क्षेत्र में नहीं आता (*पंजाब केसरी* के संस्करण दिल्ली और जालंधर से भिन्न प्रबंधन के तहत छपते हैं)।

यह गंदगी पूरे देश में फैल चुकी है और छोटे व बड़े अखबारों में समान रूप से मौजूद है, इसका उदाहरण हरियाणा के मुख्यमंत्री भुपिंदर सिंह हुड्डा का वह बयान है जिसमें उन्होंने स्वीकार किया था कि एक प्रमुख बहुसंस्करण वाले राष्ट्रीय अखबार में सिलसिलेवार नकारात्मक रिपोर्टों से वह इतने परेशान थे कि उन्होंने पैसे देने का प्रस्ताव किया ताकि खबरें तथ्यात्मक रूप से सही छप सकें। श्री हुड्डा से इस बारे में प्रेस द्वारा जवाब तलब भी किया गया कि 2009 के हरियाणा विधानसभा चुनाव से पहले उन्होंने अपनी सरकार की प्रशंसा में जो विज्ञापन छपवाए, उन पर कुल कितना खर्च आया।

अखबार अब भी इस बात से इनकार करते जा रहे हैं कि संपादकीय स्पेस को चुनावों के दौरान बेचा गया था। लेकिन गुजरात, कर्नाटक और छत्तीसगढ़ से आ रही रिपोर्टें बताती हैं कि कैसे विभिन्न अखबारों के संपादकीयों पर उनके प्रबंधन द्वारा दबाव डाला गया कि वे सवाल खड़े करें। श्री हुड्डा ने तो यहां तक बताया कि पेड न्यूज की गंदगी में संवाददाताओं की कोई भूमिका नहीं है। श्री हुड्डा ने *आउटलुक* को बताया, ''यहां पत्रकारों की गलती नहीं है क्योंकि तथ्यों की छानबीन करने वाली पत्रकारिता अब एक व्यावसायिक गतिविधि बन चुकी है और मौजूदा मालिकों ने अखबारों को धंधा बना लिया है।''

कई नेताओं ने मीडिया पर खुले तौर पर उनसे पैसे ऐंठने की कोशिशों के आरोप लगाए हैं जिसके लिए उन्हें या तो खासकर चुनावों के लिए बनाए रेट कार्ड की ग्राहकी लेने को कहा गया या फिर पर्याप्त सकारात्मक कवरेज के लिए एक निश्चित

रकम देने को कहा गया।

प्रेस परिषद को लिखे एक पत्र में श्री के. रामसुब्रमण्यम, तमिलनाडु में बहुजन समाज पार्टी के राज्य सचिव ने बताया कि उन्हें मीडिया द्वारा सकारात्मक प्रचार का वादा किया गया था, बशर्ते वह अखबार द्वारा तैयार एक विशेष योजना के अंतर्गत 15-20 दिनों के लिए चार से पांच लाख की रकम खर्च करते। श्री सुब्रमण्यम ने बताया, ''इसके अलावा अखबार के प्रबंधन ने मुझे यह ज्ञान भी दिया कि अगर मैं वोट मांगने के लिए अखबार में विज्ञापन दूंगा, तो मैं चुनाव आयोग के प्रति जवाबदेह हो जाऊंगा जो कि उम्मीदवारों के चुनावी खर्च पर नजर रखे हुए है। जबकि संपादकीय के हिस्से के तौर पर छपा संदेश उम्मीदवार को उस पर किए गए खर्च को छुपाने में मदद करेगा।''

पूर्वी दिल्ली लोकसभा क्षेत्र से कांग्रेस के सांसद श्री संदीप दीक्षित ने बताया कि कैसे अखबारों और चैनलों ने उनसे कहा कि अगर वे सकारात्मक कवरेज चाहते हैं, तो उन्हें भुगतान करना होगा। उन्होंने बताया, '''जब मेरे पास अखबारों के संवाददाता आए (अपने प्रबंधन के दबाव में) और उन्होंने पूछा कि क्या मैं उनके अखबार से अपने पक्ष में खबरें छपवाने के लिए कोई सौदा करना चाहता हूं, तो मैंने पैसे देने से इनकार कर दिया।''

भारतीय कम्युनिस्ट पार्टी के श्री अतुल अंजान ने तो आज तक चैनल और *दैनिक जागरण* व *पंजाब केसरी* अखबारों का नाम तक ले डाला जिन्होंने उनके बारे में अच्छी खबरें छापने के लिए पैसे की मांग की थी। उन्होंने जब पैसे देने से इनकार कर दिया तो अखबारों ने उनके बारे में एक शब्द भी नहीं छापकर अपना बदला लिया। इस तरह उनके चुनाव अभियान के बारे में कहीं खबर ही नहीं आई।

लोकसत्ता पार्टी के श्री परचा कोडंडा रामा राव ने प्रेस परिषद के अध्यक्ष को 10 फरवरी, 2010 को लिखे पत्र में तथा इसी दिन प्रेस परिषद के सदस्यों के समक्ष दिए अपने प्रतिवेदन में बताया, ''मैंने अपने क्षेत्र के रिटर्निंग अफसर को पेड न्यूज पर उम्मीदवारों के हुए खर्चों को उनके व्यय खातों में डालने के लिए प्रतिवेदन दिया, लेकिन सब बेकार गया। मैंने तीनों उम्मीदवारों के पेड न्यूज सामग्री की प्रतियां संलग्न कर दीं—कांग्रेस के के. दयासागर राव, पीआरपी के एम. रवींद्र रेड्डी और टीआरएस के विनय भास्कर—जो 16 मार्च, 2009 से 28 मार्च, 2009 के बीच छपी थीं तथा राज्य सरकार के जनसंपर्क और सूचना विभाग द्वारा स्वीकृत दरों के आधार पर मौजूदा बाजार मूल्य के हिसाब से कुल पेड न्यूज की कीमत भी निकाल ली। चूंकि तेलुगु के अखबार मेरे प्रचार अभियान और खर्च की पूरी तरह से अनदेखी कर रहे थे, इसलिए मैंने ईनाडु के एडवर्टोरियल अधिकारी को 10 अप्रैल, 2009 को कॉल

करके मेरे अभियान को कवर करने को कहा। बचे हुए दिनों के लिए उसने एक लाख रुपए की मांग की लेकिन मैं 50,000 रुपए देने को तैयार हो गया और तुरंत नकद भुगतान कर दिया। उसने मुझे न तो कोई रसीद दी और न ही कोई पावती। मेरे भुगतान का नतीजा मुझे 13, 14 और 15 अप्रैल, 2009 को मिली भारी कवरेज के रूप में सामने आया जो कि 28 मार्च से 12 अप्रैल, 2009 के बीच मिली मामूली कवरेज के मुकाबले काफी ज्यादा था।

सांसद और प्रजा राज्यम पार्टी के उपाध्यक्ष श्री के.पी. रेड्डइया यादव ने प्रेस परिषद को 21 अगस्त 2009 को लिखा था और आरोप लगाया था कि ईनाडु समूह के मालिक श्री रामोजी राव ने दूसरे अखबारों के प्रबंधन के साथ मिल कर योजना बनाई है कि प्रत्येक लोकसभा और विधानसभा क्षेत्र के लिए। 'चुनावी पैकेज' के बदले उम्मीदवारों से पैसे लिए जाएं। पैकेज में 15 दिन के लिए 10 लाख रुपए की योजना थी जिसके बदले में उक्त उम्मीदवार को सकारात्मक कवरेज दी जाएगी। श्री यादव ने आरोप लगाया कि *ईनाडु, आंध्र ज्योति, वार्ता* और *आंध्र भूमि* जैसे कई प्रकाशन और टीवी-9, ईटीवी-2, टीवी-5 और एचएमटीवी न्यूज जैसे चैनलों ने 'पेड न्यूज' छापने या प्रसारित करने के लिए पैसे लिए थे।

दूसरे प्रकाशनों की ही तरह *ईनाडु* ने भी कोई पैसा लेने की बात से इनकार किया। श्री रामोजी राव ने बताया कि 'पेड न्यूज' देश भर के मीडिया में चल रही बुरी प्रवृत्तियों का एक लक्षण है। हालांकि उन्होंने दावा किया कि *ईनाडु* विज्ञापन और खबर के बीच स्पष्ट अंतर रखता है।

दूसरी ओर कांग्रेस के प्रचार प्रबंधक खुले तौर पर स्वीकार कर रहे हैं कि टीवी चैनल किसी भी उस राजनीतिक दल से पैसे लेने को तैयार थे जो चाहता था कि ओपिनियन पोल और सर्वेक्षण में उसे आगे दिखाया जाए। वहीं कुछ दूसरे लोग, जैसे आंध्र प्रदेश सीपीआई के श्री सुधाकर रेड्डी ने कहा कि उनकी पार्टी को न्यूज स्पेस के लिए तभी आश्वस्त किया गया जब उन्होंने कुछ विज्ञापन का वादा किया। श्री रेड्डी ने बताया, "हमें बताया गया कि यदि हम विज्ञापन देंगे, तभी खबर छप सकेगी।"

उन्होंने अपने निजी अनुभव से एक उदाहरण दिया, "6 फरवरी, 2009 को, जिस दिन आंध्र प्रदेश विधान परिषद के चुनाव हुए, *साक्षी* में एक खबर छपी जिसमें भाजपा के महबूबनगर जिला अध्यक्ष के हवाले से मुझे देशद्रोही कहा गया था। इससे भी बुरा यह था कि अखबार ने मेरी मानहानि की क्योंकि उसने दावा किया कि मैं इसलिए दृष्टिहीन हूं क्योंकि मैंने वैज्ञानिकों की सलाह की अनदेखी करके सूर्य ग्रहण को नंगी आंखों से देख लिया था। यह पूरी तरह से फर्जी स्टोरी थी। मैंने अखबार को शिकायत भेजी और चुनाव आयोग में भी पत्र भेजा, लेकिन अब तक कुछ नहीं हुआ।"

पीपुल्स मीडिया इनीशिएटिव नामक गैर-सरकारी संगठन द्वारा किए गए गुजरात समाचार जैसे अखबारों के स्वतंत्र विश्लेषण से संकेत मिलता है कि अखबार एक संस्करण में महाराष्ट्र, मागाथाणे और मलाड के दो विधानसभा क्षेत्रों से विजयी तीनों उम्मीदवारों की रिपोर्ट छपी। इससे स्वाभाविक रूप से यह सवाल खड़ा होता है कि क्या रिपोर्टों के बदले पैसे दिए गए थे। *गुजरात समाचार* ने हालांकि साफ तौर पर इन आरोपों को खारिज कर डाला।

आंध्र प्रदेश श्रमजीवी पत्रकार यूनियन द्वारा मुहैया कराए गए साक्ष्य

आंध्र प्रदेश श्रमजीवी पत्रकार यूनियन (एपीयूडब्ल्यूजे), जो कि पहली यूनियन है जिसने पेड न्यूज के खिलाफ आवाज उठाई और वास्तव में जिसने 'पेड न्यूज' शब्द गढ़ा, उसने 9 फरवरी, 2010 को प्रेस परिषद को जारी एक ज्ञापन में कहा कि 'पेड न्यूज' 2004 के आम चुनावों में चलन में आया जब आंध्र प्रदेश और गुजरात के कुछ छोटे और स्थानीय अखबारों ने संगठित रूप से इस काम को शुरू किया। इन छोटे अखबारों ने, जिनके संपादक और मालिक एक ही थे, प्रमुख दलों के स्थानीय नेताओं या उम्मीदवारों के साथ एक समझौता किया और इन दलों या उम्मीदवारों की प्रचार सामग्री को प्रकाशित करना खबर के रूप में शुरू किया और इसके बदले पैसे लिए।''

यूनियन ने कहा कि 2009 में जब आम चुनाव और आंध्र प्रदेश विधानसभा के चुनाव एक साथ हो रहे थे, विज्ञापन की कॉपी 'पेड न्यूज' के साथ आती थी जिस पर एक स्टाफर की बाईलाइन होती थी ताकि पाठकों को भ्रमित किया जा सके और वे विश्वास कर लें कि कॉपी अखबार के रिपोर्टर ने ही लिखी है। अपनी विज्ञापन दरों के हिसाब से अखबारों के प्रबंधन ने 'पेड न्यूज' सामग्री के बदले पैसे लिए और इस बात को रेखांकित नहीं किया कि ये विज्ञापन हैं।

एपीयूडब्ल्यूजे ने 2009 के आम चुनावों के प्रचार से पहले 'पेड न्यूज' का मुद्दा आंध्र प्रदेश के मुख्य निर्वाचन आयुक्त के समक्ष 10 अप्रैल, 2009 को उठाया था। यूनियन ने कहा कि 'पेड न्यूज' की प्रवृत्ति लोकतांत्रिक चुनावी प्रक्रिया और स्वतंत्र प्रेस का अपमान है। यूनियन ने कई परिस्थितिजन्य साक्ष्यों का संकलन किया, जिनके मुख्य अंश नीचे दिए जा रहे हैं :

आंध्र ज्योति ने अपने पश्चिमी गोदावरी संस्करण के साथ मिलनेवाले एक टेब्लॉयड में 23 अप्रैल, 2009 को पहले पन्ने पर एक लेख छापा जिसमें दावा किया गया कि नरसापुरम संसदीय क्षेत्र से टीडीपी उम्मीदवार श्रीमती थोटा सीताराम लक्ष्मी चुनावी संघर्ष में विजयी होंगी। लेख में शीर्षक दिया गया कि 'भारी जीत'

उम्मीदवार की प्रतीक्षा कर रही है। इसी संस्करण में आखिरी पन्ने पर एक स्टोरी थी जो कहती थी कि इसी संसदीय क्षेत्र से कांग्रेस के उम्मीदवार बापी राजू सीट जीतने जा रहे हैं जिसका शीर्षक था 'विजय, विजय'। यूनियन का कहना था कि यह असाधारण बात थी एक ही अखबार एक ही संसदीय क्षेत्र से दो प्रतिद्वंद्वी उम्मीदवारों का समर्थन कर रहा था, वह भी एक ही दिन। आरोप लगाया कि ये खबरें अखबार के पत्रकारों द्वारा नहीं लिखी गई हैं बल्कि उम्मीदवारों के प्रचारकों द्वारा छपवाई गई हैं।

ऐसी ही स्टोरी उसी दिन 23 अप्रैल, 2009 को *ईनाडु दैनिक* के पश्चिमी गोदावरी संस्करण में छपीं। पहले पन्ने पर अखबार ने भीमावरम के नाम से एक स्टोरी लगाई जिसमें नरसापुरम से टीडीपी उम्मीदवार सीताराम लक्ष्मी के जीतने का दावा किया गया था। इसका शीर्षक था, 'भारी बहुमत के साथ जीत के रास्ते पर'। इसी संस्करण के आखिरी पन्ने पर एक और स्टोरी छपी जिसमें कांग्रेस के उम्मीदवार बापी राजू के जीतने का दावा किया गया था। खबर का शीर्षक था, 'सबकी राय, बापी राजू जीतेंगे।'

एपीयूडब्ल्यूजे ने आंध्र प्रदेश के पश्चिमी गोदावरी के अखबारों का विस्तृत विश्लेषण 27 दिनों तक 28 मार्च 2009 से 23 अप्रैल 2009 के बीच किया। अध्ययन में यह बात सामने आई कि *ईनाडु* ने 94 राजनीतिक विज्ञापन और 92 'पेड न्यूज' का प्रकाशन किया। जबकि *आंध्र ज्योति* ने 87 राजनीतिक विज्ञापन और 163 'पेड न्यूज' छापे। दूसरे प्रकाशन जैसे साक्षी, वार्ता, आंध्र भूमि और सूर्या में भी ऐसे ही विज्ञापन और 'पेड न्यूज' छपे। तेलुगु दैनिक *साक्षी* ने प्रेस परिषद को 10 फरवरी, 2010 को 'पेड न्यूज' पर लिखे अपने पत्र में दावा किया, ''हम समस्या को संबोधित करने में अपने लक्ष्य से काफी पीछे हैं। यह ऐसे ही है जैसे हम समस्या की जड़ तक न पहुंच पा रहे हों।'' चुनाव आयोग के दिशानिर्देशों के मुताबिक आंध्र प्रदेश, उत्तर प्रदेश, बिहार और मध्य प्रदेश जैसे प्रमुख राज्यों में चुनाव खर्च की सीमा लोकसभा उम्मीदवार के लिए 25 लाख रुपए है जबकि विधानसभा उम्मीदवार के लिए दस लाख रुपए है। लक्षद्वीप जैसे छोटे लोकसभा क्षेत्रों के लिए यह सीमा दस लाख रुपए है।

''इसमें कोई छुपाने वाली बात नहीं कि लगातार बढ़ती मुद्रास्फीति और महंगाई के दौर में असेंबली उम्मीदवारों के लिए दस लाख की सीमा हास्यास्पद रूप से कम है। यही बात लोकसभा उम्मीदवारों के लिए भी कही जा सकती है। लेकिन हम जानते हैं कि असेंबली उम्मीदवार दो करोड़ से कम खर्च नहीं करते और लोकसभा के मामले में तो यह आंकड़ा और ज्यादा होता है। यहां तक कि चुनाव आयोग भी अच्छे से जानता है कि कोई भी उम्मीदवार वास्तविक

व्यय नहीं बताएगा न ही वह दी हुई सीमा के भीतर खर्च करेगा। इस प्रक्रिया में उम्मीदवारों ने अपने खर्च को छुपाने के तमाम तरीके ईजाद कर लिए हैं और पेड न्यूज इन्हीं में से एक है।''

'पेड न्यूज' पर एडीटर्स गिल्ड

एडीटर्स गिल्ड ऑफ इंडिया ने अपनी सालाना आम बैठक में 22 दिसंबर, 2009 को नई दिल्ली में पेड न्यूज के चलन की कड़ी निंदा की जो उसकी राय में भारतीय पत्रकारिता की नींव को कमजोर कर रही है। गिल्ड ने देश के सभी संपादकों का आह्वान किया कि वे खबर के आवरण में कोई भी विज्ञापन छापने से बाज आएं। गिल्ड ने मीडिया मॉनीटरिंग एजेंसी एडेक्स (टैम मीडिया रिसर्च प्राइवेट लिमिटेड की इकाई) द्वारा संकलित आंकड़ों (जो *मिंट* में 2 दिसंबर, 2009 को प्रकाशित है) के आधार पर इस तथ्य का संज्ञान लिया कि अक्टूबर, 2009 में महाराष्ट्र विधानसभा चुनावों में मराठी अखबारों में कुल विज्ञापन का आकार (कॉलम सेंटीमीटर के हिसाब से) 2004 के स्तरों के मुकाबले पांचवां हिस्सा ही रह गया, जिससे विज्ञापन के खबर के आवरण में छापे जाने की संभावना को बल मिलता है।

निष्कर्ष

भले ही 'पेड न्यूज' की व्यापक परिघटना को राजनेताओं और प्रचार प्रबंधकों ने स्वीकारा है और उसकी मौखिक निंदा भी की है, लेकिन इस बात के कोई साक्ष्य नहीं हैं जिससे पुख्ता रूप से यह स्थापित हो सके कि मीडिया प्रतिष्ठानों/विज्ञापन एजेंसियों/पत्रकारों और नेताओं/राजनीतिक दलों के बीच पैसे का लेन-देन हुआ है। 'पेड न्यूज' के चलन को साबित करने के साथ समस्या इसके ठोस साक्ष्य इकट्ठे करने में है। सिर्फ एक अपवाद को छोड़ दें (आंध्र प्रदेश में लोकसत्ता पार्टी के परचा कोटंटा रागा राव), तो कोई भी शिकायतकर्ता प्रेस परिषद को सकारात्मक खबर के बदले पैसे लिए जाने संबंधी कोई साक्ष्य मुहैया करा पाया है। यहां तक कि मीडिया प्रतिष्ठानों द्वारा छपवाया गया रेट कार्ड जो चुनावों के दौरान वितरित हुआ, वह भी महज कागज के टुकड़े पर था जिस पर ऐसा कुछ भी नहीं लिखा था जिससे कि उसे अखबार/टीवी न्यूज चैनल से जोड़ा जा सके अथवा ऐसी कोई भी सामग्री नहीं जिससे पत्रकार/विज्ञापन एजेंट का हवाला मिल सके।

हालांकि कुछ सम्मानित पत्रकारों, पत्रकार संगठनों, अन्य व्यक्तियों और संगठनों द्वारा बड़ी मेहनत से जुटाए गए परिस्थितिजन्य साक्ष्य तथा प्रेस परिषद के समक्ष

नेताओं और पत्रकारों की गवाहियां इस बात को स्थापित करती हैं कि 'पेड न्यूज' का काला धंधा देश के विभिन्न हिस्सों में मीडिया में व्यापक रूप से फैल चुका है (प्रिंट और इलेक्ट्रॉनिक तथा अंग्रेजी और भाषाई पत्रकारिता दोनों में)। दिलचस्प बात यह है कि यह चलन उन राज्यों (केरल और तमिलनाडु) में कम प्रभावी है जहां मीडिया साफ तौर पर राजनीतिक आधार पर बंटा हुआ है।

प्रेस परिषद के इस दिशानिर्देश को सभी प्रकाशनों को कड़ाई से लागू करना चाहिए कि खबर और विज्ञापन के बीच साफ फर्क किया जाए और इसके लिए डिसक्लेमर छापा जाए। जहां तक खबरों की बात है, इसमें हमेशा एक क्रेडिट लाइन होनी चाहिए और इसे ऐसे टाइपफेस में लिखा जाना चाहिए जिससे उसके और विज्ञापन के बीच अंतर साफ हो सके।

सभी उम्मीदवारों/राजनीतिक दलों के लिए अनिवार्य होना चाहिए कि वे उन अखबारों या टीवी चैनलों में अपनी हिस्सेदारी/वित्तीय हितों को पूरी तरह सार्वजनिक करें जिनमें उनके उम्मीदवारों या प्रतिनिधियों के बारे में खबरें या साक्षात्कारों का प्रकाशन-प्रसारण हो रहा है। यदि किसी अखबार या चैनल विशेष पर किसी उम्मीदवार का साक्षात्कार या प्रचार सामग्री का प्रकाशन/प्रसारण हो रहा हो, तो उक्त उम्मीदवार का अखबार या चैनल के साथ कोई भी रिश्ता (वित्तीय या अन्य) पाठक/दर्शक के समक्ष सार्वजनिक किया ही जाना चाहिए।

जनप्रतिनिधित्व कानून 1951 की धारा 123 को संसद द्वारा संशोधित कर अखबारों या टीवी चैनलों पर खबरों की कवरेज के चलन को 'चुनावी धांधली' या भ्रष्टाचार घोषित किया जाए और इसे दंडात्मक कार्रवाई के अनुकूल बनाया जाए।

भारत के चुनाव आयोग को 'पेड न्यूज' के खिलाफ शिकायतें दर्ज करने के लिए एक प्रकोष्ठ का गठन करना चाहिए और एक ऐसी प्रक्रिया शुरू करनी चाहिए जिससे इन शिकायतों के आधार पर कार्रवाइयों को तेजी से अंजाम दिया जा सके। फर्जी शिकायतों पर नजर रखने के लिए शिकायत दर्ज कराने की एक समय सीमा घोषित की जानी चाहिए, मसलन रिपोर्ट के प्रकाशन या प्रसारण के एक महीने के भीतर शिकायत को दर्ज कराने का प्रावधान। चुनाव आयोग को स्वतंत्र पत्रकारों/सार्वजनिक शख्सियतों को प्रेस परिषद से परामर्श के बाद पर्यवेक्षक नियुक्त करना चाहिए जो चुनाव आयोग द्वारा तय किए गए चुनाव निरीक्षकों के साथ विभिन्न राज्यों और जिलों में रहेंगे। जिस तरह नियुक्त किए गए चुनाव पर्यवेक्षकों को किसी भी चुनावी धांधली के बारे में रिपोर्ट करना होता है, उसी तरह इन नामांकित पत्रकारों को पेड न्यूज जैसी गतिविधियों पर प्रेस परिषद या चुनाव आयोग को अपनी रिपोर्ट देनी होगी।

प्रेस परिषद को मीडियाकर्मियों की एक ऐसी इकाई गठित करनी होगी जिसका प्रतिनिधित्व राष्ट्रीय/राज्य/जिला स्तर पर व्यापक हो ताकि वे पेड न्यूज के मामलों पर जांच कर सकें (या तो प्रथम दृष्ट्या अथवा शिकायतों के आधार पर) और एक अपीली प्राधिकरण से गुजरने के बाद ऐसी इकाई की सिफारिशों को चुनाव आयोग व अन्य सरकारी विभागों के लिए बाध्यकारी बनाया जाए।

प्रेस परिषद को पत्रकारों की ओर से की गई पेड न्यूज की शिकायतों के प्रति खुला होना चाहिए और यदि वे चाहें तो उनके नामों को गोपनीय रखने का आश्वासन देना चाहिए।

मीडिया प्रतिष्ठानों को अल्पकालिक संवाददाता और ऐसे संवाददाताओं को अपने यहां रखने से बचना चाहिए जो पारिश्रमिक या नियमित वेतन की जगह विज्ञापन इकट्ठा करने और उसके बदले में कमीशन लेने का दोहरा काम करते हैं।

यदि पत्रकारों के कार्य करने की स्थितियों और नौकरी में सुरक्षा को सुधारा गया तथा मीडिया प्रतिष्ठानों में संपादकीय कर्मियों की स्वायत्तता को बरकरार रखा गया, तो यह काफी हद तक पेड न्यूज पर लगाम लगाने में भूमिका निभाएगा।

अपनी अर्ध-न्यायिक स्थिति के बावजूद प्रेस परिषद के पास सीमित अधिकार हैं। परिषद के पास पाबंदियां लगाने और सिफारिश करने के तो अधिकार हैं, लेकिन वह धांधली के दोषियों को सजा नहीं दे सकती। इसके अलावा, परिषद के अधिकार क्षेत्र में सिर्फ प्रिंट माध्यम आता है। किसी वैकल्पिक संगठन के अभाव में प्रेस परिषद के अधिकार क्षेत्र को व्यापक किया जाना चाहिए ताकि वह टीवी चैनलों की कार्यप्रणाली तथा टीवी चैनलों, रेडियो केंद्रों और इंटरनेट की वेबसाइटों के खिलाफ भी शिकायतों को दर्ज कर सके। प्रेस परिषद को ऐसे अधिकार दिए जाने चाहिए जिससे वह सिर्फ सिफारिश करने तक सीमित न रहे बल्कि दोषियों के खिलाफ दंडात्मक कार्रवाई भी कर सके।

प्रेस परिषद अधिनियम 1978 की धारा 15(4) को संशोधित करने का एक प्रस्ताव, जिसके तहत उसके निर्देश सरकारी अधिकरणों पर बाध्यकारी हों, लंबे समय से लंबित है और इसे जल्द से जल्द संशोधित करना चाहिए ताकि परिषद को और ज्यादा अधिकार मिल सकें।

भारत के चुनाव आयोग को पेड न्यूज के मामलों की सक्रियता से पहचान करनी होगी और यदि प्रथम दृष्ट्या कोई मामला बनता हो, तो दोषी के खिलाफ आयोग को अपने स्तर पर कार्रवाई करनी चाहिए और यदि जरूरी हुआ, तो भारतीय दंड संहिता और अन्य कानूनों को लागू करने वाली इकाइयों की भी इसमें मदद लेनी चाहिए।

किसी प्रकाशन के संपादक या प्रधान संपादक को अपने अखबार में एक

घोषणा प्रकाशित करनी चाहिए कि जो भी खबर छपी है, उसके बदले में किसी राजनीतिक दल या व्यक्ति द्वारा पैसे नहीं दिए गए हैं। ऐसा डिसक्लेमर चुनाव आचार संहिता लागू होने के बाद छापा जाना चाहिए जिससे मीडिया कंपनी के पत्रकारों पर एक नैतिक बाध्यता हो कि वे नैतिकता के पेशेवर मानकों को अपनाएं और यदि प्रबंधन ऐसा कोई दबाव डालता है तो उसे भी इसके लिए हतोत्साहित करें। हालांकि, आत्मनियमन समस्या का आंशिक समाधान ही देता है क्योंकि हमेशा ऐसे उल्लंघनकर्ता मौजूद होंगे जो आचार संहिता का उल्लंघन करेंगे क्योंकि उसकी कानूनी वैधता नहीं है। मीडिया कंपनियों के मालिकों को यह बात स्वीकार करनी होगी कि दीर्घावधि में ऐसी कार्रवाइयां न सिर्फ देश में लोकतंत्र की अवहेलना करती हैं बल्कि मीडिया की विश्वसनीयता को भी खत्म करती हैं। नागरिक समाज की निगाह भी समस्या को कुछ हद तक ही सुलझा सकती है।

सभी संबद्ध पक्षकारों के बीच एक बहस होनी चाहिए कि क्या सुप्रीम कोर्ट द्वारा चुनावों से 48 घंटे पहले टीवी चैनलों के लिए राजनीतिक दलों व उम्मीदवारों के प्रचार अभियान संबंधी खबरें दिखाने पर रोक के दिशानिर्देश को प्रिंट माध्यम तक विस्तारित किया जा सकता है क्योंकि ऐसी कोई पाबंदी अभी प्रिंट माध्यम के लिए लागू नहीं है।

यह कहा जा सकता है कि हमारे देश के नियम-कानून (भारतीय दंड संहिता और जनप्रतिनिधित्व कानून) 'पेड न्यूज' पर लगाम लगाने में सक्षम हैं, बशर्ते संबद्ध अधिकारी, चुनाव आयोग समेत न सिर्फ सक्रिय रहें बल्कि ज्यादा तेज गति से कार्रवाई करें ताकि इस कुकर्म में संलिप्त लोगों को पकड़ा जा सके जो कि जनता से फर्जीवाड़ा करने के बराबर का अपराध है।

सूचना और प्रसारण मंत्रालय, प्रेस परिषद, चुनाव आयोग, संपादकों के प्रतिनिधियों, पत्रकार संगठनों और यूनियनों व राजनीतिक दलों को लेकर इस मसले पर जागरूकता निर्माण के लिए सम्मेलन, कार्यशालाएं, सेमिनार और अभियान आदि किए जाने चाहिए ताकि इस पर विचार हो सके और सामान्य तौर पर मीडिया में व्याप्त भ्रष्टाचार तथा विशिष्ट तौर पर पेड न्यूज पर लगाम लगाने के लिए एक व्यवहारिक समाधान निकाला जा सके।

ऐसी सारी पहलें यदि ईमानदारी के साथ लागू की गईं, तो इनसे न सिर्फ भारतीय मीडिया में हो रही गलत प्रवृत्तियों पर लगाम लगेगी बल्कि ऐसी घटनाओं को भी काफी हद तक रोका जा सकेगा।

(दिनांक : 1 अप्रैल, 2010)

संदर्भ

1. http://www.domain-b.com/industry/Media/20100224_indian_press.html
2. इकॉनोमिक टाइम्स, दिल्ली संस्करण, 22 अप्रैल, 2010
3. http://www.pudr.orgindex.php?option=com_docman&task=doc_view&gid =58
4. इमरजेंसी के दौरान मीडिया को नियंत्रित किए जाने पर जारी श्वेत पत्र, भारत सरकार का प्रकाशन
5. नीलसन अपर मिडिल ऐंड रिच सर्वे, http://www.afaqs.com/cgi-bin/news/spl_rp_download/download.html?x=lr&y=95
6. उप राष्ट्रपति हामिद अंसारी का 28 जनवरी, 2010 का भाषण, (पीआईबी)
7. भारतीय प्रेस परिषद की वेबसाइट से
8. काउंटरपंच में पी. साईनाथ का आलेख, 12 फरवरी, 2009। उन्होंने क्राइम रिकॉर्ड्स ब्यूरो के हवाले से 1997 से 2007 के बीच 1,82,936 किसानों के आत्महत्या की बात कही है।
9. लोकसभा प्रश्नोत्तर, 22 फरवरी, 2006 को स्वास्थ्य मंत्री अंबुमणि रामदास का जवाब
10. आतंकवाद से नागरिकों और सुरक्षाकर्मियों के मरने का जो आंकड़ा 24 नवंबर, 2009 को लोकसभा मे पेश किया गया है उसके मुताबिक 2008 में जम्मू-कश्मीर में 166, पूर्वोत्तर में 512, नक्सलवाद प्रभावित इलाकों में 721, मुंबई में हुए आतंकी हमले में 164 और बाकी देश में 168 की मौत हुई।
11. नेशनल सेंपल सर्वे 2004 के मुताबिक 12.4% युवकों का दाखिला ही उच्च शिक्षा के लिए होता है। लोकसभा प्रश्नोत्तर 25 नवंबर, 2009.
12. मैन्युफैक्चरिंग कंसेंट, हरमन और चोमस्की, 1988
13. ग्लोबल मीडिया, हरमन और मैकचेस्नी, 1998
14. पब्लिक ओपिनियन, वाल्टर लिपमैन
15. एजेंडा सेटिंग फंक्शन ऑफ मास मीडिया, मैककॉम्ब और शॉ, पब्लिक ओपिनियन क्वार्टली, 1972
16. मेनी वायसेस वन वर्ल्ड, ऑक्सफोर्ड और आई.बी.एच., 1982, पेज-253
17. मास कम्युनिकेशन थ्योरी, मैक्वेल, 1994
18. योगेंद्र यादव, अनिल चमड़िया और जितेंद्र कुमार का दिल्ली में मीडिया न्यूजरूम सर्वे, 2006

19. इंडियन एक्सप्रेस डॉट कॉम, 17 दिसंबर, 2009
20. राज्यसभा की कार्यवाही, 5 मार्च, 2009
21. राज्यसभा में ध्यानाकर्षण प्रस्ताव पर विपक्ष के नेता अरुण जेटली का वक्तव्य, 5 मार्च, 2009
22. राज्यसभा में ध्यानाकर्षण प्रस्ताव, 5 मार्च, 2010 (पी.आई.बी.)
23. नेशनल प्रेस डे, 16 नवंबर, 2009 को प्रकाशित भारतीय प्रेस परिषद की स्मारिका, पेज-58
24. उपराष्ट्रपति हामिद अंसारी का 28 जनवरी, 2010 का भाषण, (पी.आई.बी.)
25. फिक्की-के.पी.एम.जी. इंडियन मीडिया ऐंड एंटरटेनमेंट इंडस्ट्री रिपोर्ट 2010, पेज-154
26. लोकसभा अतारांकित प्रश्न 679, 2 मार्च, 2010
27. न्यूज ऐज एंटरटेनमेंट, दया किशन थुस्सू, 2007, पेज 5-6
28. हैबरमास, मीडिया ऐंड कल्चरल स्टडीज में संकलित लेख से, पेज-102-07
29. प्रेस डे, 2009 पर भारतीय प्रेस परिषद की स्मारिका में मलयाला मनोरमा के एम.डी. फिलिप मैथ्यू का आलेख, पेज-3
30. राज्यसभा प्रश्नोत्तर, 7 दिसंबर, 2009
31. फिक्की-के.पी.एम.जी. इंडियन मीडिया ऐंड एंटरटेनमेंट इंडस्ट्री रिपोर्ट 2010, पेज-47
32. फिक्की-के.पी.एम.जी. इंडियन मीडिया ऐंड एंटरटेनमेंट इंडस्ट्री रिपोर्ट 2010, पेज-41 और 71
33. प्रेस डे, 2009 पर भारतीय प्रेस परिषद की स्मारिका
34. पूर्णानंद दासेगौड़ानकोपुलू का आलेख, 'एक्सपेंडिंग मीडिया मार्केट ऐंड श्रिंकिंग पब्लिक स्पेस'
35. चुनावों के कवरेज के बारे में भारतीय प्रेस परिषद के दिशा-निर्देश
36. द ग्लोबल मीडिया, हरमन और मैकचेस्नी, पेज-3
37. http://www.india-seminar.com/2010/605/605_p_sainath.htm
38. आंध्र प्रदेश यूनियन ऑफ वर्किंग जर्नलिस्ट का वक्तव्य, द हिंदू, 10 फरवरी, 2010
39. टाइम्स ऑफ इंडिया, दिल्ली संस्करण, 27 मार्च, 2010, पेज-1
40. नेशनल इलेक्शन वाच की रिपोर्ट
41. http://www.india-seminar.com/2010/605/605_p_sainath.htm
42. नेशनल इलेक्शन वाच की रिपोर्ट, पेज-4
43. http://eci.nic.in/eci_main/miscellaneous_statistics/expendi-turel_loksabha.asp
44. चुनाव में धनबल विषय पर केरल के पलाक्काड में 8 अगस्त, 2009 को आयोजित एक सेमिनार में दिए गए भाषण से
45. http://www.outlookindia.com/article.aspx?240129
46. लाइव मिंट डॉट कॉम में 27 अप्रैल की रिपोर्ट http://www.livemint.com/2009/04/26211540/Sagging-economy-receives-a-pol.html-
47. लोकसभा, अतारांकित प्रश्न संख्या-4014, जवाब की तारीख 15 दिसंबर, 2009
48. लोकसभा में तारांकित प्रश्न संख्या-472, जवाब की तारीख 6 अगस्त, 2009

49. एच.के. दुआ, कुलदीप नय्यर, चंदन मिश्र, बलबीर पुंज, राजीव शुक्ला, दिवंगत नरेंद्र मोहन, महेंद्र मोहन गुप्ता, अरुण शौरी, दीनानाथ मिश्रा, विजय दर्डा, प्रफुल्ल माहेश्वरी, खुशवंत सिंह, संजय निरुपम शाहिद सिद्दिकी आदि।
50. पत्रकार हरीश खरे और संजय बारू, अशोक टंडन, हरिवंश, के.पी. श्रीवास्तव, एच.के. दुआ आदि
51. पत्र सूचना कार्यालय (पी.आई.बी.) की विज्ञप्तियां
52. दैनिक जनसत्ता में प्रकाशित
53. राज्यसभा में अंबिका सोनी, 5 मार्च, 2010 की कार्रवाई से
54. http://www.hinduonnet.com/2009/04/07/stories/2009040756461200.htm Tuesday, Apr 07, 2009
55. जनसत्ता, 10 मई, 2009, कागद कारे
56. द हिंदू, 26 अक्टूबर, 2009 http://www.hindu.com/2009/10/26/stories/2009102651900800.htm
57. द हिंदू, 31 अक्टूबर, 2009
58. वाल स्ट्रीट जर्नल में पॉल बकेट का लेख; 6 मई, 2009, http://online.wsj.com/article/SB124158152250690795.html
59. वाल स्ट्रीट जर्नल में पॉल बैकट की रिपोर्ट—Want Press Coverage? Give Me Some Money
60. द हूट, 7 दिसंबर, 2009
61. लोकसभा प्रश्न संख्या 2992 का 8 दिसंबर, 2009 को दिया गया जवाब
62. लोकसभा प्रश्न संख्या 3122, 8 दिसंबर को दिया गया जवाब
63. लोकसभा प्रश्न संख्या 3982 का 15 दिसंबर, 2009 को दिया गया जवाब
64. राज्यसभा में पेड न्यूज पर ध्यानाकर्षण प्रस्ताव, 5 मार्च, 2010
65. वही
66. लालजी टंडन से रूपेश पांडेय की बातचीत, प्रथम प्रवक्ता, (संपादक—रामबहादुर राय) का पैकेज पत्रकारिता पर केंद्रित अंक, 16 जुलाई, 2009
67. प्रभाष जोशी का लेख 'जिसने भुगता वे बोले', प्रथम प्रवक्ता, 16 जुलाई, 2009
68. 26 जुलाई, 2009 को आयोजित प्रेस कांफ्रेंस में मधु कोड़ा ने कहा—प्रभात खबर मुझ पर उषा मार्टिन (प्रभात खबर को चलाने वाली कंपनी) का काम नहीं करने के कारण दबाव बना रहा है। दलाली नहीं चली तो कंपनी ने अपने अखबार का इस्तेमाल कर मुझे बदनाम करना शुरू कर दिया। यह सब तब शुरू हुआ जब कंपनी के काम की एक फाइल मेरे पास कोर्ट की अवमानना करते हुए भिजवाई गई... कोई किसी व्यापारी के साथ कहीं जाने से उसका पाटर्नर हो जाता है क्यों अगर ऐसा है तो उषा मार्टिन के मालिक समीर लोहिया, झाबर आदि भी मेरे साथ लंदन, स्विट्जरलैंड और पेरिस गए थे तो क्या वे मेरे पाटर्नर हो गये। वर्षों मैंने उषा मार्टिन को भी कठोतिया कोल ब्लॉक दिया। प्रभात खबर को यह बताना चाहिए कि उसकी शर्तें ये थीं। मैंने उनसे कितने पैसे लिये, सहारा समय बिहार-झारखंड तथा ई.टी.वी. पर 27 जुलाई, 2009 को प्रसारित।

69. द हिंदू, दिल्ली संस्करण, 14 मार्च, 2010, पेज-10
70. चुनाव में पैसे का इस्तेमाल विषय पर पलक्काड, केरल में 8 अगस्त, 2009 को हुई गोष्ठी में प्रेस परिषद के चेयरमैन जस्टिस जी.एन. रे का भाषण
71. चुनाव में पैसे का इस्तेमाल विषय पर पलक्काड, केरल में 8 अगस्त, 2009 को हुई गोष्ठी में प्रेस परिषद के चेयरमैन जस्टिस जी.एन. रे का भाषण
72. http://eci.gov.in/eci_main/PROPOSED_ELECTORAL_REFORMS.pdf पेज-8
73. न्यूयॉर्कर मैगजीन, 6 दिसंबर, 1969, द न्यूज ट्विस्टर में संकलित, पेज-19)
74. एडिटर्स गिल्ड की प्रेस विज्ञप्ति, 23 दिसंबर, 2009
75. http://www.fmp.org.in/index.php?p=799
76. सी.एम.एस. की प्रेस रिलीज
77. Countercurrents.org में नया ठाकुरिया की रिपोर्ट, 30 जनवरी, 2010
78. द हिंदू, दिल्ली संस्करण, 14 मार्च, 2009, पेज-10
79. फिक्की-के.पी.एम.जी. इंडियन मीडिया ऐंड एंटरटेनमेंट इंडस्ट्री रिपोर्ट, 2010, पेज-72
80. आर्थिक सर्वेक्षण 2009-10
81. जागरण प्रकाशन सालाना रिपोर्ट 2008-09, पेज-25
82. अंडरस्टैंडिंग मीडिया इकॉनोमिक्स, जीलियन डॉयल, 2002, भूमिका, और पेज-50
83. आई.आर.एस. 2009, राउंड-2, द ब्रांड रिपोर्टर, दिसंबर 16-31, पेज-49
84. प्राइस वाटरहाउस कूपर्स : इंडियन एंटरटेनमेंट ऐंड मीडिया आउटलुक 2009, पेज-6
85. फिक्की-के.पी.एम.जी. इंडियन मीडिया ऐंड एंटरटेनमेंट इंडस्ट्री रिपोर्ट, 2010, पेज-3
86. पिच, जनवरी 2010, पेज-14-16
87. वही, पेज-14
88. द ब्रांड रिपोर्टर, 16-31 दिसंबर, 2009, पेज-49
89. फिक्की-के.पी.एम.जी. इंडियन मीडिया ऐंड एंटरटेनमेंट इंडस्ट्री रिपोर्ट, 2010, पेज-47
90. पिच, जनवरी, 2010
91. वही
92. लोकसभा, अतारांकित प्रश्न संख्या-4014, जवाब की तारीख 15.12.2009
93. नए प्रकाशनों का ब्योरा अलग-अलग मीडिया रिपोर्ट से लिया गया है
94. फिक्की-के.पी.एम.जी. इंडियन मीडिया ऐंड एंटरटेनमेंट इंडस्ट्री रिपोर्ट, 2010, पेज-41, 48, 76, 150
95. भारत की समाचार-पत्र क्रांति, 2004, पेज-61
96. पेज-12, यहां डॉयल ने पिकार्ड के हवाले से मीडिया के डुएल प्रोडक्ट मार्केट (यानी दो तरह के उत्पाद वाला बाजार) होने की बात कही है, जिसमें पहला उत्पाद कंटेंट है और दूसरा उत्पाद दर्शक, श्रोता या पाठक हैं
97. ग्लोबल मीडिया, हरमन और मैकचेस्नी, 1998, पेज-7
98. अंडरस्टैंडिंग मीडिया इकॉनोमिक्स, जीलियन डॉयल, 2002, पेज-11
99. ट्वाइलाइट ऑफ प्रेस फ्रीडम, जॉन सी. मेरिल और अन्य, 2001, पेज-172
100. मैन्युफैक्चरिंग कंसेंट, हरमन और चोमस्की, 1998

101. मेनी वायसेस, वन वर्ल्ड, ऑक्सफोर्ड और आई.बी.एच., 1982, पेज-260
102. इंडियन मीडिया बिजनेस, विनीता कोहली, पेज-54
103. मेनी वायसेस, वन वर्ल्ड, ऑक्सफोर्ड और आई.बी.एच., 1982, पेज-139
104. द ग्लोबल मीडिया, हरमन और मैकचेस्नी, भारतीय संस्करण, 1998, पेज-6
105. 16 नवंबर, 2009 को नेशनल प्रेस डे पर प्रेस परिषद के चेयरमैन जस्टिस जी.एन. रे का हैदराबाद में भाषण
106. मीडिया एथिक्स : ट्रूथ, फेयरनेस ऐंड ऑब्जेक्टिविटी, ऑक्सफोर्ड, 2009
107. इंडियन मीडिया बिजनेस, विनीता कोहली, 2003, पेज-33
108. पत्रकार प्रमोद रंजन का पैकेज पत्रकारिता पर आलेख
109. पी.डब्ल्यू.सी. इंडियन एंटरटेनमेंट ऐंड मीडिया आउटलुक 2009, पेज-16
110. फिक्की के.पी.एम.जी. इंडियन मीडिया ऐंड ऐंटरटेनमेंट रिपोर्ट, 2010, पेज-150
111. http://www.exchange4media.com/e4m/others/analysis22012010.asp
112. http://www.indiantelevision.com/tamadex/y2k10/jan/tam3.php , 19 जनवरी, 2010
113. अमर उजाला, दिल्ली संस्करण, 8 मार्च, 2010, पेज-7
114. द ग्लोबल मीडिया, एडवर्ड एस. हरमन और रॉबर्ट डब्ल्यू. मैकचेस्नी, भारतीय संस्करण, 1998, पेज-7
115. ब्रांड रिपोर्टर में लिंटास मीडिया ग्रुप के चेयरमैन अमित रे का बयान, http://www.afaqs.com/cgi-bin/news/spl_rp_download/download.html?x=lr&y=95
116. फिक्की-के.पी.एम.जी. मीडिया रिपोर्ट, 2009, पेज-98
117. डी.बी. कॉर्प का रेड हेयरिंग प्रॉस्पेक्टस, पेज-80
118. द मीडिया मोनोपली, बेन बेग्डिकियान (1992), पेज- 178
119. जनगणना, 2001 के आंकड़े
120. एक्सचेंज फॉर मीडिया डॉट कॉम, 28 जुलाई, 2009 http://www.exchange4media.com/e4m/news/fullstory.asp?section_id=5&news_id=35412&tag=31092&pict=
121. डी.बी. कॉर्प, रेड हेयरिंग प्रॉस्पेक्टस
122. स्रोत : गुप्ता नवीन के.ऐंड. कंपनी, चार्टर्ड एकाउंटेंट द्वारा जारी किया गया सर्टिफिकेट, डी.बी. कॉर्प के रेड हियरिंग प्रॉसपेक्टस के पेज-65 से
123. जागरण प्रकाशन सालाना रिपोर्ट 2008-09, पेज-29
124. फिक्की-के.पी.एम.जी. इंडियन मीडिया-एंटरटेनमेंट इंडस्ट्री रिपोर्ट, 2010, पेज-77
125. भारतीय प्रसार माध्यम, प्रांजलि बंधु, संवाद प्रकाशन, 2006, पेज-108
126. द मीडिया मोनोपली, बेन बेग्डिकियान (1992), पेज 156-57
127. द मीडिया मोनोपली, बेन बेग्डिकियान (1992), पेज-167
128. द ग्लोबल मीडिया, एडवर्ड एस. हरमन और रॉबर्ट डब्ल्यू. मैकचेस्नी, भारतीय संस्करण, 1998, पेज-7
129. रॉबर्ट डब्ल्यू. मैकचेस्नी के नवंबर, 2000 में यूनेस्को में दिए गए भाषण से
130. अंडरस्टैंडिंग मीडिया इकोनॉमिक्स, जीलियन डॉयल, 2002, पेज-1

131. इकोनॉमिक टाइम्स, दिल्ली, 19 फरवरी, 2010, पेज-16
132. एक्सचेंज 4 मीडिया, 26 फरवरी, 2010 http://www.exchange4media.com/e4m/news/fullstory.asp?section_id=5&news_id=37347&tag=2669&pict=
133. फिक्की-के.पी.एम.जी. इंडियन मीडिया ऐंड एंटरटेनमेंट इंडस्ट्री रिपोर्ट 2010, पेज-4
134. प्राइस वाटरहाउस कूपर्स एंटरटेनमेंट ऐंड मीडिया आउटलुक 2009, पेज-6
135. प्राइस वाटरहाउस कूपर्स एंटरटेनमेंट ऐंड मीडिया आउटलुक 2009 पेज-8
136. 2001 की जनगणना के आंकड़े
137. पी.डब्ल्यू.सी. की मीडिया रिपोर्ट, पेज-8
138. आई.आर.एस. 2007, राउंड-2
139. फिक्की-के.पी.एम.जी. इंडियन मीडिया ऐंड एंटरटेनमेंट इंडस्ट्री रिपोर्ट 2010, पेज-71
140. जागरण प्रकाशन सालाना रिपोर्ट 2008-09, पेज-26
141. आई.आर.एस. 2007, राउंड-2
142. के.पी.एम.जी. की मीडिया रिपोर्ट, पेज-84
143. फिक्की-के.पी.एम.जी. इंडियन मीडिया एंटरटेनमेंट इंडस्ट्री रिपोर्ट 2010, पेज-78
144. फिक्की-के.पी.एम.जी. इंडियन मीडिया ऐंड एंटरटेनमेंट इंडस्ट्री रिपोर्ट 2010, पेज-71
145. राज्यसभा अतारांकित प्रश्न 3453, 21 दिसंबर, 2009
146. आई.आर.एस. 2009, राउंड-2, द ब्रांड रिपोर्टर, दिसंबर 16-31, पेज-49
147. आई.आर.एस. 2009
148. http://www.indiainbusiness.nic.in/industry-infrastructure/service-sectors/media-entertainment.htm
149. टी.आर.ए.आई. का मीडिया स्वामित्य संबंधी विचार पत्र, पेज-2
150. अंडरस्टैंडिंग मीडिया इकोनॉमिक्स, जीलियन डॉयल, 2002, पेज-9
151. अखबारों के प्रबंधकों से बातचीत के आधार पर
152. मीडिया ऐंड पावर, जेम्स करेन, 2002, पेज-234
153. नेशनल प्रेस डे, 2009 पर छपी स्मारिका में कस्तूरी ऐंड संस के एम.डी.एन. मुरली का आलेख, पेज-82
154. भारतीय प्रेस परिषद के नॉर्म, 2010
155. मीडिया ऐंड पावर, जेम्स करेन, 2002, पेज 148-50
156. http://www.jplcorp.in/board.htm
157. http://www.htmedia.in/Management.aspx?Page=Page-HTMedia-Management
158. http://aajtak.intoday.in/index.php?option=com_wrapper&Itemid=268
159. http://investor.bhaskarnet.com/pages/ajaypiramalprofile.php?id=7
160. मीडिया ऐंड पावर, जेम्स करेन, 2002, पेज 151-55
161. सेबी प्रेस रिलीज, 10 फरवरी, 2010, सेबी की वेबसाइट पर उपलब्ध
162. सी.एन.बी.सी. टी.वी. 18 और एन.डी.टी.वी. प्रॉफिट ने जानकारी दी है कि उसके रिपोर्टरों और एंकरों के लिए शेयर बाजार में कारोबार से जुड़े दिशा-निर्देश हैं।
163. http://www.sebi.gov.in/commreport/Reginvadv2007.html

164. http://www.livemint.com/2008/02/18000610/News-channels-say-they-have-po.html
165. द हूट डॉट ओ.आर.जी. में 16 जनवरी, 2009 को पोस्ट की गई स्टोरी
166. परंजय गुहा ठाकुरता की किताब मीडिया एथिक्स : ट्रुथ, फेयरनेस ऐंड ऑब्जेक्टिविटी, ऑक्सफोर्ड यूनिवर्सिटी प्रेस, 2009
167. सी.एम.एस. एकेडमी की प्रेस विज्ञप्ति, 16 जनवरी, 2010
168. भारतीय प्रसार माध्यम, प्रांजलि बंधु, संवाद प्रकाशन, 2006, पेज-111
169. मेनी वायसेस, वन वर्ल्ड, ऑक्सफोर्ड और आई.बी.एच., पेज-140
170. प्रेस परिषद के दिशा-निर्देश, 2010, पेज-63
171. http://economictimes.indiatimes.com/markets/indices/PSTL-promoters-barred-from-market/articleshow/4442192.cms
172. http://www.sebi.gov.in/cmorder/pyramid.pdf
173. प्रभात खबर, मई, 2009
174. भारतीय प्रसार माध्यम, संवाद प्रकाशन, 2006, पेज-108
175. इंडियन मीडिया बिजनेस, सेज, कोहली : 2003, प्रेस डे, 2009 पर प्रेस परिषद की स्मारिका, पेज-9
176. दैनिक जनसत्ता, दिल्ली संस्करण, 14 मार्च, 2009
177. फिक्की-के.पी.एम.जी. इंडियन मीडिया ऐंड एंटरटेनमेंट इंडस्ट्री रिपोर्ट, 2010, पेज-152
178. http://www.network18online.com/studio18.html
179. जनसत्ता, 10 मई, 2009, कागद कारे
180. गिरीश निकम का आलेख, http://wearethebest.wordpress.com/2008/01/03/in-prosperous-gujarat-even-media-can-be-bought
181. आउटलुक का आलेख, न्यूज यू कैन एब्यूज
182. द हिंदू, 31 अक्टूबर, 2009 का संपादकीय
183. द हिंदू, 26 अक्टूबर, 2009
184. द हिंदू, 19 नवंबर, 2009
185. फाउंडेशन फॉर मीडिया प्रोफेशनल्स की साइट पर इस कार्यक्रम की विवियन फर्नांडिस की रिपोर्ट
186. द हिंदू, 20 जनवरी, 2010
187. राष्ट्रीय प्रेस दिवस, 2009 पर प्रेस परिषद की स्मारिका, पेज-88
188. स्रोत : राष्ट्रीय प्रेस डे, 2009 पर प्रेस परिषद की स्मारिका, पेज-81 एन. मुरली का आलेख
189. प्रेस परिषद के दिशा-निर्देश, 2010
190. http://www.edelcap.com/CMT/Upload/ArticleAttachments HVML_IPO_DRHP_060310.pdf
191. पिच, जनवरी 2010, पेज-75
192. द हिंदू में एम.एस. स्वामिनाथन का लेख
193. शोलों को हवा, नवभारत टाइम्स, 30 दिसंबर, 1990

194. नवभारत टाइम्स, 30 दिसंबर, 1990
195. अंग्रेजी पक्षपात, नवभारत टाइम्स, 30 दिसंबर, 1990
196. समाचार-पत्र और सांप्रदायिकता, मुकुल और चारु, 1990
197. समाचार-पत्र और सांप्रदायिकता, मुकुल और चारु, 1990, पेज-31
198. मीडिया ऐंड पावर, जेम्स करेन, 2002, पेज-282
199. सौजन्य : द हूट डॉट ओ.आर.जी.

संदर्भ तथा वेबसाइट की सूची

1. ह्वाइट पेपर ऑन मिसयूज ऑफ मास मीडिया ड्यूरिंग इंटर्नल इमरजेंसी (1977), भारत सरकार का प्रकाशन
2. मैन्युफैक्चरिंग कंसेंट, द पॉलिटिकल इकॉनमी ऑफ द मास मीडिया (1988), एडवर्ड एस हरमन और नोम चोमस्की, विंटेज
3. द ग्लोबल मीडिया (1998), एडवर्ड एस हरमन और रॉबर्ट डब्ल्यू मैकचेस्नी, माध्यम बुक्स
4. पब्लिक ओपिनियन (1922), वाल्टर लिपमैन, www.gutenberg.org से डाउन-लोड
5. एजेंडा सेटिंग फंक्शन ऑफ मास मीडिया (1972), मैककॉम्ब और शॉ, पब्लिक ओपिनियन क्वार्टली
6. मेनी वायसेस वन वर्ल्ड (1982), ऑक्सफोर्ड और आईबीएच
7. मास कम्यूनिकेशन थ्योरी (1994), डेनिस मैक्वेल, सेज पब्लिकेशंस
8. योगेंद्र यादव, अनिल चमड़िया और जितेंद्र कुमार का दिल्ली में मीडिया न्यूजरूम सर्वे, चौथा पन्ना, 2006
9. नेशनल प्रेस डे, 16 नवंबर, 2009 को प्रकाशित भारतीय प्रेस परिषद की स्मारिका
10. फिक्की-केपीएमजी इंडियन मीडिया एंड एंटरटेनमेंट इंडस्ट्री रिपोर्ट (2010)
11. न्यूज ऐज एंटरटेनमेंट (2007), दया किशन थुस्सू, सेज पब्लिकेशंस
12. हैबरमास, मीडिया ऐंड कल्चरल स्टडीज (2006), ब्लैकवेड पब्लिशिंग लिमिटेड में संकलित लेख से
13. नेशनल इलेक्शन वाच की रिपोर्ट
14. मीडिया में हिस्सेदारी (2009), प्रमोद रंजन
15. आर्थिक सर्वेक्षण 2009-2010, भारत सरकार का प्रकाशन
16. जागरण प्रकाशन सालाना रिपोर्ट 2008-2009
17. अंडरस्टैंडिंग मीडिया इकॉनोमिक्स (2002), जीलियन डॉयल, सेज पब्लिकेशंस
18. आईआरएस 2009, राउंड-2, द ब्रांड रिपोर्टर, दिसंबर 16-31
19. प्राइस वाटरहाउस कूपर्स : इंडियन एंटरटेनमेंट एंड मीडिया आउटलुक (2009)
20. भारत की समाचार पत्र क्रांति (2004), रॉबिन जैफ्री, आईआईएमसी प्रकाशन
21. ट्वाइलाइट ऑफ प्रेस फ्रीडम (2001), जॉन सी मेरिल, पीटर जे गेड और फ्रेडरिक आर ब्लेवेंस प्रकाशक-राउटलेज
22. इंडियन मीडिया बिजनेस (2003), विनीता कोहली, रिस्पांस बुक्स

23. फिक्की-केपीएमजी इंडियन मीडिया ऐंड एंटरटेनमेंट इंडस्ट्री रिपोर्ट 2009
24. डीबी कॉर्प का रेड हेयरिंग प्रोस्पेक्टस, सेबी की साइट पर उपलब्ध
25. भारतीय प्रसार माध्यम (2006), प्रांजलि बंधु, संवाद प्रकाशन
26. द मीडिया मोनीपली (1992), बेन बेग्डिकियान, बीकन प्रेस
27. प्राइस वाटरहाउस कूपर्स एंटरटेनमेंट ऐंड मीडिया आउटलुक 2009, पेज-8
28. आईआरएस 2007, राउंड-2
29. मीडिया एंड पॉवर (2002), जेम्स करेन, राउटलेज
30. मीडिया एथिक्स : ट्रुथ, फेयरनेस ऐंड ऑब्जेक्टिविटी (2009), परंजय गुहाठाकुरला ऑक्सफोर्ड यूनिवर्सिटी प्रेस
31. राष्ट्रीय प्रेस दिवस, 2009 पर प्रेस परिषद की स्मारिका, पेज-88
32. समाचार पत्र और सांप्रदायिकता, मुकुल और चारु, 1990

पत्रिकाएँ और अन्य स्रोत

33. पत्रकारीय आचरण की संहिता, भारतीय प्रेस परिषद, 2010
34. पिच, जनवरी 2010
35. पूर्णानंद दासेगौड़ानकोपुलू का आलेख ''एक्सपेंडिंग मीडिया मार्केट ऐंड श्रिंकिंग पब्लिक स्पेस''
36. द ब्रांड रिपोर्टर, 16-31 दिसंबर, 2009
37. अंग्रेजी पक्षपात, नवभारत टाइम्स, 30 दिसंबर, 1990
38. Countercurrents.org (2010) में नवा ठाकुरिया की रिपोर्ट
39. प्रथम प्रवक्ता, (संपादक-रामबहादुर राय) का पैकेज पत्रकारिता पर केंद्रित अंक, 16 जुलाई, 2009
40. न्यूयॉर्कर मैगजीन, 6 दिसंबर, 1969, द न्यूज ट्विस्टर में संकलित
41. भारतीय जनगणना, 2001, वेब पर उपलब्ध सामग्री
42. टीआरएआई का मीडिया स्वामित्व संबंधी विचार पत्र
43. रॉबर्ट इब्ल्यू मेकचेस्नी का नवंबर, 2000 में यूनेस्को में दिया गया भाषण
44. आईआरएस 2009, राउंड-2
45. नीलसन अपर मिडिल एंड रिच सर्वे, www.afaqs.com में प्रकाशित
46. समयांतर, सितंबर, 2010
47. पेड न्यूज पर प्रेस परिषद की रिपोर्ट, 2010

इंटरनेट साइट

48. http://www.thehoot.org/
49. http://www.exchange4media.com/
50. http://www.afaqs.com/
51. http://www.thirdworldtraveler.com/
52. http://eci.gov.in/
53. http://www.moneycontrol.com/

54. http://www.india-seminar.com/
55. http://presscouncil.nic.in/
56. http://pib.nic,in/
57. http://www.mediakhabar.com/
58. http://www.fmp.org.in/
59. http://www.chomsky.info/
60. http://www.sebi.gov.in/

●●●